SCIENCE FICTION

Herausgegeben
von Wolfgang Jeschke

TAKU MAYUMURA

DER LANGE WEG ZURÜCK ZUR ERDE

Science Fiction-Erzählungen

Ausgewählt und herausgegeben von
Michael Morgental

WILHELM HEYNE VERLAG
MÜNCHEN

HEYNE-BUCH Nr. 06/3984
im Wilhelm Heyne Verlag, München

Aus dem Japanischen übersetzt von Michael Morgental
und Keiko Miriam Inaba
Das Umschlagbild schuf Michael M. Pfeiffer
Die Illustrationen im Text zeichnete Ursula Olga Rinne

Redaktion: Wolfgang Jeschke
Copyright © 1961-1976 by Taku Mayumura
Copyright © 1983 der deutschen Übersetzungen
by Wilhelm Heyne Verlag GmbH & Co. KG, München
Printed in Germany 1983
Copyright © 1980 der deutschen Übersetzung
von ›C-seki no kyaku‹ by Michael Morgental
Umschlaggestaltung: Atelier Heinrichs & Schütz, München
Satz: Schaber, Wels/Österreich
Druck und Bindung:
Elsnerdruck GmbH, Berlin

ISBN 3-453-30917-0

INHALT

INHALT

Vorwort des Herausgebers

Von den drei wohl populärsten japanischen SF-Autoren, deren Namen allmählich auch außerhalb Japans bekannt werden, Sakyô Komatsu, Shinichi Hoshi und Taku Mayumura, ist Mayumura der ›am japanischsten‹ erzählende. Nicht nur, weil seine Personen fast durchweg japanische Namen tragen, weil japanische Schauplätze verwendet werden (wobei oft an den reichen historischen Überlieferungen angeknüpft wird, die für die Japaner mit diesen Orten verbunden sind) oder weil Besonderheiten auch der modernen japanischen Gesellschaft eine Rolle spielen (vor allem die an feudale Vergangenheit erinnernde Stellung eines Angestellten in der Firmenhierarchie), sondern in erster Linie deshalb, weil seine Hauptfiguren typisch japanisch sind: Meist ist da ein jüngerer Mann, der eigentlich ein großer Junge geblieben ist — gutmütig, ehrlich, sympathisch, aber ein wenig weich, verträumt, gefühlsbetont, fast überfordert von der Aufgabe, die ihm gestellt ist; doch dank seines jungenhaften Ehrgeizes, seiner Zähigkeit und Ausdauer kommt er am Ende doch recht gut davon. Gehört in einer Geschichte auch eine Frau zu den tragenden Personen, dann ist sie beherzt, zielstrebig, klug; ihr mädchenhafter Charme hält den männlichen Partner oder Gegenspieler wie an einem unsichtbaren Seidenfaden gefesselt.

Wer Japan und die Japaner ein bißchen von innen kennt, der weiß, daß diese Verteilung der Temperamente auf die Geschlechter im Land der Aufgehenden Sonne überwiegt, allem äußeren Anschein und der jahrhundertelangen konfuzianischen Prägung der Gesellschaft zum Trotz. Daran wird sich, so meint der SF-Erzähler Mayumura, auch in ferner Zukunft wenig ändern, und so ist diese sensible Gemütsart seiner Helden eine der Konstanten seines Schreibens. Dabei handelt es sich aber bei Taku Mayumuras jungen Männern keineswegs um indirekte Selbstporträts — wie sonst hätte er es gewagt, die sichere Existenz eines Firmenangestellten aufzugeben und freier Schriftsteller zu werden?

Taku Mayumura wurde am 20. Oktober 1934 in Osaka geboren. Erste künstlerische Aktivitäten entwickelte er als 14jähriger Mittelschüler: Er war begeisterter Comics-Zeichner und schickte viele seiner Arbeiten an die Cartoon-Zeitschrift *Manga Shônen* (»Comics für die Jugend«); doch anders als Professor Kurita in »Das Mädchen aus Suma« trat er damit als Erwachsener nicht mehr an die Öffentlichkeit. Als er mit 16 Jahren auf die Oberschule übertrat, verlegte er sich auf das Schreiben von Haikus, Kurzgedichten von nur 17 Silben, in denen Natureindrücke in lyrischen Augenblicksbildern festgehalten werden. Diese in Japan weitverbreitete Liebhaberbeschäftigung betrieb er auch nach seinem Eintritt in die Staatliche Universität von Osaka 1953 (er studierte dort Wirtschaftswissenschaften); ein Echo dieser Liebe zum Haiku findet sich ebenfalls in der in diesem Band enthaltenen Geschichte »Das Mädchen aus Suma«. Daneben widmete sich der Student Mayumura einer typisch japanischen Sportart: dem Jûdô.

Zunächst sah es so aus, als werde sein weiterer Lebensweg dem Millionen braver japanischer Firmenangestellter gleichen: Nach dem Studienabschluß begann er in einem Unternehmen zu arbeiten, das u. a. feuerfeste Ziegel herstellte; zwei Jahre später (1959) heiratete er seine Klassenkameradin von der Oberschule, Etsuko Morikawa. Aus dieser Zeit stammt seine intime Kenntnis der Situation des durchschnittlichen japanischen ›Salarymans‹ (mit diesem amerikanischen Wort bezeichnet man in Japan den Angestellten einer großen Firma), der seiner Firma eine unverbrüchliche, alles Private zurückdrängende Loyalität entgegenbringen muß wie im Mittelalter die Samurai als Vasallen gegenüber ihren Feudalherren. In vielen seiner Erzählungen schimmern diese Erfahrungen mit dem Firmenleben durch (so etwa in diesem Band in »Auf dem Schlachtfeld«, »Ein Verkäufer«, »Der Reisende auf Platz C«);

die durchgängige Ironie, mit der Mayumura Gestalten aus dem Angestelltenmilieu zeichnet (die witzigsten von ihnen, wie etwa »Mr. Curry«, können wir leider nicht in diesen Band aufnehmen, da sie den Rahmen von SF & Phantastik sprengen würden), verrät, daß er nicht dazu geboren war, bis zum Ende seines Lebens den treuen Firmengefolgsmann zu spielen. Die Büroarbeit füllte ihn nicht aus: 1958 begann er, Romane und Erzählungen zu schreiben. Dabei lenkte die Lektüre der Zeitschrift *SF Magazin* seine Aufmerksamkeit auf die damals in Japan aufblühende Science Fiction.

1960 debütierte Taku Mayumura (im Hauptberuf noch Angestellter) als Erzähler in der SF-Zeitschrift *Uchûjin* (»Kosmischer Staub«); im darauffolgenden Jahr wurden sechs seiner Stories im renommierten (japanischen) »Hitchcock-Magazin« abgedruckt, und mit der Erzählung »Ideenfinder im untersten Rang« erreichte er den 2. Preis im Japanischen SF-Autorenwettbewerb, den im gleichen Jahr der auf SF und Krimi spezialisierte Hayakawa-Verlag und die Tôhô-Filmgesellschaft ausgeschrieben hatten. Und als dann 1963 sein erstes Buch erscheint (*Moeru keisha*, »Der brennende Abhang«, im Verlag Tôtoshobô), wagt er den Absprung aus der beamtenähnlichen Sicherheit des Firmenangestellten in die ungewisse Existenz des freien Autors.

Der Erfolg bestätigt diese Entscheidung — heute ist Mayumura einer der am meisten gelesenen japanischen SF- und Kurzgeschichtenautoren; 1980 erhielt er für seinen Roman *Shômetsu no korin* (»Der verschwundene Heiligenschein«) den nach einem Romancier und Krimi-Autor benannten Izumi-Kyôka-Literaturpreis, der für Werke verliehen wird, in denen das ›Mystery‹ eine Rolle spielt. Mayumuras Erfolg ist natürlich auch seinem Fleiß zu verdanken: Bisher veröffentlichte er 10 Romane, 25 Erzählbände, 16 Jugendbücher und 3 Bände mit Essays; einige seiner Romane wurden (u. a. fürs Fernsehen) verfilmt.

Neben SF im üblichen Sinn (wobei ihm immer die psychische Entwicklung und die psychologische Gestaltung der Hauptperson wichtig sind — allerdings oft auf japanische Art verhalten und indirekt geschildert) schreibt Taku Mayumura vor allem auch phantastische Erzählungen, in denen unbegreifliche, ja unheimliche Geschehnisse mitten in der normalen Alltagswelt aufbrechen. Auch in dieser Liebe zum Mysteriösen (oder fast Numinosen) ist er sehr japanisch, denn der Glaube, daß Naturgeister oder die Seelen Verstorbener (wieder) menschliche Gestalt annehmen und sich so ins Leben der Menschen einmischen können, ist in Japan — vor allem auf dem Land — noch sehr lebendig; dazu trägt bei, daß die Japaner im Shintô, ihrer einheimischen Religion, noch einer sehr archaischen Naturreligion huldigen, für die es keine eindeutige Grenze zwischen dem Natürlichen und Übermächtigen gibt. In den meisten japanischen Ortschaften gibt es noch *Miko*, weibliche Medien, die als Erben des vorzeitlichen Schamanentums auf Wunsch Hilfesuchender Geister- und Totenbeschwörung betreiben. Für den japanischen Leser wird also »Das Mädchen aus Suma« oder »Die Frau aus dem Innern des Hida-Gebirges« durchaus als moderne Fortführung alter Volkssagen gelten können; der deutsche Leser kann in diesen Erzählungen einen Blick in die japanische Kultur und Mentalität tun, der ihm sonst — wenn er auf die übliche Medienberichterstattung angewiesen ist — verwehrt bliebe.

Die 15 Erzählungen dieses Bandes stammen aus einem Zeitraum von 15 Jahren; während die beiden eben erwähnten Geschichten 1976 veröffentlicht wurden, ist der »Ideenfinder im untersten Rang« am ältesten (1961). Die Titelerzählung, »Der lange Weg zurück zur Erde«, wurde 1970 für jugendliche Leser geschrieben; in ihr klingt Erinnerung an die Menetekel von Hiroshima und Nagasaki an (zur Zeit der Atombombenabwürfe war Taku Mayumura knapp elf Jahre alt), und ich empfinde sie als Ausdruck der japanischen (und zutiefst menschlichen) Sehnsucht, daß es keinen globalen Krieg mehr geben möge, damit »die Heimat der Menschheit« erhalten bleibt.

»Der Reisende auf Platz C« und »Der Schulhof« wurden erstmals 1971 veröffentlicht, »Die Hölle der Gravitation« und »Wie die Kurve der Tangensfunktion« 1973, »Befehl zur Einstellung der Bauarbeiten« 1974. Die übrigen Erzählungen stammen aus dem Jahr 1975.

Michael Morgental

Anmerkung zur Aussprache japanischer Namen:

Japanische Personen- und Ortsnamen wurden in den Übersetzungen nach dem Hepburn-System (jap.: Hebon-shiki) transskribiert. Dabei gilt die Faustregel: Konsonanten werden gelesen wie im Englischen, Vokale wie im Italienischen. Langvokale werden durch den Zirkumflex gekennzeichnet.

Shimizu wird also »Schimisu« gelesen, *Kôhei* = »Koohäi«, *Kôji* = »Koodschi«, *Tadashi* = »Tadaschi«, *Mayumi* = »Majumi« usf.

Befehl zur Einstellung
der Bauarbeiten

1

»Herr Sugioka, möchten Sie gern eine Sonderzulage?« Als der Leiter der Abteilung ›Personal-Disposition‹ dies zu mir sagte, antwortete ich ihm nicht sofort, denn von diesem Abteilungsleiter hatte ich schon einige haarsträubende Aufgaben bekommen.

»Sie wollen bloß wieder meine schwache Position als Angestellter für Sonderaufträge ausnützen, nicht wahr?« sagte ich dann nach einer Weile. »Also gut, was halsen Sie mir diesmal auf?«

Er grinste und steckte sich eine Zigarette in den Mund. Als er kräftig daran zog, glühte sie an der Spitze rot auf. Er blies eine beißende Rauchwolke aus und sagte: »Es ist nicht so schlimm! Sie werden die frische Atmosphäre jungfräulicher Natur genießen können, mitten im Grünen . . .«

»Ach, halten Sie mich doch nicht so lange hin! Wenn ich diesen Auftrag sowieso übernehmen muß, dann möchte ich mich schnell und ohne Umschweife darauf einstellen können.«

»Gut, gut!« Der Abteilungsleiter griff nach den Akten. »Bau Nr. 444 unserer Firma klappt irgendwie nicht richtig . . . Wir möchten, daß Sie die Sache in die Hand nehmen.«

»Bau Nr. 444 — das ist doch . . .« — ich blätterte in meinem Kopf schnell die Kartei durch — »dieses Entwicklungsbauprojekt in Südamerika oder wo?«

»Ja, das Projekt im Gebiet des Flusses A. Wir bekamen doch von dem Staat R. den Auftrag, mitten im Dschungel eine moderne Stadt zu bauen.«

»Im Dschungel?« Ich verzog mein Gesicht. »Erwarten Sie etwa von mir, daß ich mit Affen zusammen Bäume fälle?«

»Ach, wenn es nur darum ginge, dann würden wir eher die Affen damit beauftragen als Sie.« Der Abteilungsleiter schob mir die dicke Akte zu. »Die Bauarbeiten führen ja ausschließlich Roboter aus. Aber wenn wir nur Roboter schicken, dann gibt uns dieses Land keine Baugenehmigung. Also stellten wir auch einen menschlichen Aufseher als den für den Bau Verantwortlichen ab.«

»Dann ist doch alles in Ordnung!«

»Nein, nein, Sie wissen doch: Vor fünf Tagen gab es in diesem Staat R. einen Staatsstreich.« Er zuckte die Achseln. »Die neue Regierung sprach uns gegenüber eine einseitige Auflösung des Vertrags über dieses Bauprojekt aus. Dazu erklärte sie sich bereit, die vereinbarte Konventionalstrafe innerhalb von 20 Jahren in Raten abzuzahlen ... Dieses Bauprojekt belastet uns mit einem riesigen Budget, und bevor dieser Bau uns ernstlich schadet, müssen wir schleunigst unsere Materialien zurückholen.«

»Ja, Sie haben recht«, nickte ich ihm zu, während ich die Akte durchblätterte. »Aber laut Plan ist noch nicht einmal ein Fünftel des Baus fertiggestellt ... Schicken Sie doch diesen Befehl zur Einstellung der Bauarbeiten einfach an diesen sogenannten Aufseher!«

»Das taten wir schon — vergeblich!«

»Wie bitte?«

»Der Aufseher ist spurlos verschwunden«, murmelte der Abteilungsleiter bedrückt. »Einen Tag nachdem wir ihn über die Einstellung unterrichtet hatten, verschwand er irgendwo. Die Bauabteilung bekam den turnusmäßig fälligen Bericht nicht mehr, und auf unseren dringlichen Funkruf kam keine Antwort. Als ein Mitarbeiter unseres Filialbüros im Staate R. die Baustelle aus der Luft inspizierte, sah er den Aufseher nicht, sondern nur die Roboter, die stumpfsinnig und treu ihre Arbeit durchführen.«

»Schlimm, schlimm!« seufzte ich. »Hatte der Aufseher etwa einen Unfall, oder ist er gar abgehauen?«

»Das weiß ich nicht«, erwiderte der Abteilungsleiter. »Die Suche nach dem verschwundenen Aufseher werden wir schon in die Wege leiten. Sie aber müssen zur Baustelle. Stoppen Sie die Bauarbeiten!«

»Das ist doch nicht Ihr Ernst, Herr Abteilungsleiter!« Ich winkte energisch ab. »Zwar bin ich Angestellter für Sonderaufträge, aber ich habe doch keine Ahnung, wie man ein Bauprojekt dirigiert. Nein, meine Zusage haben Sie da noch nicht!«

»Also gut, dann benennen Sie mal einen anderen, der das machen soll! Wenn Sie, unser fähigster Mann, einen anderen Angestellten für Sonderaufträge als Ersatzmann benennen, dann wird der schon die Sache übernehmen — mit Zähneknirschen . . .«

»Ach, reden Sie nicht so!« Ich zog die Schultern hoch. »Ich mach's ja schon, jawohl ja . . . Wann soll ich mich denn auf meinen Posten begeben?«

»Brechen Sie sofort auf!« antwortete der Abteilungsleiter ohne Skrupel. »Verzeihen Sie, aber wir haben schon Ihren Namen vorab nach drüben gemeldet, als Nachfolger des Bauaufsehers.«

»Das ist ja ein übler Gaunertrick!«

»Na, na, das ist doch okay, oder?« Er zwinkerte mir plump zu. »Die Sonderzulage — eine Sonderzulage der höchsten Tarifgruppe! Sie machen das schon, nicht wahr?«

Ich hatte dem Abteilungsleiter noch einige Bosheiten ins Gesicht gesagt, aber als ich meine Sachen packte und dann das Überschallflugzeug nach Südamerika bestieg, war ich in Gedanken schon ganz bei der neuen Aufgabe. Meine Arbeit gefällt mir ja; ein unbegrenzter Tätigkeitsbereich ist viel interessanter als kleinkarierte Fachidiotenarbeit in einem ganz eng spezialisierten Gebiet.

Pionier Service, mein Arbeitgeber, ist eine große, universell tätige Firma für Manpower-Leasing. Sie führt alle Aufträge aus, die verschiedene Gesellschaften oder ausländische Regierungen ihr erteilen. Zum Beispiel organisiert sie eine Mammutausstellung und sorgt für reibungslosen Ablauf von der Er-

Öffnung bis zum Schluß, oder sie baut eine komplette neue Universität samt sorgfältig ausgewähltem Lehrkörper berühmter Professoren. Oder wenn Zeit und Umstände es verlangen, dann leiht sie einem neuen Staat fähige Minister und Spitzenbeamte, bis dieser Staat seine Unabhängigkeit stabilisiert hat, oder unsere Firma stellt sogar eine reguläre Armee auf.

Nicht alle dieser Vorhaben verlaufen glatt nach Plan. Da und dort treten plötzlich verschiedene Schwierigkeiten auf, und das Vertrauen in unsere Firma bräche schnell zusammen, würde sie mit einer dieser Störungen nicht fertig werden. Dafür sind wir da, wir — knapp hundert Männer mit besonderer Ausbildung, die Angestellten für Sonderaufträge. Sofort nach Entgegennahme unseres Befehls eilen wir offiziell oder inkognito an den Schauplatz und greifen ein, zum Nutzen unserer Firma. Ob diese Arbeit immer moralisch einwandfrei ist oder nicht, danach darf kein Angestellter für Sonderaufträge fragen. Ein Fehler kann da tödlich sein. Für diese Arbeit braucht man umfassendes Wissen, schnelle Reaktionen, konzentrierte Aufmerksamkeit und starke Nerven — für Zweifel und Bedenken ist kein Platz. Zum Nutzen unserer Firma müssen wir mit allen Schwierigkeiten fertig werden, alle Hindernisse überwinden.

Als ich diese Aufgabe hier mit der vorhergehenden verglich, fühlte ich mich wie auf einer Urlaubsreise: Mein Gegner war ja nur eine Maschinenpuppe!

2

Am Flughafen stieg ich in die Magnetschienenbahn um; in der Stadt R. verließ ich den Zug und begab mich schnurstracks zum Filialbüro unserer Firma. Ein tropischer Regenguß hatte die Hitze etwas gemildert, aber die vielen großen Gebäude machten in der Nachmittagssonne einen wenig einladenden Eindruck. Die Straßen der Stadt R., der Hauptstadt des gleichnamigen Staates, der sich vor einigen Jahren von dem Land B. abgespalten hatte, wiesen in normalen Zeiten die chaotischen Merkmale einer ungestümen Aufbauzeit auf; jetzt, unmittelbar nach dem Staatsstreich, waren sie von einer spürbaren Spannung erfüllt. Überall wimmelte es von Soldaten; offenbar saß die neue Regierung noch nicht ganz fest im Sattel.

Der Leiter des Filialbüros kam mir eilends entgegen, als er mich erblickte. »Herzlich willkommen!« rief er aus, während er mir heftig die Hand schüttelte. »Ich habe alles vorbereitet; seit heute morgen warte ich schon auf Sie. Also fliegen wir gleich los, mit dem Hubschrauber, zur Baustelle.«

»Warten Sie doch einen Augenblick!« unterbrach ich ihn schnell. ›Der macht doch zuviel Wirbel wegen solch einer Bagatelle — die Arbeit von Robotern zu stoppen!‹ dachte ich und sagte möglichst höflich, während ich mich von seiner Hand löste: »Sie verwechseln mich wohl mit jemandem — ich bin doch nur der provisorische Aufseher für Bauprojekt Nr. 444.«

»Doch doch, das weiß ich.«

»Ich soll doch nur den Robotern den Befehl zur Einstellung der Bauarbeiten erteilen; nur dazu bin ich hierher gekommen«, redete ich weiter.

Der andere Angestellte starrte mich verdutzt an und sagte: »Den Robotern ... die Einstellung der Bauarbeiten befehlen?«

»Ja stimmt das etwa nicht?«

»Also, wenn Sie das tun, dann passiert mit Ihnen das Gleiche wie bei dem ersten Aufseher ...« Er hielt kurz inne und blickte mir forschend ins Gesicht. »Sie wissen über die näheren Umstände nicht genau Bescheid, nicht wahr?«

»Was meinen Sie denn damit?« fragte ich ihn verwundert. Was für Umstände gab es denn da? Was passierte mit dem früheren Aufseher? Warum sollte man den Robotern keinen Befehl geben?

Der andere warf einen kurzen Blick auf seine Armbanduhr und sagte: »Ich werde Ihnen im Hubschrauber unterwegs zur Baustelle alles erklären. Mir hat die Firma befohlen, daß ich Sie so schnell wie möglich an Ihren Einsatzort bringen soll.«

So weit das Auge schauen konnte, dehnte sich dunkelgrüne Vegetation aus. Das Einzugsgebiet dieses Stromes ist mit seiner weiten Fläche das größte der Welt. Der Anblick war überwältigend. Am Anfang sah man noch da und dort vereinzelte Dörfer, aber während wir den Fluß entlangflogen, schloß sich der Dschungel zu einem endlosen Teppich von dichtem Grün. Sogar in dieser unserer Zeit — nein, gerade in dieser jetzigen Zeit ballt sich die Bevölkerung in den Städten zusammen und überläßt diese unentwickelten Gebiete gerade wegen der fehlenden Entwicklung sich selbst.

»Im Grunde gab es bei diesem Bauvorhaben von Anfang an Schwierigkeiten«, erzählte der Mann von der Filiale und bemühte sich, mit seiner Lautstärke den Fluglärm zu übertönen, »Bau Nr. 444 ist unser erster Auftrag von diesem Staat R. Wir haben alle möglichen Tricks angewandt, um diesen Auftrag überhaupt zu bekommen. Man hat uns da nicht sofort Vertrauen entgegengebracht, aber schließlich erreichten wir einen Testfall, um unsere wirkliche Leistungsfähigkeit demonstrieren zu können.«

»Einen Testfall?«

»So müssen wir dieses Projekt wohl nennen«, brüllte er, während er nach vorn schaute. »Man sagte uns, wir sollten mitten im Dschungel eine moderne Stadt errichten. Als Bauplatz wurde eine von Hügeln gesäumte feuchte Niederung bestimmt. Wenn die Regenzeit kommt, dann verwandelt sich diese Gegend in einen Fluß. Die Pflanzen wachsen dort wie verrückt, und nach einem halben Jahr sieht alles wieder wie vorher nach Dschungel aus. Trotz allem, an einem solchen Ort sollen wir Hochhäuser bauen! Ehrlich, man kann gar nicht begreifen, was sich diese Machthaber eines neu gebildeten Staates dabei denken. Für uns geht es ja nur darum, daß man uns bezahlt, aber wer soll denn da wohnen? Das ist doch keine Gegend, wo Menschen wohnen können! Es ist doch nur vernünftig, daß die neue Regierung diesen Vertrag auflösen will.«

»Das meine ich auch!« schrie ich, gleichfalls mit lauter Stimme, während ich mich über diese unsinnige Angelegenheit wunderte. »Über diese Sache habe ich ja in den Akten gelesen: Das Klima ist miserabel, und es gibt alle möglichen Krankheiten, nicht wahr?«

»Krankheiten?« fragte er und lachte dann schallend: »Ha, die Krankheiten sind noch nicht das Schlimmste. Diese Gegend ist berühmt für ihre Giftschlangen!«

»Giftschlangen?« rief ich aus in einem Ton, als sei ich gerade auf eine getreten.

»Ja, die Surukuk-Schlangen, das sind drei Meter lange Burschen mit tödlichem Gift; wenn die Feuer sehen, dann kommen sie eilends angekrochen. Und Klapperschlangen gibt es auch. Ha, nicht nur die Schlangen wimmeln da, sondern auch Skorpione, giftige Spinnen, Zecken, Sandfliegen ... Die Moskitos übertragen die Malaria; Würmer kriechen einem in den Leib. Und im Wasser, da schwimmen die Piranhas und eine Art fleischfressender Aale ...«

»Hören Sie doch damit auf!«

»Oh, entschuldigen Sie!« sagte er, während er die Flugrichtung änderte, weg vom Fluß. »Unter diesen Bedingungen konnten wir nur Roboter für die Bauarbeiten einsetzen, und da nicht mal normale Roboter das schaffen, schickte die Bauabteilung solche, die speziell für die Arbeit unter solchen extremen Bedingungen konstruiert worden waren. Diese Roboter haben eine enorme Arbeitswut: Sind sie einmal auf eine Arbeit eingestellt, dann halten sie eigensinnig durch, hartnäckig gegen alle Schwierigkeiten, bis zum Ziel. Sie umzustellen ist unmöglich.«

»He, warten Sie mal!« jetzt verstand ich, wie die Sache lief. »Dann habe ich also jetzt mit diesen hartnäckigen Robotern zu tun?«

»Selbstverständlich.«

»Und die soll ich zur Einstellung der Bauarbeiten zwingen?«

»Ja, das stimmt.«

»Das ist doch unmöglich!« schrie ich. »Wie stellen Sie sich denn das vor, was passiert, wenn ich diese fanatischen Roboter zum Abbruch der Arbeiten zwinge? Dann würde ich doch als Saboteur der Bauarbeiten ...« Ich stockte plötzlich. Kalter Schweiß brach mir aus. Zweifellos hatte der frühere Aufseher das getan; ob befehlsmäßig oder aus Versehen, das wußte ich nicht, aber sicher wollte er die Roboter zur Einstellung der

Bauarbeiten bewegen. Die Roboter taten ihm etwas an, dann ist er spurlos verschwunden.

Plötzlich erinnerte ich mich an das Grinsen des Personalchefs. Das war also eine Falle, eine hinterlistige Falle. Er hatte mich mit der Sonderzulage der höchsten Tarifgruppe geködert, und jetzt überließ man mir ein unlösbares Problem. Hätte ich doch gründlicher nachgedacht! Ein solcher Gauner gibt doch keine so hohe Sonderzulage, wenn es nur darum geht, ›die frische Atmosphäre jungfräulicher Natur zu genießen‹!

Als mir dieses Licht aufgegangen war, klopfte ich dem anderen auf die Schulter und sagte: »Bitte, fliegen Sie noch mal zurück zum Filialbüro! Ich muß ein Ferngespräch mit dem Personalchef führen.« Aber er antwortete mir nicht, sondern ging mit dem Hubschrauber tiefer herab.

»Ich sagte, Sie sollen zurückfliegen!«

»Dazu ist es jetzt zu spät«, antwortete er und blickte starr geradeaus. »Irgend jemand muß ja auf alle Fälle dorthin, und die Firmenzentrale meint eben, daß Sie dieses Problem bestimmt bewältigen.«

Ich war sprachlos vor Wut.

»Packen Sie bitte Ihre Sachen zusammen!« Er zeigte mit der Hand nach unten: »Dort ist der Bau Nr. 444.«

In dem grünen Meer sah ich eine gerodete runde Fläche. Zwischen Hunderten von Baumaschinen und Bergen von Baumaterialien standen einige Gebäude im Rohbau. Während wir niedergingen, nahmen die kleinen Pünktchen, die sich in dem Durcheinander von Schlamm und Metall bewegten, allmählich Konturen an: Es waren die Arbeitsroboter.

Nachdem es soweit gekommen war, blieb mir keine Wahl mehr. Gefaßt schickte ich mich ins Unvermeidliche — nein, wenn ich es so erzähle, lüge ich ja! Ich wollte es mir nur nicht so recht eingestehen, aber in dem Augenblick, als ich die Baustelle erblickte, stand mein Entschluß schon ganz fest. Das Gefühl, das einen ausgekochten Spezialisten für Sonderaufträge am Einsatzort immer überkommt, diese Erregung, diese Abenteuerlust — ihretwegen kann man auf diese Art Arbeit nicht verzichten, auch wenn die anderen uns zum Narren halten und ausnützen. Dieses Gefühl hatte mich jetzt ganz gepackt.

Sicher finde ich da einen Ausweg, begann ich schon nachzudenken. Um meines Rufes willen als erfahrener Mann für Sonderaufträge werde ich den Abbruch dieser Bauarbeiten erzwingen!

3

Ich legte die aus einem geschmeidigen Stoff geschneiderte Aufseheruniform an, die man mir bei der Abreise übergeben hatte, dann öffnete ich die Tür des Hubschraubers und sprang nach draußen. Im Nu versank ich bis zu den Knöcheln im Schlamm. Aber keine Feuchtigkeit drang durch diese Uniform, die offenbar zugleich eine Schutzkleidung war. Ich hob den Blick. Die Baustelle war viel größer, als ich von oben vermutet hatte. Sie dehnte sich weit aus, bedeckt mit Gras und Schlamm, mit Beton und Metall. Die Roboter, die innerhalb und außerhalb meiner Sichtweite arbeiteten, schienen die Landung des Hubschraubers völlig zu ignorieren. Hunderte von metallisch glänzenden Gestalten widmeten sich unbeirrt ihrer Arbeit . . .

Nein, nicht ganz: Ein Roboter kam geradewegs auf mich zu und näherte sich mir geschwind; sein zylinderförmiger Rumpf schaukelte und sein Kopf wackelte leicht.

Zum Teufel, wovor sollte ich mich eigentlich fürchten? sagte ich mir, um meine Angst zu unterdrücken, denn nur zu gern wäre ich wieder umgekehrt. Mein Gegenspieler ist nur eine von Menschen gebaute Maschine. Ich muß nur seine schwache Stelle finden, dann lasse ich die Bauarbeiten einstellen!

Im allgemeinen gilt das Prinzip, bei der ersten Begegnung dem Gegner zuvorzukommen und die Initiative an sich zu reißen. Also sammelte ich entschlossen meine Kraft in meinem Unterleib und trat meinerseits in dem zähen Schlamm dem Roboter entgegen. Im selben Moment hörte ich das ohrenbetäubende Geknatter des abfliegenen Hubschraubers.

»Sind Sie der neue Aufseher?« Der Roboter bewegte die Plastiklippen in seinem Kopf aus Edelstahl. »Sagen Sie mir bitte Ihren Namen und Ihre Nummer in unserer Firma!«

»Was?« Ich staunte und starrte das etwa drei Meter hohe Ungetüm an, dieses imponierende Produkt menschlichen Erfindungsgeistes. »Wieso soll *ich* mich vorstellen?«

»Nur zur Kontrolle.« Im Gesicht des Roboters bewegten sich wieder nur die Lippen. »Ich will nur wissen, ob Sie der neue Aufseher sind, über dessen Kommen uns die Firmenzentrale unterrichtet hat. Verstehen Sie mich?«

Mir stieg das Blut heiß in den Kopf. Wie spricht der denn mit mir! Wenn ich diese Frage so ohne weiteres beantworte, dann bekommt dieser Roboter ja gar keinen Respekt vor mir! Deshalb schrie ich: »Zuerst mußt du dich vorstellen!«

»Nein, Sie müssen es zuerst tun.«

»Also dann«, fragte ich mit hochgereckten Schultern, »was machst du eigentlich, wenn ich mich eben nicht vorstelle?«

»Dann eliminiere ich Sie.«

»Was?«

»Wenn Sie Ihren Namen und Ihre Nummer nicht nennen, so bedeutet das, daß Sie kein rechtmäßiger Aufseher sind. Wenn Sie kein rechtmäßiger Aufseher sind, haben Sie nichts mit diesem Bauprojekt zu tun. Alles, was mit dem Bauprojekt nichts zu tun hat, müssen wir eliminieren.« Während er dies sagte, streckte er auch schon seine riesigen Arme nach mir aus.

»Hör auf!« Ich sprang beiseite. »Was machst du denn da?« Der Roboter antwortete jedoch nicht, sondern kam weiter auf mich zu.

»Also gut, ich sag' sie ja schon!« schrie ich, während ich meine Hände abwehrend hochhielt. »Ja, ich sag's dir schon! Ich heiße Tsutomu Sugioka, *Tsu-to-mu Su-gi-o-ka*!«

»Und Ihre Nummer bitte!«

»CX-88 . . .«

Der Roboter ließ seine Arme sinken und sagte in gleichmütigem Ton: »Ende der Identitätsprüfung.« Dann drehte er sich um und forderte mich auf: »Kommen Sie mit!«

»Wohin?«

»Ich führe Sie jetzt zum Aufenthaltsraum des Aufsehers.«

Hinter dem Roboter hergehend gelangte ich zu einem kleinen Gebäude, das mit ähnlich aussehenden Bauwerken in einer Reihe am Rand der Baustelle stand. Wir stiegen auf einer rohen Betontreppe hoch. Der Roboter öffnete eine Tür und sagte: »Dies hier ist der Aufenthaltsraum des Aufsehers.«

Ich trat ein und blickte mich schnell um: Ein ziemlich geräumiges Zimmer von ca. 30 Quadratmetern, mit hoher Zimmerdecke. Durch das vordere große Fenster konnte man gut die Landschaft draußen sehen. An der Wand standen ein Bett, ein Bücherregal und das Funkgerät für den Kontakt mit der Firmenzentrale, bestehend aus Sender, Empfänger und Bildschirm. Hinter einem Vorhang befand sich eine Naßzelle mit WC und Bad. Es sah nach einem gut eingerichteten Hotelzimmer in der guten alten Zeit aus. Hier also sollte ich wohnen? Ich schaute nach dem Roboter, der noch an der Tür stand, und rief ihn an: »He!«

»Mein Name ist nicht ›He‹, sondern 444-1!« Dann erläuterte er: »Der Name 444-1 bedeutet, daß ich derjenige Roboter bin, der diese Bauarbeiten hier leitet.«

»Die Bauarbeiten leitet?« fragte ich verdutzt. »Was soll das heißen?«

»Alle Befehle, die das Bauprojekt Nr. 444 betreffen, gehen von mir über Funk an die zuständigen Roboter. Alle Besprechungen mit dem Aufseher werden nur von mir durchgeführt. Sonst würde das Befehlssystem dieser Bauarbeiten nur verwirrt.«

»Eine hervorragende Erklärung!« erwiderte ich, aber ich wurde der Zungenfertigkeit meines Gegenspielers allmählich überdrüssig. »Also, 444-1, was soll ich dann überhaupt machen.«

»Für den Aufseher gibt es ein eigenes Arbeitsprogramm!« setzte 444-1 geläufig und großspurig fort. »Ich mach Sie jetzt mit dem Tagesprogramm des Aufsehers vertraut:

5.00 Uhr	Aufstehen
5.30—6.30 Uhr	Anhörung des Berichts des Leitenden Roboters
7.00 Uhr	Frühstück
8.00—9.50 Uhr	Erster Inspektionsrundgang auf der Baustelle
10.00 Uhr	Absendung des Routineberichts an die Firmenzentrale . . .«

»Aufhören! Aufhören!« schrie ich und rotierte mit den Armen. »Ich kann doch so viel auf einmal nicht gleich auswendig lernen!«

»Ach so . . .«

»Schreib mir das alles auf Papier auf!« sagte ich und verzog den Mund. »Wir Menschen haben halt nicht soviel Gehirn-Kapazität!«

Nr. 1 zeigte mit erhobenem Arm auf die Wand und sagte: »Dort ist Ihr Tagesprogramm!« Tatsächlich war direkt neben der Sendeanlage ein kleines Plastikschild befestigt. Was für ein Dummkopf, dieser Roboter! Ich wollte mich der Wand nähern, mußte dann aber erschrocken zur Tür auf der Seite blicken: 444-1 setzte gerade an, das Zimmer zu verlassen. Und nicht nur das — ich erkannte, daß er die Türklinke von außen hielt . . .

»Halt, was machst du da?«

»Ich schließe die Tür!« antwortete Nr. 1, während er langsam und bedächtig die Tür schloß. »Es ist meine Pflicht, den Aufseher vor allen Gefahren zu schützen. Ich schütze Sie vollkommen!«

»He, warte doch!« Ich sprang an die Tür und wollte sie im letzten Augenblick mit aller Kraft aufschieben, aber gegen die Kraft des Roboters kam ich nicht auf. Die dicke Metalltür fiel mit einem dumpfen Dröhnen ins Schloß.

»Mach auf! Mach auf!«

»Ich öffne nur, wenn ich hineinkomme oder hinausgehe!« ließ sich Nr. 1 hinter der Tür vernehmen; dann hörte ich ihn die Treppe hinabsteigen.

Das ist doch alles reiner Unsinn! Jetzt bin ich doch praktisch ein Gefangener! Ich ging in die Mitte des Zimmers zurück und ließ mich auf einen Stuhl sinken. Was sollte ich jetzt unternehmen? Ich hob den Blick, ohne lange nachzudenken, und schaute auf diese Tabelle mit dem Tagesprogramm. Auf der dünnen Plastikplatte war der Tagesplan in dichten kleinen Buchstaben geschrieben. Hier stand alles, was Nr. 1 aufzusagen begonnen hatte, noch genauer und vollständiger da. Aber was meine Augen festhielt, war nicht das Programm, sondern ein wirres Gekritzel, das rundum die vormals freien Ränder der Plastikplatte bedeckte. In einer Schrift, die von einem nicht mehr ganz normalen Menschen zu stammen schien, waren da seltsame Wörter und Satzfetzen gekritzelt, von denen ich nur wenige entziffern konnte, wie etwa »Hilfe« oder »Töte mich«; die meisten von ihnen gingen aber in sinnlose Punkte und Striche über.

Wer hatte das da hingeschmiert? Mit dem nächsten Herzschlag war mir klar, daß es der Mensch gewesen sein mußte, der hier vor mir hauste, mein Vorgänger also. War dieser Aufseher etwa verrückt geworden? Und — war das vielleicht auch das Schicksal, das mir drohte? ›Ach, Unsinn! So etwas darf einfach nicht passieren!‹ Mit diesem Gedanken schüttelte ich heftig den Kopf und blickte durch das Fenster nach draußen, um an etwas anderes denken zu können.

Die weite Baustelle mitten im Dschungel versank allmählich in der Abenddämmerung. Zwischen labyrinthisch aufgehäuften Baumaterialien bewegten sich zahllose Roboter auf riesigen Baumaschinen. 444-1 war sicher auch unter ihnen. Aber im bläulichen Dämmerlicht des Abends konnte ich ihn nicht aus den so ähnlich aussehenden Robotern herausfinden. Eine böse Vorahnung begann in mir zu wachsen.

4

»Bitte, stehen Sie auf! Bitte, stehen Sie auf!« rief eine dröhnende Stimme. Ich sprang aus dem Bett hoch — es war Nr. 1. Irgendwann mußte er ins Zimmer gekommen sein; jetzt stand er da, mit dem Rücken zur Tür.

Draußen war es schon ganz hell. Die Roboter schienen die

ganze Nacht hindurch gearbeitet zu haben, denn da standen einige neue Gebäude, die ich gestern abend noch nicht gesehen hatte. Ich stöhnte auf: Verschob ich die Einstellung der Bauarbeiten um nur einen Tag, dann wurde die für einen Arbeitstag berechnete Menge an Baumaterialien vergeudet. Aber ohne sich um meine sorgenvolle Stimmung zu kümmern, sagte Nr. 1: »Um 5.30 Uhr beginne ich mit der Berichterstattung. Erledigen Sie bis dahin Ihre gewöhnlichen menschlichen Verrichtungen!«

»Gewöhnliche menschliche Verrichtungen — was heißt das?«

»Zähne putzen, Gesicht waschen, Darm entleeren . . .«

»Halt die Klappe!«

Es war ein Programm, das mir keine Atempause ließ. Kaum war ich mit den morgendlichen Verrichtungen fertig, da kam Nr. 1 pünktlich nach Plan, um seinen Bericht zu erstatten. Nach einem langen, komplizierten Bericht, der mit schwierigen Fachwörtern gespickt war, bekam ich ein Frühstück, das aus Konservendosen stammte. Da ich nicht wußte, was geschehen würde, wenn ich mich wehrte, folgte ich den Anordnungen von Nr. 1 und wartete nur auf die Chance zu einem Gespräch.

Punkt 8 Uhr verließ der Roboter mein Zimmer und kam kurz darauf mit einem eigenartigen Kleidungsstück wieder, in dessen Stoff ein elastisches Metallnetz eingewoben war und das mit seinem dazugehörigen Helm wie ein Raumfahrtanzug aussah.

»Soll ich dieses Zeug etwa anziehen?« fragte ich mit einer Grimasse.

»Das ist die Schutzbekleidung für die Inspektion«, erklärte er ungerührt. »Die Aufseheruniform, die Sie noch tragen, bietet einen gewissen Schutz, aber sie ist unvollkommen im Vergleich zu dieser Schutzbekleidung. Wenn Sie die Baustelle inspizieren, müssen Sie unbedingt diese Schutzbekleidung anlegen.«

»Okay, ist schon gut!«

Als ich nach draußen trat, verschlang mich sogleich die

brennende Hitze der tropischen Sonne. Es war hier eine wilde Landschaft, die keinen Platz ließ für Sentimentalität. Hätte man sich doch einem Gefühl hingegeben, dann wäre es das einer fürchterlichen Art von Kampf gewesen, Kampf zwischen dem rötlichen Schlamm und der unverwüstlichen Vegetation auf der einen Seite, und dem Beton und dem Stahl auf der anderen, denn die sollten ja Schlamm und Unkraut verdrängen und soliden, festen Grund schaffen.

Ja, es war in der Tat ein Kampf: Das Ringen der Lebenskraft des Dschungels, der alles von Menschen Geschaffene verschlingen wollte, mit den zielstrebig programmierten Robotern, die stur ihre technischen Funktionen ausführten. Der Dschungel kann es nicht lange ertragen, daß er mit Gewalt gefügig gemacht wird, und so umzingelte er die Baustelle von allen Seiten und wartete beharrlich auf eine kleine Bresche, durch die er wieder durchbrechen konnte. Wie zum Beweis dafür hörten wir, d. h. Nr. 1 und ich, das herausfordernde Geschrei des Affenchors von der Front des Urwalds, als wir an der äußeren Grenze der Rodung entlanggingen. Und in dem schlammigen Wasser neben unserem Pfad schlängelten sich diese berüchtigten Fische, die sogar einem Ochsen die Zunge herausbeißen können, diese Piranhas und fleischfressenden Aale.

Ohne Zweifel konnte ein Bauprojekt wie Bau Nr. 444 nur von Robotern durchgeführt werden. Menschen, — oder besser gesagt: menschliche Hände — konnten diesen Landstrich nicht niederzwingen; wo jede Sekunde für einen ungeschützten Menschen tödliche Gefahren bereit hielt, konnten nur Roboter eine solche Arbeit leisten — Roboter, die fast drei Meter hoch aufragen, denen die Hitze so gut wie nichts ausmacht, die über Giftschlangen und fleischfressende Fische einfach hinwegtrampeln. Nur mit diesen mechanischen Ungeheuern, die mit stählerner Zielgerichtetheit die Baumaterialien aufbrauchten, konnten hier Bauarbeiten vorangetrieben werden.

Hinter Nr. 1 hertrottend — er blieb von Zeit zu Zeit stehen und gab Erläuterungen von sich — überlegte ich natürlich, wie ich denn möglichst schnell die Einstellung der Bauarbeiten erreichen könnte. Aber als ich immer wieder die Roboter beobachtete, die mit Werkzeugen in der Hand arbeiteten oder in Gruppen von fünf oder sechs eine der großen Baumaschinen bestiegen, da kamen mir doch Zweifel, und ich versuchte vergeblich, sie zu unterdrücken. Nachdem ich im Gefolge von Nr. 1 jeden Block des Bauplatzes flüchtig besichtigt hatte und gerade auf dem Rückweg zu meinem Aufenthaltsraum war, blieb ich kurz stehen, denn da bot sich mir ein seltsamer Anblick am Rand der Baustelle, wo die Arbeiten noch keinen großen Fortschritt machten: Vor gut einem Dutzend Material-stapel, die wie Grabsteine in einer dichten Reihe standen, lag ein Roboter im Schlamm; über ihn beugten sich zwei seiner Kollegen, die sein Inneres inspizierten, nachdem sie seine Brustplatten abgenommen hatten.

»Was ist denn da los?«

Kaum hatte ich diese Frage ausgestoßen, da erklärte Nr. 1 schon: »Overheat!«

»Was bedeutet ›Overheat‹?«

»Überhitzung. Wegen der Schwere der Arbeit brannten seine Stromkreise durch. Die Bedingungen hier sind sehr hart, und ich lasse die Roboter mit höchstem Einsatz arbeiten. Der da hat das nicht ausgehalten.«

»Das ist doch absurd!« schrie ich, wobei mir schwindelte. Bis jetzt hatte ich nur an die Baumaterialien gedacht, die mit Fortschreiten des Projekts verschwendet würden, aber die Arbeit brachte ja auch einen irrsinnigen Verschleiß der Roboter mit sich.

»Überleg doch mal!« Ich drängte mich ungestüm an Nr. 1 heran. »Weißt du denn überhaupt, wieviel ein solcher Roboter kostet! Der ist doch teurer als ein Überschallflugzeug!«

»Ich weiß.«

»Also, dann schone sie doch!«

»Der Termin der Fertigstellung dieses Bauprojekts steht fest!« erwiderte Nr. 1, wie immer ohne eine Spur von Ge-sichtsausdruck oder Emotion in der Stimme. »Zur Zeit ist die Bauarbeit etwas hinter dem Plan zurück, und die Regenzeit kommt diesmal früher. Ich muß jedoch unbedingt den Termin zur Fertigstellung des Bauprojekts einhalten. Auch wenn ich dabei Roboter opfern muß — es ist meine Pflicht, die Arbeiten zu beschleunigen.«

»Laß doch den dummen Termin außer acht!« Ich gestikulierte mit beiden Armen über dem Kopf. »Wir müssen doch die Verluste auf ein Minimum zurückschrauben. Überhaupt soll diese Bauarbeit ja eingestellt werden . . .«

»Ich warne Sie!« unterbrach mich Nr. 1 schnell. »Hüten Sie sich, etwas zu sagen oder zu tun, womit Sie die Bauarbeiten stören!«

»Was plapperst du da?« Mein Groll brach aus mir hervor. »*Ich* bin der Aufseher bei diesem Bauprojekt. Dies ist ein Befehl des Aufsehers! Willst du etwa meinem Befehl nicht folgen?«

»Ich folge den Befehlen des Aufsehers nur dann, wenn ich sie als nützlich für den Fortschritt der Bauarbeiten beurteile!« antwortete er, wobei sich zum erstenmal seine Stimme hob. »Ich wiederhole: Seien Sie in Worten und Taten vorsichtig! Halten Sie sich nicht daran, dann treffe ich die entsprechenden Maßregeln!«

Mein Mund zuckte, aber ich schwieg. Mein Magen kochte vor Wut, aber ich konnte nichts unternehmen. Die beiden Roboter brachen ihre Versuche, den im Schlamm liegenden Kollegen zu reparieren, ab und stürzten sich erneut in die Arbeit.

5

Tag um Tag absolvierte ich mein Tagesprogramm, aber meine Nervosität wuchs und wuchs. Jeden Morgen um 5 Uhr wurde ich aus dem Schlaf gerissen. Kaum hatte ich mich fertiggemacht, mußte ich mir den Bericht über den Vortag anhören. Sofort nach dem Frühstück wurde ich zur Baustelle gegängelt. Todmüde kam ich zurück und erstattete meinen Routinebericht an die Firmenzentrale. Dann Mittagessen, Nachmittagsinspektion, abendlicher Bericht — so ging es bis 10 Uhr abends, und da warf ich mich ganz erschöpft aufs Bett. Während ich unter der Hektik dieses Lebens stöhnte, war es völlig unmöglich, mir eine Gegenmaßnahme auszudenken.

Natürlich hätte ich während der Erklärungen von Nr. 1 bei der Inspektion abschalten und statt dessen ein wenig nachdenken können, aber der Sonnenschein, das Grün der Bäume, das Rot des Schlammes und das metallische Glitzern der herumeilenden Roboter überfluteten meinen Gesichtssinn, und in diesem Zustand konnte ich keinen klaren Gedanken fassen.

Ein Roboter ist wirklich der schwierigste Gegner. Menschen beeinflußt man ja schon in dem Augenblick, wo man sie anspricht. Aber Roboter beeinflußt das nicht. Mache ich eine bestimmte Andeutung, dann kommt keine Reaktion, und spreche ich offen über das Projekt, dann schaltet der Roboter auf stur. In heldenhafter Weise direkt auf den Roboter einzureden und ihn zur Einstellung der Bauarbeiten zu veranlassen — das war völlig indiskutabel. Aber welche andere Methode gab es denn? Ich versuchte, hinter dem Rücken von Nr. 1 einen anderen Roboter anzusprechen und zu einem Sabotageakt anzustiften, aber ich mußte zu meiner Enttäuschung feststellen, daß nur Nr. 1 darauf eingestellt war, mit Menschen zu kommunizieren.

Dann verfiel ich auf die Idee, ich könnte die Radiowelle, auf der die Verständigung zwischen Nr. 1 und den anderen Robotern ablief, stören und auf diese Weise dazwischenfunken. Würde ich das Funkgerät, über das ich mit der Firmenzentrale in Verbindung trat, umbauen, könnte ich es dann nicht als Störsender einsetzen? Aber Nr. 1 würde ja sofort herausbekommen, woher diese Störsignale kämen. Nein, es hatte keinen Sinn, und im übrigen hatte ich ja praktisch gar nicht die Zeit, eine solche Maschine auseinanderzunehmen und dann umzubauen.

In meinem Dilemma wurde mir das Verhalten der Firmenzentrale völlig unverständlich. Täglich um 10 Uhr war ich mit denen für 30 Minuten in Verbindung. Aber der verantwortliche Projektbearbeiter von der Bauabteilung — der Personalchef tauchte übrigens nie auf dem Bildschirm auf — nahm meinen Bericht über die Fortschritte auf der Baustelle zur Kenntnis, als wüßte er gar nichts von einem Befehl zu Einstellung der Arbeiten an Projekt Nr. 444. Natürlich verhielt er sich so — sagte ich mir — wegen Nr. 1, der hinter meinem Rücken stehend meine Berichterstattung verfolgte. So versuchte ich meinerseits Signale zu geben, indem ich in meine Sätze alle möglichen Andeutungen einfließen ließ und auffällig mit den Augen zwinkerte, aber der Mann von der Bauabteilung zeigte mit keiner Regung, ob er meine Zeichen wahrnahm.

Kurz und gut — man ließ mich im Stich, und alle meine Anstrengungen schienen zum Scheitern verurteilt. In dieser fremden Wildnis fernab von aller Zivilisation, in dieser kleinen Sonderwelt mitten im Dschungel mit seinen Raubtieren, Schlangen und Piranhas, umgeben von Robotern, die wie die Irren ihre sinnlose Arbeit fortsetzten — nein, ich war nicht bereit, aufzugeben. Ich mußte nur nachdenken, vielleicht fand ich dann eine Methode zur Einstellung der Bauarbeiten. Ich strengte alle Kräfte an. Aufzugeben verbot mir mein Stolz als Angestellter für Sonderaufträge.

Mit Hilfe eines Medikaments, das ich mitgebracht hatte, reduzierte ich meine Schlafzeit. Die somit gewonnene Zeitreserve benutzte ich, um mir einen Überblick über die Fähigkeiten von Nr. 1 zu verschaffen und sein Verhalten zu anlaysieren. Das Ergebnis war denkbar schlecht: Nr. 1 gehörte zu jenen Robotern, die nach Einspeicherung ihres Zielprogramms nicht einmal ein Roboterprogrammierer noch umfunktionieren kann. Hat man ihm einmal ein Ziel vorgegeben, dann läßt er nicht locker, bis er es erreicht hat. Aber ich gab die Hoffnung trotzdem nicht auf; jeden Abend zermarterte ich mein Hirn auf der Suche nach einer Gegenmaßnahme. Allerdings, durch den täglich sich kumulierenden Schlafmangel wurde mein Organismus geschwächt, und mein Bewußtsein begann sich zu trüben.

Ich machte gerade ein Nickerchen, als die Stimme von Nr. 1 ertönte: »Es ist Zeit für den Bericht. Bitte, ich möchte berichten!«

»Was ist?« Blinzelnd hob ich meine schweren Augenlider, und sofort begann Nr. 1 zu erzählen:

»Die Regenzeit kommt bald. Deshalb erhöhe ich ab heute die Arbeitsnorm der Roboter auf das Doppelte.«

»Was?« Ich starrte ihn erschrocken an. »Noch mehr als jetzt schon?«

»Ja! Das bringt zwar den Verlust einiger Roboter mit sich, aber dafür erhöht sich die Geschwindigkeit der Bauarbeiten.«

»Halt mal!« fiel ich ihm ins Wort. In den letzten zwei, drei Tagen war ich wegen meiner Schläfrigkeit den Berichten von Nr. 1 nicht mehr ganz gefolgt. »Was heißt das, ›Verlust einiger Roboter‹? Wieviel sind das denn?«

»Heute waren es 20, morgen werden es 24 sein.«

»Du hirnloser mechanischer Idiot!« schrie ich ohne Überlegung los und sprang von meinem Stuhl auf. Ich war völlig außer mir vor Empörung über das, was ich gerade gehört hatte. »Du darfst doch die Roboter nicht aus einem so blödsinnigen Grund auf den Müll werfen! Aufhören! Stell die Bauarbeiten ein! Dieses Projekt soll doch sowieso eingestellt werden!« Dann fiel es mir plötzlich siedend heiß ein . . .

Zwölf, dreizehn Sekunden lang schwieg der Roboter. Er stand da und starrte mich an, und dann sagte er: »Ich beurteile Ihre Äußerungen als Störung der Bauarbeiten.«

»He, wart mal!«

»Wir arbeiten mit aller Kraft, um Bauprojekt Nr. 444 termingerecht fertigzustellen«, sagte Nr. 1, die Worte schneller als gewohnt herausschleudernd, »und es ist die Pflicht des Aufsehers, uns dabei zu helfen. Jedoch haben Sie gerade etwas gesagt, das ein Aufseher nicht sagen darf. Ab jetzt akzeptiere ich Ihre Worte nicht mehr als Worte des Aufsehers.« Nr. 1 hob ruckartig seinen Kopf, und irgendwo in seinem Rumpf klickte es vernehmlich. »Von jetzt an ist der Empfangsmodul für Ihre sprachlichen Äußerungen außer Betrieb; alle anderen Funktionen arbeiten weiter wie bisher.«

Ich stand da wie zu einer Salzsäule erstarrt; schließlich dämmerte mir, was gerade geschehen war. »Das eben war doch nur geschwindelt! Ich hab' doch bloß einen Witz gemacht!«

Nein, alles war zu spät. Nr. 1 hatte von sich aus den Schaltkreis für das Hören menschlicher Sprache lahmgelegt. Wie laut ich auch schrie, er hörte mich nicht, denn ›Hören‹ gab es nicht mehr für ihn. Er stand neben mir und erstattete mir mit automatischer Ungerührtheit seinen detaillierten Bericht, während ich auf dem Stuhl zusammensank. Der ganze Vorgang war total einseitig.

6

»Stehen Sie auf! Stehen Sie auf!« schrie Nr. 1. »Es ist Zeit für den Bericht!«

Stöhnend erhob ich mich. Wenn Nr. 1 zu dem Schluß kam, ich sei aufgestanden, begann er ganz laut mit seinem Bericht von der Baustelle. Ich nahm meinen Notizblock und tat, als hörte ich zu und schriebe eifrig mit.

Ich staunte, daß ich noch nicht verrückt geworden war. Zur festgesetzten Zeit riß mich Nr. 1 aus dem Schlaf und erstattete seinen Bericht, gleichgültig ob ich zuhörte oder nicht, verabreichte mir mein Essen und schleppte mich zur Inspektion. Ich sah, daß die ganze Situation von Tag zu Tag höllischer wurde. Ein Roboter nach dem anderen verschlissen; die Baumaterialien wurden unentwegt verarbeitet und in den Schlamm gesteckt.

Meine Sinne begannen sich zu verwirren. Die Sonne ging auf und sank; jeden Abend leuchtete der Dschungel aus der Ferne im goldenen Glanz des Abendlichts. Mich packte auf einmal Sehnsucht nach dem Gebrüll und Gekreisch der unzähligen wilden Tiere.

Die alltäglichen Regenschauer wurden allmählich heftiger und dauerten länger: Die Regenzeit kam. Der Wasserstand des Flusses stieg; Tag um Tag drang mehr Wasser in die Baustelle. Wie der Mann vom Filialbüro gesagt hatte — die ganze Gegend verwandelte sich allmählich in einen Nebenlauf des Flusses. Die Roboter errichteten jetzt neben den Fundamenten einen fünf Meter hohen Pfahlrost und arbeiteten, vom strömenden Regen triefend naß, darauf wie besessen weiter. Und der Verlust von Robotern beschleunigte sich natürlich.

Ich muß irgend etwas unternehmen! dachte ich immer wieder. Ich muß doch die Einstellung dieser Bauarbeiten erreichen! Aber meine Entschlossenheit verblaßte und an ihre Stelle trat ein Gefühl unüberwindlicher Ohnmacht. Während ich mir murmelnd vorsagte: »Nie gebe ich auf!«, spürte ich doch, daß das nur noch ein nebelhafter Wunsch war.

Als ich eines Tages meine Schutzbekleidung aus dem Schrank holte, erklärte mir Nr. 1: »Ab heute wird die Inspektion durch den Aufseher für einige Zeit ausgesetzt.«

»Ausgesetzt?« schrie ich, und sofort erinnerte ich mich, daß Nr. 1 meine Worte ja nicht mehr vernahm, und ich fiel in Schweigen.

»Der gegenwärtige Wasserstand ist 1,10 m. Das Wasser wird noch steigen. Zum Schutz des Aufsehers wird die Inspektion ausgesetzt, bis der Wasserstand unter 50 cm sinkt.« Er riß mir den Schutzanzug aus den Händen und ging allein nach draußen und die Treppe hinab. Nun konnte ich nicht mehr nach draußen; der perfekte Schutz durch Nr. 1 wurde für mich also zur perfekten Gefangenschaft.

Während das Wasser stieg, verwandelte sich die Außenwelt in einen Sumpf voll grüner Wasserpflanzen. Draußen prasselte der Regen nieder; ich saß geistesabwesend im Aufseherraum, ohne irgendeinen Antrieb zu einer Tat. Überrascht wurde ich mir meiner Geistesabwesenheit bewußt, aber als ich merkte, wieviel schöner es war, nicht zu denken, statt mir das Hirn zu zermartern, starrte ich nach draußen, den Kopf auf die Knie gestützt, die ich mit den Armen umschlang.

Im Wasser draußen schwamm mit flatternden Flossen ein wunderschöner Fisch vorbei. Da und dort blühten Blumen, die wie Lotos aussahen — ein mit Gift durchtränkter Blumengarten!

Ich hab' verloren! Dieser Gedanke wiederholte sich wie ein endloser Refrain in meinem dämmerigen Bewußtsein. Am Ende bin ich diesem Roboter unterlegen ... Ich hab' ihn nicht besiegt ... Ich bin nicht gegen seine unwandelbare Zielstrebigkeit aufgekommen ...

Trotz des strömenden Regens bewegten sich die Roboter auf dem Pfahlrost. An den grauen Köpfen und Rümpfen hingen Ranken irgendwelcher Wasserpflanzen. Mit ihren schweren

Körpern sprangen sie von Plattform zu Plattform, und dabei fiel ab und zu einer ins Wasser, aber er rappelte sich sofort hoch, während das Wasser in kleinen Kaskaden an ihm herabströmte, und er schüttelte die Schlangen und die fleischfressenden Aale, die sich um den Roboterkörper wanden, scharenweise ab.

Schon seit langem gab ich keine Berichte mehr an die Firmenzentrale ab. Gelegentlich zwang Nr. 1 mich dazu, dann saß ich nur vor dem Bildschirm und bewegte meine Lippen, ohne zu sprechen. Die Berichterstattung war mir lästig, und hätte ich meine Stimme klingen lassen, so wären es doch keine sinnvollen Worte gewesen.

Der Regen dauerte an. Fauliger Gestank breitete sich aus, den auch die Klimaanlage nicht beseitigen konnte. Ich träumte vor mich hin. Ich träumte immer wieder, daß großschuppige Goldfische vorbeiflatterten, oder ich träumte, daß ich die Roboter einen nach dem anderen mit einem Hammer niederschlug — Hunderte, Tausende von Robotern, die sich Kopf an Kopf in meinen Träumen herandrängten. Wirklichkeit und Traum gingen ineinander über, mein Geist verwirrte sich.

»Ich berichte . . .«

»Es ist Zeit, daß Sie sich mit der Firmenzentrale in Verbindung setzen.«

»Dieses Essen besteht aus Menschenfleisch.«

»Stehen Sie bitte auf!«

»Sie haben ja jetzt fünfzehn Beine . . .«

Träume — die Wasserpflanzen lachten, die Piranhas kamen zu mir herein und begrüßten mich mit »Guten Abend!« Von Zeit zu Zeit gab Nr. 1 mir eine Pille, die sich in meiner Handfläche in eine gleißende Sonne verwandelte und dann verschwand.

Aber die Zeit ging weiter; ohne Rücksicht auf meinen Geisteszustand schritten die Bauarbeiten fort. Die Schar der Roboter war stark dezimiert. Im Vergleich zur Anfangszeit waren sie jetzt erbärmliche Gestalten; keiner von ihnen war mehr vollständig intakt, und die Geschwindigkeit ihrer Bewegungen hatte nachgelassen. Abgesehen von der Zeit, wo er dem

Aufseher berichtete und das Essen zuteilte, arbeitete nun Nr. 1 auch mit. Jetzt war er so schmutzverkrustet, daß ich ihn nicht mehr von den anderen Robotern unterscheiden konnte, wenn er nur ein wenig von mir entfernt war.

Trotz allem hielten die Roboter in ihrer Arbeit nicht inne. Je mehr ihrer Kameraden ausfielen, desto hartnäckiger arbeiteten sie weiter. Als ich damals angekommen war, war die Baustelle nur ein Konglomerat bizarrer Gebäudefragmente gewesen, jetzt allmählich aber nahm sie das Aussehen einer wirklichen Stadt an. Mich ließ der Baufortschritt gleichgültig; ich war ja nur noch ein von Resignation erfüllter Gefangener, ein Außenseiter, der mit der ganzen Bauerei nichts zu tun hatte. Wenn ich die durch das Wasser stapfenden Roboter sah, überfiel mich immer ein lähmendes Gefühl unüberwindlicher Hilflosigkeit. Warum nur konnte ich nicht nach draußen? Wenn ich wenigstens nach draußen könnte, dann hätte ich doch die Möglichkeit zu fliehen . . .

Flucht — das war der einzige Weg, der mich retten konnte. Bliebe ich weiterhin drinnen, dann würde ich noch vollends verrückt. Vielleicht war mein Vorgänger geflohen und irrte noch irgendwo durch den Dschungel? Aber für eine Flucht brauchte ich ja meinen Schutzanzug! Und den hatte Nr. 1! Wenn ich Nr. 1 niederschlüge und den Schutzanzug bekäme . . .

Niederschlagen! — erst jetzt war ich darauf gekommen. Ich mußte ihn niederschlagen. Wenn ich Nr. 1 zerstörte, dann brauchte ich nicht zu fliehen, denn ohne ihren Anführer würden die Roboter automatisch ihre Arbeit einstellen, und die Lage hätte sich mit einem Schlag gewendet! Natürlich war es ein großes Risiko, aber schließlich war ich doch kein Angsthase, der seine letzte Chance ungenützt vorübergehen ließ! Ich schaute mich suchend im Zimmer um und montierte schließlich eine Stahlplatte von der Wand ab. Mit verhaltenem Atem wartete ich dicht neben der Tür.

Ein wuchtiger Schlag mit all meiner Kraft! Ich spürte den Aufprall in meinen Händen und sah einige Bauteile vom Kopf von Nr. 1 wegfliegen. Den zweiten Schlag versetzte ich ihm gegen den Rumpf — der Roboter taumelte leicht und sagte mit verzerrter Stimme: »Hören Sie auf! Hören Sie auf!«

Ich antwortete nicht und hob die Platte zum drittenmal. Im gleichen Augenblick, als ich bemerkte, daß ich einen Riß in die Brust des Gegners geschlagen hatte, erhielt ich einen heftigen Stoß und fiel rückwärts auf den Boden. Als ich mich, den Schmerz unterdrückend, halb aufrichtete, schwankte der Oberkörper des Roboters hin und her. Taumelnd murmelte er: »Wenn Sie mich zerstören, stellen die anderen Roboter doch die Arbeit nicht ein ... Ich habe allen Robotern den Bauplan eingespeichert ... Aufgrund Ihrer Worte und Taten vermutete ich, daß so etwas wie jetzt einmal passieren könnte ...« Er blieb zwei Sekunden lang still und sagte dann: »Auch ohne mich ... wird dieses Bauprojekt vollendet.« Dann neigte sich der riesige Roboterkörper nach vorn und prallte auf dem Boden auf. Der Rumpf zerplatzte, Einzelteile fielen heraus und lagen zerstreut auf dem Boden.

Verdammt! Verdammt! Das darf doch nicht wahr sein! Ich stützte mit beiden Armen meinen Oberkörper auf und erstarrte ob dieser gänzlich unerwarteten Wendung des Geschehens. Hatte Nr. 1 mich am Ende doch besiegt. Ich staunte darüber, daß kein Ärger in mir hochkam, statt dessen überkam mich eine Art Achtung vor diesem Burschen. Ich fühlte, daß ich einen ebenbürtigen Gegner verloren hatte. Ich wurde also besiegt! dachte ich, im gleichen Atemzug verließ mich meine Kraft, Schmerz überflutete mich, und dann verlor ich plötzlich mein Bewußtsein.

7

»Aha, so war das also!« sagte der Leiter der Abteilung ›Personaldisposition‹ zu mir, als ich zu Ende erzählt hatte. Dann fragte er: »Und die Bauarbeiten gehen also noch weiter?«

»Ja«, antwortete ich schlaff, »es tut mir leid, daß ich Ihre Erwartungen enttäuscht habe.«

»Nein, nein, das ist schon gut so.«

»Wie bitte? Was meinen Sie damit?«

»Also, um ehrlich zu sein . . .«, setzte der Abteilungsleiter zögernd fort, »die Ersatzroboter kommen bald bei Ihnen an.«

»Was sagen Sie da?« — Ersatzroboter? Was hatte er sich dabei gedacht? »Was ist denn los? Sie sagten mir doch, die Bauarbeiten sollten eingestellt werden!«

Der Abteilungsleiter antwortete nicht.

»Los, erzählen Sie mir!« beharrte ich.

»Ja, also . . . es gab wieder einen Putsch im Staate R.«, sprach er langsam. »Die alte Regierung kam wieder an die Macht, und unser Bauvertrag wurde wieder in Kraft gesetzt.«

»Wieder in Kraft gesetzt?« fragte ich ihn verdutzt. »Wenn es mir also gelungen wäre, die Bauarbeiten einzustellen, dann . . .« Ich konnte nicht weitersprechen. Ich durchschaute blitzartig den wahren Sachverhalt — es war umgekehrt: Nicht weil ein Putsch stattgefunden hatte, lebte der Vertrag wieder auf, sondern der Staatsstreich hatte sich ereignet — oder besser: war inszeniert worden — damit man den Vertrag wieder in Kraft setzen konnte.

Wer hatte den Putsch inszeniert? Natürlich unsere Firma, Pioneer Service. Na ja, man darf ihr nicht unrecht tun: Bei der riesigen Geldsumme, die unsere Firma in das Bauprojekt Nr. 444 gepumpt hatte, mußte sie den Schaden, der durch die Aufhebung des Vertrags entstanden war, möglichst niedrig halten, aber die Firmenleitung wußte ja nicht, ob der Bau überhaupt noch gestoppt werden konnte. Hätte man die Bauarbeiten sofort einstellen können, dann wäre der Verlust noch erträglich gewesen. Aber wenn die Arbeitsroboter unentwegt weiterschufteten und man sie nicht zum Stillstand bringen konnte . . .? Dann mußte man eben dafür sorgen, daß der Vertrag wieder in Kraft gesetzt wurde. Also schickte man eine geheime Kommandoabteilung in das Land R., organisierte einen Putsch und brachte die alte Regierung wieder an die Macht. Die Kosten für einen Staatsstreich in solch einem unterentwickelten Land waren viel geringer als das Budget für Bauprojekt Nr. 444.

Meine wahre Rolle war also gar nicht gewesen, einfach die Einstellung der Bauarbeiten zu erreichen, sondern man hatte über mein Verhalten die Situation auf der Baustelle beobachtet, und als man zu dem Fazit kam, daß die Einstellung unmöglich war, da hatte man das Putschkommando losgeschickt.

»Herr Abteilungsleiter«, sagte ich zu dem Bildschirm, »wie kommen Sie sich eigentlich dabei vor, daß Sie meinen Körper lediglich als Signalgerät benutzt haben?«

»Ach, verschonen Sie mich doch damit!« Er grinste breit. »Sie bekommen doch Ihre Sonderzulage, ob Ihnen nun die Einstellung der Bauarbeiten gelang oder nicht ... Also ja, verzeihen Sie uns bitte!«

»Okay, ist ja egal, man kann nichts mehr ändern ...«

»Es ist übrigens eine stattliche Summe.« Sein Grinsen wurde noch breiter. »Haben Sie überhaupt Verwendung für soviel Geld?«

»Verwendung?« Ich wandte mich um und blickte auf die Trümmer von Nr. 1, die auf dem Boden lagen. Der erste mir ebenbürtige Gegenspieler aus Metall, den ich getroffen hatte! Ich schaute wieder zum Abteilungsleiter und sagte: »Was halten Sie eigentlich von einem Grab für einen Roboter?«

»Die Affen sind da!«

Heute muß ich doch endlich ins Dorf gehen! entschloß ich mich. Den Bergpfad hinauf und hinab, hin und zurück ein Weg von fünf Stunden, also schon eine ziemliche Strapaze. In dem Dorf gab es nur rund ein Dutzend Häuser, aber wenn ich dorthin ging, konnte ich wenigstens Öl für den Generatormotor kaufen und etwas über die Lage in der Außenwelt erfahren. Und natürlich noch die Lebensmittel! Von dem Proviant, den ich bei der letzten Lieferung erhalten hatte, war nur noch für wenige Tage übrig.

»Was machen die da eigentlich?« murmelte ich vor mich hin. »Sie schicken mich mitten ins Gebirge und lassen dann nichts mehr von sich hören. Wirklich, die halten mich doch zum Narren! Ich bin doch nicht in Verbannung! Wollen die etwa, daß ich verhungere?«

Ich schaute mich noch einmal in der schäbigen Hütte um, während ich den Rucksack und die Feldflasche schulterte. In der Hütte war es still. Seit der Stromgenerator seine Arbeit eingestellt hatte, herrschte hier völlige Ruhe. Die meisten Apparate, die ich zu kontrollieren hatte, arbeiteten nicht mehr. Auch der Fernseher ging nicht mehr; natürlich hatte ich auch einen Transistorradio, aber seine Batterien waren schon erschöpft, deshalb versagte auch er seinen Dienst.

Als ich nach draußen ging, sah ich wie immer die Affen, die aus den sommerlich dichten Bäumen und Gewächsen verstohlen zu mir herüberlugten. Ich glaubte fast, ihre Zahl habe sich gegenüber dem Vortag erhöht. Seit zwei, drei Tagen vermehrten sie sich. Seltsam kreischend schrien sie — wollten sie mich necken? Oder mir ihre Freundschaft beweisen? Ich wußte es nicht. Planten sie etwa irgend etwas? Vielleicht litt ich unter

Verfolgungswahn, aber in den letzten paar Tagen nahm ich immer ein großes Messer mit mir.

Daß ich vom Weg abkommen könnte, befürchtete ich nicht, denn ich war schon oft den Pfad zum Dorf gegangen, hin und zurück. War es Einbildung, als der Weg, den ich doch vorher schon gegangen war, üppiger zugewachsen schien? Vielleicht förderte der heiße Sommer das ungehemmte Wachstum der Pflanzen? Nun, für alle Fälle nahm ich Karte und Kompaß mit. Ich schloß die Tür der Hütte und schritt auf dem schmalen Trampelpfad dem Dickicht zu.

Zu beiden Seiten des Weges hörte ich lebhaftes Rascheln — folgten mir etwa die Affen? Mit der rechten Hand holte ich das Messer aus der Scheide und ging Schritt für Schritt den Bach entlang bergab.

Genaugenommen war ich mit schuld daran, daß ich jetzt so in der Klemme saß, denn als das Amt damals jemand in das Innere des Gebirges schicken wollte, übernahm ich freiwillig diese Aufgabe.

Ehrlich gesagt war ich meines bisherigen Lebens überdrüssig gewesen. Ich lebte in einer engen Mietwohnung mitten in der riesigen Großstadt, fuhr jeden Tag in den vollgestopften Pendlerzügen und verbrachte mit angespannten Nerven die ganze lange Arbeitszeit. Nach Dienstschluß schlenderte ich ziellos in den Menschenmassen der smoggeplagten Stadt umher. Manchmal ging ich in eine Spielhalle, oder ich schlang in einer Imbißstube ein Nudelgericht hinunter. Allmählich empfand ich, daß dieses Leben Leib und Seele zermürbte.

Noch schlimmer war die Sache mit den Massenmedien. Wegen der Zeitungen und Illustrierten, die man ständig liest, und wegen der Fernsehprogramme, die man ständig anglotzt, denkt man über alle möglichen Dinge viel mehr nach, als sie es wirklich wert sind. Für allen möglichen Unsinn interessiert man sich dann und schwatzt darüber mit den Kollegen.

Aus all dem wollte ich mich einmal absetzen und ein ruhiges Leben für mich ganz allein führen, den Tag einmal ganz beschaulich und völlig nach Belieben verbringen. Als das Amt jemanden für diese Beobachtungsstelle tief im Gebirge suchte, meldete ich mich sofort.

Die Beobachtung bestand nur aus der regelmäßigen Aufzeichnung von Temperamenten und Luftdruck, und das machten die Apparate automatisch. Aber seit man die Meßgeräte installiert hatte, gab es immer wieder Störungen, die anscheinend von den wilden Affen hervorgerufen wurden. Also sollte dort jemand drei bis vier Monate Wache halten, bis eine richtige Abwehranlage eingerichtet würde. Eine solche Chance gibt es doch nur ganz selten!

In der ersten Woche, den ersten zehn Tagen, ruhte ich mich ausgiebig in dieser provisorischen Hütte aus. Das Amt hatte mir sogar einen Fernseher zur Verfügung gestellt, aber ich wollte überhaupt nichts anschauen.

Aber, um die Wahrheit zu sagen, das ging nur die erste Woche, die ersten zehn Tage gut. Dann war ich der mitgebrachten Bücher überdrüssig und langweilte mich. Irgend etwas Anregendes gab es nicht. Ich spazierte in die Berge und trieb mich in der Nähe der Hütte herum, zeichnete und verfaßte Haiku-Gedichte ... So brachte ich die zweite Woche hin.

»Wie geht es Ihnen denn so?« Zweimal im Monat bzw. alle 20 Tage brachte man mir Proviant und Brennstoff. Der Kollege von der Transporteinheit lächelte und fragte: »Haben Sie das hier nicht schon satt? Tun Sie doch nicht länger, als seien Sie ein großer Geduldskünstler, sondern sagen Sie nur ein Wort! Geben Sie auf! Es wäre doch besser, wenn ein anderer Sie hier ablöste!«

»Ha, machen Sie doch keine solchen schwachsinnigen Vorschläge!« Aufgrund meiner bisherigen Überzeugungen konnte ich ihm ja wohl nicht leicht zustimmen. Deshalb sagte ich: »Hier gibt's keinen Smog wie in der Großstadt, keine sinnlose Hektik. Ich bin inmitten der großen Natur ... Ja, jetzt habe ich viel Zeit zum ruhigen Nachdenken, zur Besinnung. Sind Sie denn nicht neidisch auf mich?«

»Na ja, für ein paar Tage schon«, der Kollege grinste, »aber schon am dritten Tag hätte ich schon die Nase voll. Ich würde hier ja verrückt! Sie aber, Sie sind ein komischer Mensch, und deshalb harren Sie hier weiter aus. Sie reden so schön über Nachdenken und Besinnung, aber ich glaube, Sie hocken bloß den ganzen Tag vor dem Fernseher!« Dann stiegen der Kollege und die Lastenträger wieder bergab.

Einen Tag nach dem anderen hielt ich es trotzdem aus. Ab und zu wollte ich den Fernseher einschalten, unterließ das dann aber, hartnäckig und stur. Ich hatte ja vor den Kollegen verkündet, ich würde die städtische Zivilisation hinter mir lassen, als ich hierher kam, und ich wollte nicht, daß sie später mir sagen könnten, ich hätte ja doch nur Fernsehen geschaut.

Aber dieser Zustand hielt nicht ewig an. Mir war nicht wohl, daß ich nicht wußte, was in der großen, weiten Welt passierte. Jedoch — ich harrte weiter aus. Um der Angst zu entfliehen, ich sei von der Außenwelt völlig abgeschnitten, ging ich zum nächsten Dorf. Die Dorfbewohner hatten mich freundlich aufgenommen. Ich kam auf den Geschmack und besuchte das Dorf noch öfter, um mit den Leuten ein ganz belangloses Alltagsgespräch zu führen. Allzu oft konnte ich das jedoch nicht machen; wenn ich sie zu oft besuchte, dann war ihnen das sicher lästig.

Tag um Tag wurde schwerer zu ertragen, aber mit verbohrter Geduld harrte ich aus.

Das war doch vor drei Tagen gewesen, dachte ich, als ich durch das Dickicht ging, vor drei Tagen, gegen Abend . . .

Ich hatte kurz zum Himmel aufgeschaut, als ich nach der Überprüfung der Meßgeräte in die Hütte zurückkehren wollte — ein schreckliches Getöse hatte mich aufgeschreckt.

Drei Düsenflugzeuge rasten durch den flammend roten Abendhimmel über die Berge, keine Passagiermaschinen, sondern Düsenjäger, mit langen Hälsen wie gigantische Vögel. Im Nu waren sie verschwunden, und ihnen folgte eine Formation nach der anderen dröhnend über den Himmel.

War das eine Übung? Oder . . .? Ich rannte in die Hütte und schaltete den Fernseher ein, aber der Bildschirm flimmerte nur sinnlos. Bei meinem Test damals, als ich hier eingezogen war, hatte der Kasten doch funktioniert! Ich untersuchte das Gerät und kam zu dem Ergebnis, daß es völlig in Ordnung sein mußte.

Erst später fand ich die Ursache: Die Antenne war abgeknickt, vermutlich hatten das die Affen gemacht. Hastig reparierte ich sie innerhalb einer Stunde. Trotzdem erschien auf dem Schirm kein Bild. Hatte ich bei meiner Reparatur gepfuscht? Oder hatte man die Sendung aus irgendwelchen Gründen unterbrochen? Ich wußte es nicht. Dann erinnerte ich mich an den Transitorradio und schaltete ihn ein, aber er gab keinen Ton von sich. Ich hatte sehr oft Radio gehört, vielleicht waren nur die Batterien leer?

Es sind zwei grundverschiedene Dinge, ob man mit der Zivilisation bricht, während man meint, ohne sie auszukommen, oder während man in Wirklichkeit an sie nicht mehr herankommen kann. Beide Situationen ähneln einander, aber sie sind völlig verschieden. Ich wurde immer unruhiger und wußte nicht, was ich tun sollte.

Irgend etwas war doch offensichtlich geschehen! Aber wenn schon — das Amt, das mich hierher geschickt hatte, hätte mir doch eine Nachricht zukommen lassen!

Ich wartete. Bald war ja der Versorgungstrupp fällig.

Aber auch nach ein, zwei Tagen rührte sich nichts. Gestern nachmittag ging mir das Öl für den Generatormotor aus.

Was soll denn das heißen? fluchte ich innerlich, während ich mir mit dem Messer einen Weg durch das immer üppiger werdende Dickicht bahnte. ›Wenn irgend etwas Unvorhergesehenes passiert ist, dann müssen die mir das doch mitteilen! Und wenn nichts geschehen ist, dann müssen sie doch die fällige Lieferung schicken! Haben die mich etwa schon vergessen? Zum Teufel noch mal! Wenn ich zurückkomme, dann mache ich denen die Hölle heiß!‹ Den Bauch voller Wut ging ich weiter, hielt aber auf einmal inne.

Halt! Hier wuchsen die Bäume so hoch, daß die Sonne nur schwach durch das Blätterdach drang; das Unterholz reichte mir bis zu den Knien. Aber es waren doch schon zwei Stunden vergangen, seit ich die Hütte verlassen hatte! Jetzt mußte ich doch eigentlich von dem Trampelpfad schon zu dem ordentlich angelegten Weg gekommen sein! Aber nein, im Gegenteil! Überall sah es wie im Dschungel aus.

Hatte ich mich etwa verirrt? Mit Unbehagen nahm ich den Kompaß in die Hand und blickte prüfend auf die Landkarte. Nein, ich irrte mich nicht! Als Beweis dafür fand ich eine Narbe, die ich beim letztenmal in den großen Baum da an der Seite unbeschwerten Herzens als Wegweiser eingeritzt hatte. Aber die Narbe stand ja viel höher, als ich sie eingeschnitten hatte. War der Baum wohl inzwischen gewachsen? Komisch, komisch ...

Aber ich ging weiter. Ich mußte weiter. Für mich gab es nur eins: Ich mußte unbedingt zum Dorf!

Nach fünfhundert Metern schimmerte es hell durch die Bäume: Das war die gewohnte Landschaft, die Felder des Dorfes. Ich wollte loslachen über mich, daß ich bis jetzt so beängstigt gewesen war. Es gab ja gar nichts Seltsames! Hier war alles wie immer: Einige Dorfleute arbeiteten auf den Feldern. Schnell rannte ich zwischen den Bäumen hindurch auf die Arbeitenden zu; unwillkürlich kam ein Ruf von meinen Lippen: »Hallo! Hallo!«

Die Leute wandten sich umschauend mir zu und verharrten in dieser Stellung.

»Hallo!« rief ich noch einmal und wollte ihnen mit der Hand winken, da riß ich meine Augen weit auf; mein ganzer Leib krümmte sich krampfhaft, und aus allen Poren brach kalter Schweiß: Die Gestalten, die sich da auf ihre Hacken stützten, waren keine Dorfbewohner, nicht einmal Menschen — das waren Affen! Gekleidet waren sie wie Menschen, bis zu den Schweißtüchern um die Stirn, aber die Gesichter, die sie mir zugewandt hatten, waren die von Affen.

Nein! Ich mußte doch endlich wieder zu mir kommen — daß Affen mit den Hacken arbeiteten, war doch völlig unmöglich! Das war doch sicher nur ein Spaß! Vielleicht trugen die Dorfbewohner aus irgendeinem Grund Affenmasken, etwa aus Anlaß eines ländlichen Festes?

»Was ist denn mit Ihnen los?« fragte ich und näherte mich ihnen. Einer der mir nächsten schrie auf — ich zweifelte an meinem Gehör: Die schrill bebende Stimme war nicht die eines Menschen, das war Affengeschrei!

Ich war total perplex. Plötzlich bewegte sich ein schwarzes Etwas zu Füßen der Affen und rannte geschwind auf mich zu. Es war ein Wildschwein, ein echtes Wildschwein. Ich stand erstarrt. Ein scharfer Laut ertönte hinter mir, und das Wildschwein blieb unvermittelt stehen. Ich schaute mich um.

Fünf, sechs Affen standen hinter mir. Diesen Laut eben hatte wohl der große Affe an der Spitze ausgestoßen. Er kam in flinken Sprüngen zu mir und redete mich mit »kjaa, kjaa« an.

Da ich nichts verstand, versuchte der Affe die menschliche Sprache nachzuahmen. »Du — Men ... schen«, sagte er in grotesker Aussprache und deutete mit dem Finger auf mich, »Men ... schen.«

Ich verlor meine Selbstbeherrschung, stieß einen Angstschrei aus und rannte auf sie zu, mit meinem Messer wild herumfuchtelnd. Sie zogen sich zu beiden Seiten zurück, und ich lief kopflos in die Richtung meiner Hütte.

Traum, Traum! Das ist doch nur ein Traum! Das ist doch alles ganz unmöglich!

Ich weiß nicht, wie lange ich brauchte, bis ich wieder bei meiner Hütte war. Während ich lief, brach die Dämmerung herein, und als ich an der Tür anlangte, war es schon ganz dunkel. Ich schloß auf, taumelte in die Hütte und atmete stoßweise. Nachdem ich die Tür sorgfältig abgesperrt hatte, schleppte ich mich zu meinem Bett.

Auf einmal waren draußen Geräusche und Schreie von Affen. Ich zündete eine Kerze an. Was war denn bloß passiert? Ich suchte nach einer einleuchtenden Erklärung, während ich in das Kerzenlicht starrte. Warum ist das alles so gekommen? Das war doch unmöglich!

Irgend etwas muß geschehen sein, dessen bin ich jetzt sicher. Aber was? Ich weiß es nicht, kann es nicht wissen. Eine Zeitung gibt es natürlich hier nicht, Fernseher und Radio funktionieren nicht. Ich kann nichts erfahren.

War das vorhin Wirklichkeit? Waren das echte Affen? Oder habe ich mich getäuscht? Habe ich mir nur eingebildet, daß der Affe in menschlicher Sprache redete?

Ist das nur in dieser Gegend so, oder in ganz Japan? Oder etwa sogar auf der ganzen Welt? Keine dieser Fragen kann ich beantworten. Ich kann nur sagen, daß es unmöglich ist. Sind etwa Jahrzehnte oder Jahrhunderte vergangen, seit ich hier ins Innere des Gebirges zog, und haben sich die Affen inzwischen weiterentwickelt und die Menschen verjagt?

Oder träumte ich nur einen ganz langen Traum? Stehen in Wirklichkeit die Menschen unter der Herrschaft der Affen, und ich habe das bisherige umgekehrte Leben nur geträumt? Wenn ich mir meine Lage zu erklären versuche, dann werden die Erklärungen immer seltsamer: Da ich etwas Unmögliches gesehen habe, will ich es jetzt mit unmöglichen Ereignissen erklären. Ich verstehe nichts, gar nichts.

Oder — sicher habe ich nur eine Halluzination gehabt, denn ich habe ja etwas gesehen, was es nicht gibt. Also, was ich gesehen habe, gibt es in Wirklichkeit doch nicht. Gibt es mich selber . . . vielleicht auch nicht mehr?

Am Abend vor drei Tagen habe ich Düsenjäger am Himmel gesehen. Diese Flugzeuge machten keine Übung, sondern sie erhielten schon einen Einsatzbefehl. Und es gab einen allgemeinen Atomkrieg. In der ganzen Welt wurden ferngelenkte Atomraketen abgefeuert, und auch hier in der Nähe Japans sind sie explodiert. Aber diese Fernlenkgeschosse erreichen ihr Ziel außerordentlich schnell und explodieren auf der Stelle. Die Toten werden sich nicht einmal ihres Todes bewußt und hören auf zu existieren. Aber in der Sphäre des Bewußtseins träumen sie weiter einen bizarren Traum . . .

So kann es sein! Oder auch nicht? Ich weiß es nicht. Informationen bekomme ich ja nur von mir selber, aber mir selber traue ich nicht mehr. Ich weiß wirklich nichts mehr.

An der Tür klopft es. Die Affen klopfen.

»Auf . . . ma . . . chen!« schreit ein Affe draußen mit seinem grotesken Akzent. »Du — sol ... len — Tür — auf ... ma ... chen!«

Ich starre in die Kerzenflamme. Jetzt brauche ich unbedingt eine andere Informationsquelle außer mir selbst, egal ob Zeitung, Fernsehen oder Radio.

Ich brauche sie unbedingt!

»Pî!«

Er hatte eine Arbeit, in der es nicht viel Umgang mit
Menschen gab. Traf er einen alten Freund, so lächelte er immer
verschämt. Deshalb gab es in seiner Wohnung keinen Besuch.
Aber heute war es anders.

»Du hast dich sehr verändert!« Die Frau, die vor Trunken-
heit taumelte, schaute den Mann an, der starr auf dem Bettrand
saß. »Seit wann bist du denn so? Ich habe gehört, du hattest
einen Verkehrsunfall. Bist du seitdem so?«

Der Blick des Mannes ging an der Frau vorbei bis zu dem
Schrank neben der Tür.

»Was hast du denn?« stieß sie hervor und drehte sich um.

»Pî!« rief der Mann. Eine Katze kam angelaufen, sprang auf
seine Knie und miaute leise.

»Hast du immer noch diese Katze?« fragte sie, als fühle sie
sich unbehaglich. Der Mann schaute sie kurz an und lächelte.

»Du hast Ähnlichkeit mit dieser Katze!« sagte sie mit leich-
tem Zittern, aber er antwortete nicht. »Jetzt gehe ich!«

»Pî!« Der Mann streichelte den Rücken der Katze. Mit einem
Ausdruck von Abscheu im Gesicht ging die Frau aus dem
Zimmer. Die Tür knallte hinter ihr zu. Der Mann hob die Katze
sachte von seinen Knien, dann ging er zur Tür und schloß sie
sorgfältig ab.

Es regnete in Strömen und sah nicht aus, als wolle es bald
aufhören. Der Mann war zur Arbeit gegangen. Die Katze
streckte die Glieder und strich durch das Zimmer.

Zuerst ging sie zum Fenster, und als sie sah, daß es dort
wegen des Regens feucht wurde, lief sie zum Bett und legt sich
einige Zeit nieder. Dann schnupperte sie überall auf dem Boden
umher.

Schon lange lebte diese Katze mit diesem Mann, und die Dinge in diesem Zimmer gehörten ihr genausogut wie ihm. Selten sperrte er ab, wenn er wegging; in das verschlampte Zimmer brach niemand ein, aber es war auch der Katze zuliebe. Er lebte für die Katze. Die Katze wußte das genau und belästigte die anderen Bewohner der Mietskaserne nicht.

Nach der Arbeit war schon der Abend angebrochen. Der Mann kaufte zuerst Nahrung für die Katze, dann für sich, und schließlich fuhr er mit der Straßenbahn nach Hause. Von hinten gesehen sah er steifnackig aus, etwas verschroben, leicht gebeugt.

»Der da riecht immer so abscheulich!«

»Meinst du den, der immer das Katzenfutter kauft? Ja, da hast du recht!«

»Ich glaube, der riecht nach Katze!«

»Alleinstehender Mann mit Katze — wie ekelhaft!«

Ob er solche Gespräche, die gelegentlich hinter seinem Rücken geführt wurden, hörte oder nicht, jedenfalls schien er da zu schrumpfen, einen Buckel zu machen wie eine Katze.

In seinem Zimmer angelangt, bereitete er zuerst die Abendmahlzeit für die Katze. War sie fertig mit dem Fressen, dann kochte er für sich. Miaute die Katze, dann unterbrach der Mann kurz seine Hantierungen. Wenn sie aber kein Anliegen an ihn hatte, dann setzte er seine eigene Beschäftigung fort. Aber auch dann vergaß er nicht, dann und wann den Rücken der Katze zu streicheln. Die Katze war immer stolz und anmutig. Für den Mann war sie der eigentliche Lebensinhalt.

Eines Abends wurde der Mann von einem Auto überfahren und starb. Da die Polizisten nicht wußten, wo er wohnte, schafften sie seine Leiche in die Leichenhalle beim Polizeihauptquartier.

Die Zeit verging, es wurde immer dunkler, aber der Mann kam immer noch nicht zurück. Die Katze miaute. Zuerst ging sie im Zimmer auf und ab, dann krümmte und dehnte sie sich auf

dem Bett und fuhr mit ihren Krallen an den Wänden hin und
her. Der Mann kam nicht nach Hause. Die Katze schob die Tür
auf und ging langsam nach draußen auf den Korridor, und
dann die Treppe hinab. Leicht setzte sie ihre Pfoten auf den
Boden und ging aus dem Haus. Sie kam an der defekten
Wasserleitung vorbei und trank. Dann ging sie zurück. Jetzt
war es stockdunkel, aber sie konnte auch im Finstern gut
sehen.

Sie kehrte ins Zimmer zurück, aber der Mann war noch nicht
da. Die Katze wurde unruhig und miaute mehrmals heiser. Sie
war allein. Sie saß auf dem Boden und schaute ins Leere. Es
war möglich, daß so etwas schon einmal geschehen war,
aber sie war verwirrt.

Mondlicht strömte in das Zimmer, aber die Katze wollte sich
nicht bewegen. Sie glaubte, daß er zurückkäme. Daher wartete
sie auf ihn. Mit Leib und Seele wartete sie darauf, daß er
erschien. Ja, sie spürte, daß so etwas gewiß schon einmal
geschehen war.

Vom Mondlicht funkeln gemacht, weiteten sich plötzlich die
Pupillen der Katze. Sie dachte an den Mann, an die Hand, die
immer ihren Rücken streichelte.

Die Hand erschien. Die Katze dachte nun an das Gesicht des
Mannes. Sie dachte an nichts anderes, nur an ihn, mit aller
Kraft ihres Herzens. Es dauerte nicht lange, da tauchte die
Silhouette des Mannes auf, vollständig, mit allen Gliedmaßen.

»Mein Gott, was ist mit mir nur los?« murmelte der Mann,
dann rief er der Katze: »Pî!«

Die Katze miaute leise und sprang auf seinen Schoß. Dieser
Mann roch noch mehr nach Katze als früher, und er war noch
viel zärtlicher zu ihr als zuvor. Die Katze wußte nicht, daß sie
selber diesen Mann erschaffen hatte; sie glaubte, daß er, auf
den sie gewartet hatte, einfach wieder nach Hause gekommen
sei. Wie zuvor, damals . . .

Der Mann schaltete das Licht ein und ging aus dem Zimmer,
um die Abendmahlzeit für die Katze herzurichten. Sie wartete
artig auf dem Bett.

So ging das Zusammenleben des Mannes und der Katze

weiter. Er war wortkarger und weltfremder als zuvor. Die Leute meinten, diese Eigenschaften seien diesem Mann eben angeboren.

Er spürte instinktiv, daß die Katze die Herrin war, aber er tat nichts, um diese Beziehung beider Partner zu verändern.

Eines Tages jedoch begegnete er einem Polizisten. Dieser Polizist wurde totenbleich, aber er redete den Mann beherzt an, der offensichtlich derselbe war, der neulich bei einem Verkehrsunfall gestorben war und dessen Leiche dann am nächsten Tag verschwand: »Hatten Sie nicht neulich einen Verkehrsunfall?«

Der Mann wollte fliehen, aber der Polizist packte ihn am Arm, mußte jedoch wegen des seltsamen Geruches das Gesicht abwenden. »Haben Sie nur so getan, als wären Sie tot?«

Während ein leichtes Lächeln die Lippen des Mannes umspielte, war der Polizist sich seiner Sache sicher: »Einen Augenblick mal, kommen Sie doch mal mit zum Revier!«

Die Katzte wartete. Aber jetzt war ihr Warten viel gespannter, viel dringlicher. Ein Kind aus der Nachbarschaft hatte mit einem Luftgewehr auf sie geschossen. Mühsam war die Katze ins Zimmer zurückgekrochen, blutüberströmt. Sonst war der Mann um die Zeit schon zu Hause und hatte sie gestreichelt. Aber heute war er nicht da. Die Katze verstand nicht, was mit ihr geschah; sie empfand Angst und Schmerz. Sie stöhnte und dachte unentwegt an den Mann. Bald tauchten das Gesicht und die Hand auf, und sie wurde hochgehoben. Schon damit war sie zufrieden. Sie konnte sich nicht mehr bewegen und verlor das Bewußtsein. Das Gesicht rief »Pî«, und die Katze wollte noch darauf antworten, aber ihre Stimme versagte.

Der Polizist, der auf dem Revier den Mann ausfragen wollte, sprang plötzlich auf und schrie.

Nachdem Kopf und Arm des Mannes verschwunden waren, zerfiel das, was von seinem Körper noch zurückgeblieben war, und wurde — einem Häuflein Staub gleich — von einem Windstoß zerstreut, der überraschend vom Fenster her wehte.

Der Schulhof

Benommen wachte ich auf. Zuerst konnte ich mich nicht erinnern, wo ich mich befand. Ein kleines Zimmer, ausgelegt mit den üblichen Tatami-Reisstrohmatten. Durch das Fenster, das helles Licht hereinströmen ließ, sah ich ein Schulgebäude — jetzt begriff ich: Dies hier war das Nachtdienstzimmer einer Schule, ja, der Mittelschule K., an der ich unterrichtete.

Zum erstenmal in meinem Junglehrerleben hatte ich, wie es in regelmäßigem Turnus Pflicht eines japanischen Lehrers ist, in diesem Nachtdienstzimmer übernachtet. Ich habe wirklich allzu gut geschlafen! dachte ich mit verlegenem Lächeln, während ich mich aufrichtete. So hätte ich einen Einbrecher ja wirklich erst bemerkt, wenn er mir eine Pistole oder einen Dolch an die Kehle gepreßt hätte.

Ach, bin ich froh, daß nichts passiert ist . . .! Nichts passiert? Aber es ist doch möglich, daß irgend etwas gestohlen wurde! Als ich hastig in meine Hose schlüpfte, hörte ich draußen jemanden rufen: »Guten Morgen!« Ich öffnete die Tür des Nachtdienstzimmers. Vor mir stand der alte Hausmeister, der ebenso wie ich in der Schule übernachtet hatte.

»Guten Morgen!« sagte er noch einmal und grinste. »Sie haben wirklich gut geschlafen. Ich wollte Sie ursprünglich vor Tagesanbruch zu einem Kontrollgang wecken, aber da Sie so fest schliefen, hätte es mir leid getan, Sie aus dem Schlaf zu reißen.«

»Ah, V-Verzeihung!« stotterte ich verwirrt, und das Blut schoß mir ins Gesicht.

»Ich habe mich gerade im Gebäude umgeschaut, da ist alles in Ordnung«, fuhr er fort, »schlafen Sie ruhig weiter!«

»Nein, nein, ich steh schon auf!« Mit meinem Waschzeug in der Hand begleitete ich den Hausmeister nach draußen. Da

heute schulfrei war, lag über dem ganzen Schulbereich feiertäg-
liche Stille. Fensterfronten und Baumreihen glänzten in der
Morgensonne.

Nachdem ich mich an dem Wasserhahn im Hof gewaschen
hatte, wollte ich wieder in das Nachtdienstzimmer zurückgehen. Bald sollte ein anderer Lehrer kommen, der heute den
Tagesdienst in der Schule hatte. Bis dahin mußte ich meinen
Dienstbericht schreiben.

Aber ich blieb stehen, denn ich sah, daß gerade einige
Männer durch das Haupttor in den Schulhof kamen. Ich
kannte sie nicht. Sie trugen anscheinend Bambusstangen in der
Hand. Was für Leute waren denn das? Sie grüßten den Hausmeister kurz und gingen geradewegs in die Mitte des Hofes;
dem Hausmeister schien dies nichts auszumachen.

»Also, was für Leute sind denn das?« fragte ich ihn.

»Ach, das sind Männer aus der Nachbarschaft. Die wohnen
schon lange hier, schon bevor diese Schule gebaut wurde«,
antwortete er. Natürlich war ich mit dieser Antwort nicht
zufrieden und wollte ihn noch weiter ausfragen, aber er ging in
sein Zimmer und brachte etwas mit — eine Schaufel zum
Aufgraben des Erdbodens.

»Was machen Sie denn damit?« fragte ich ihn und lief hinter
ihm her. »Was machen Sie mit der Schaufel? Und was soll das
heißen, daß diese Leute sich hier herumtreiben?« Aber der
Hausmeister lächelte und gab keine Antwort. Inzwischen waren wir in der Mitte des Schulhofs angekommen, wo die
Männer anscheinend schon auf uns warteten. Der Hausmeister
nickte ihnen zu und begann, mit der Schaufel ein Loch in den
Schulhof zu graben.

»Was machen Sie denn da!« rief ich verwundert aus. Er aber
grub unbeeindruckt weiter. Einer der Männer ging einfach in
das Schulgebäude und kam mit ein paar Eimern zurück.

»Also, jetzt sagen Sie doch mal, was Sie da machen!« Ich
hatte meine Geduld verloren und schrie die Männer an: »Das
ist doch hier eine Schule! Was machen Sie denn hier auf dem
Schulhof?!« Aber sie hantierten weiter, als machten sie das
Normalste von der Welt. Als der Hausmeister ein Loch von

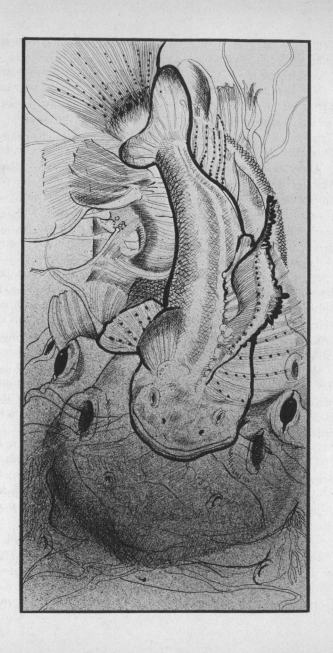

etwa zwei Metern Durchmesser gegraben hatte, gossen die Männer Wasser hinein.

Ich war sprachlos in einer Mischung von Empörung und Verblüffung. Als einzelner konnte ich diese Leute ja nicht mit Gewalt verjagen, so blieb mir nichts übrig, als ihr Treiben stumm zu beobachten. Nachdem sie etliche Eimer Wasser in das Loch gegossen hatten, war ein kleiner Tümpel daraus geworden. Die Männer setzten sich rundherum und begannen, mit den Bambusstangen zu hantieren. Aha, das waren Angelruten zum Fischen! Sie banden Angelschnüre samt Schwimmer daran und fingen an, in dem eben erst entstandenen Tümpel zu angeln.

Was sollte das bedeuten? Warum taten die hier so, als angelten sie an einem Tümpel, der gerade erst gegraben und mit Leitungswasser gefüllt worden war?

Es vergingen keine fünf Minuten, da bewegte sich der Schwimmer eines der Angler ganz heftig. Der Mann schwenkte die Angelrute: Am Ende der Schnur zappelte tatsächlich ein Fisch, glitzernd in der Sonne. Unmöglich, unmöglich! Das konnte doch nicht wahr sein! Aber die Männer angelten seelenruhig weiter; ein Fisch nach dem anderen wurde aus dem Tümpel gezogen.

Geschah das hier wirklich? Oder träumte ich nur? Ich stand starr vor Staunen. Jemand klopfte mir auf die Schulter: der Lehrer, der den Tagesdienst antrat. Auch er trug eine Angelrute bei sich.

»An dieser Stelle war einmal ein großer Teich!« erklärte er mir. »Der wurde beim Bau der Schule zugeschüttet und zum Schulhof gemacht. Aber die Seelen der Fische blieben zurück. Die Fische, die man hier angelt, verschwinden zwar wieder nach einiger Zeit, aber dem Vergnügen des Angelns kann man ja trotzdem nachgehen, nicht wahr?«

Auf dem Schlachtfeld

1

Nur irgendein Zufall war schuld daran, daß ich an jenem Abend mit Herrn Shimizu zum Trinken ging. Normalerweise hatte ich nämlich keine Lust, mit ihm zum Sake-Trinken zu gehen.

Herr Shimizu war ein typischer erfolgloser Angestellter. Er arbeitete mit mir zusammen in derselben Abteilung und war ungefähr fünfzig Jahre alt. Vor zwei Jahren trat er durch Vermittlung eines unserer Kunden in unsere Firma ein, aber da er immer noch nichts weiter als ein einfacher Angestellter war, hatte man ihm wohl keine besondere Empfehlung mitgegeben. Einige munkelten, er habe vorher in einem großen Unternehmen eine höhere Position eingenommen, aber das war schwer vorstellbar, wenn man ihm bei seiner jetzigen Arbeit zuschaute, wie er, seinen Glatzkopf mit der blitzenden Brille über den Tisch gebeugt, seine Berichte verfaßte. Er war ziemlich eigenwillig, und wir, die jüngeren unter den Kollegen, hielten uns von ihm fern.

Noch dazu gab es das Gerücht, er sei ein unbändiger Säufer. Manchmal kam er mit einem Verband in die Arbeit, oder er blieb dem Dienst vier, fünf Tage fern. Meistens hieß es, er habe im Suff einen Streit vom Zaun gebrochen. Bei einer normalen, anständigen Firma wäre ein solcher Angestellter schon längst gefeuert worden, aber bei uns, einer etwas größeren Maklerfirma, war Herr Shimizu eine wichtige Kraft, da er laufend neue Aufträge brachte. Unter all diesen Umständen hatte ich mit ihm kaum Kontakt, abgesehen von dem unvermeidlichen Umgang während der Arbeitszeit.

Aber an jenem Abend war alles ganz anders. Nachdem ich

mein ganzes Geld in einer Spielhalle verloren hatte, war ich pleite. Eigentlich hatte ich aus meinem kleinen Taschengeld durch das Glücksspiel noch mehr machen wollen, um Geld zum Trinken zu haben. Dann aber geriet ich in Fahrt: Zuerst verlor ich 200, dann 300 und 500 Yen. Ich geriet in Rage, kaufte noch und noch die Kugeln für den Spielautomaten, und ohne den geringsten Gewinn zu erringen verlor ich 2000 Yen. Als vor meinem mißmutigen Blick die letzte Spielkugel im Automaten verschwunden war, verließ ich mit müdem Gesicht die Spielhalle. Mich reute das verspielte Geld, und während der kühle Nachtwind mich frösteln ließ, dachte ich mir: Jetzt aber schnurstracks nach Hause, in meine enge Mietwohnung . . ., und ich machte mich auf den Heimweg.

»Ah, Herr Murakami!« rief jemand. Es war Herr Shimizu. Er trug einen abgenutzten alten Mantel mit hochgestelltem Kragen und schien leicht angetrunken zu sein.

»Guten Abend!« antwortete ich höflich.

»Na, waren Sie etwa in der Spielhalle?« fragte er mich, auf das Haus schauend, aus dem ich gerade gekommen war. »Mit welchem Erfolg denn?«

Ich zuckte die Achseln.

»Ah, Sie hatten also keinen Erfolg?«

»Ja, ich hab' alles verloren, was ich einsetzte.«

»Hm . . .«

»Hätte ich das gewußt, dann wäre ich gleich nach der Arbeit zum Trinken gegangen. Na ja, ich bin ja auch wirklich blöd . . .«

Herr Shimizu klopfte mir auf die Schulter: »Na, gehen wir?«

»Wie bitte?«

»Gehen wir zusammen trinken? Ich hab' noch ein bißchen Durst, nur auf einen Sprung. Hm, was meinen Sie?«

Ich folgte ihm. Aber es war nicht nur ein Sprung. Schließlich steuerten wir schon die dritte Bar an; wie die anderen beiden schien auch sie ziemlich teuer zu sein. Ich glaube, Herr Shimizu täuschte vor, es handle sich um eine Kundenbewirtung auf Firmenspesen. Die dritte Bar war gerade dabei, zuzumachen.

»Also, dann gehen wir eben in eine andere Bar!« sagte Herr Shimizu. Zwar war ich auch gutgelaunt (inzwischen), aber trotzdem zögerte ich. Es war schon nach Mitternacht, und er war so betrunken, daß er kaum noch aufrecht stehen konnte.

»Ach, gehen wir doch jetzt nach Hause!« schlug ich ihm vorsichtig vor, während ich ihm meine Schulter als Halt anbot.

»Nach Hause?« Herr Shimizu ruderte ablehnend mit dem Arm. »Reden Sie doch keinen Quatsch! Jetzt — ja, jetzt geht es erst richtig los.«

»Aber . . .«

»Sind Sie denn ein Mann oder was? Ein Mann muß schon konsequent sein, wenn er etwas in Angriff nimmt. Kommen Sie, wir gehen! Ich jedenfalls gehe bestimmt. Und Sie kommen mit, keine Widerrede! Keine Sorge, ich garantiere Ihnen schon, daß Sie noch nach Hause kommen.«

In meiner Tasche hatte ich nur die Monatskarte, und die letzte Bahn war schon abgefahren. Ich hatte nur zwei Möglichkeiten zur Auswahl: Entweder daß Herr Shimizu mich nach Hause brächte, oder daß ich bei ihm übernachtete.

»Wir sind doch gleich da!« Schwankend zeigte er den Weg. »Wir treffen da gleich auf eine kleine Kneipe.« Wie schwimmend gingen wir zwischen all den Leuten hindurch, die auf der Suche nach einem Taxi die mitternächtlichen Straßen des Vergnügungsviertels bevölkerten.

2

Eine Zeitlang gingen wir durch die Stadt. Die Neonlichter erloschen, eins nach dem anderen. Wir bogen in eine Nebenstraße ein und gelangten zu einer kleinen Imbißstube, einer winzigen Kneipe, in die nicht mehr als zehn Leute paßten. Aber jetzt war da kein Gast mehr zu sehen.

»Hallo, Herr Shimizu!« Eine etwa sechsundzwanzigjährige Frau, die bisher, von unten her angeleuchtet, hinter der Theke gesessen hatte, stand auf. »Wie geht's denn so? Nicht wahr, Sie haben wieder ziemlich viel getrunken?«

»Wenn ich trinken will, dann ... trinke ich! Ich weiß, ich sollte nicht zuviel trinken, aber ... trotzdem trinke ich!« Herr Shimizu ließ sich schwer auf einen Stuhl fallen und kippte dabei nach einer Seite. Ich stützte ihn. Er bestellte für uns beide Whisky Soda und sagte zu der Frau, sie solle auch etwas trinken. Wie schon zuvor trank er in schnellen Zügen, aber ich konnte nur von dem Zeug nippen, denn ich war schon ziemlich voll. Nach fünfzehn, zwanzig Minuten waren wir immer noch die einzigen Gäste.

»Jetzt mal ehrlich, was ist denn los mit Ihnen?« fragte die Frau, die ein Glas Brandy in der Hand hielt, Herrn Shimizu. »Zum erstenmal sehe ich Sie so blau. Was haben Sie denn?«

»Zum erstenmal? Ach ja, das kann stimmen«, antwortete Herr Shimizu unter Kopfschütteln. »Aber in alter Zeit habe ich auch viel getrunken, sehr viel sogar.«

»In der guten alten Zeit, ha?«

»Ja, die alte ... — aber keine gute Zeit. Nein, eine gute Zeit war es nie!« entgegnete er, fast stöhnend. »Es war eine arg wenig gute Zeit, alles ging durcheinander, wegen dem Krieg, ja, weil wir in den Krieg zogen.«

Plötzlich setzte er das Glas auf dem Tisch ab und sagte: »Singen wir etwas?«

»Ja gut, singen wir. Aber was für ein Lied?«

»Mir ist das egal.«

»So?« Die Frau hob an, mit heiserer Stimme einen Schlager zu singen. Zuerst sang Herr Shimizu mit, aber dann schien er doch allmählich müde zu werden. Er ließ den Kopf hängen und schwieg. Die Frau hörte auf zu singen.

»Ach, Sie hören ja überhaupt nicht zu, Herr Shimizu!«

Er schwieg.

»Sind Sie schon eingeschlafen?« fragte sie, und ich wollte ihn an der Schulter rütteln. Aber Herr Shimizu schlief noch nicht. Zum Beweis fing er an, mit tiefer Stimme zu singen. Es war ein trauriges Lied über verwelktes Schilf. Die Frau sang mit. Ich mußte auch mitsingen. Aber ich fühlte mich allmählich schwermütig werden. Mir hing alles zum Hals heraus — daß ich zu viel trank, daß ich jetzt so müde war, und daß ich Herrn Shimizus trauriges Lied mit anhören mußte.

Deshalb stimmte ich, als die beiden anderen eine Pause machten, ein anderes Lied an. Da ich bemerkt hatte, daß die heutigen Schlager Herrn Shimizu nicht gefielen, sang ich ein Kriegslied, das ich bei einem Bankett unserer Firma gelernt hatte, ein siegessicheres Kriegslied, und ich sang es aus Leibeskräften.

Aber — »Hören Sie auf!« sagte er sofort. »Bitte singen Sie kein Kriegslied halb im Scherz!«

»Oh, Sie nehmen das viel zu ernst!« Die Frau zeigte ihr Unverständnis für seine Reaktion. »Wenn einem ein Lied an sich gefällt, dann darf man es doch singen, oder nicht?«

»Hören Sie auf!« schrie Herr Shimizu. Wir beide waren ganz verdutzt und schwiegen. »Erinnern Sie mich nicht daran!« Er stöhnte und senkte den Kopf. »Wenn ich Kriegslieder höre, dann erinnere ich mich. Ich will mich nicht erinnern müssen!«

»Erinnern?« fragten die Frau und ich wie aus einem Munde.

Herr Shimizu antwortete lange Zeit nicht. Dann schaute er auf, aber seine Augen waren auf nichts gerichtet. Oder genauer: Er starrte etwas an, das nur in seinem Kopf war.

»Herr Shimizu!« rief ich ungeduldig. Mit gepreßter Stimme begann er ein Selbstgespräch:

»Das war damals. In jenem . . . Dschungel, wir wurden von beiden Seiten angegriffen. — Die Feinde! Die Kugeln der Feinde! Vorsicht! Hinlegen! Hinlegen! — Zieht euch zurück! Nach hinten! . . . Nein, es geht nicht! Von hinten her noch . . . Los, schießt! Schießt! Schießt noch mal!«

Wir starrten Herrn Schimizu an und konnten kein Wort herausbringen. Seine Stimme klang nach realer Gegenwart:

»Gut, jetzt laufen wir in den Dschungel!« Er schrie, stand torkelnd auf und bewegte beide Arme in grotesk großartigen Gesten. In diesem Augenblick — zischte etwas dicht an meinem Ohr vorbei.

»Dummkopf! Hinlegen!« Jemand stieß mich heftig von der Seite, und ich fiel zu Boden. Eine Explosion krachte, dann fiel Sand auf mich. Maschinenpistolen knatterten und ratterten.

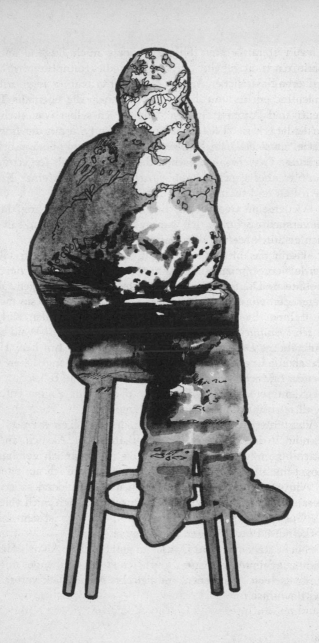

»Wie steht's?« Herr Shimizu blickte mich fragend an. Er hatte einen Stahlhelm auf und trug die Kampfuniform der früheren Kaiserlichen Armee. Nicht nur er war so ausgerüstet: links und rechts von ihm waren Männer, die ebenfalls Tornister und Bajonette trugen. Und — ich selbst war auch so gekleidet wie sie. Weiter hinten stand die Frau aus der Imbißstube, ganz blaß, in Krankenschwesterntracht. Unaufhörlich ballerten Gewehrsalven, schon das war mehr, als ich ertragen konnte, aber gleich darauf wurde die Frau von einer Kugel getroffen und stürzte auf die Erde.

Wieder eine Detonation! Ein rasender Schmerz zog durch meine rechte Schulter. Ich wandte rasch den Kopf und sah ein großes Stück Metall, das aus meiner Schulter ragte.

»Wenn das hier so weitergeht, dann krepieren wir alle!« schrie Herr Shimizu. »Los, rennt alle in den Dschungel, dort an der Seite!« Die Soldaten wollten sich vorwärtsbewegen, aber gegen den wütenden gegnerischen Angriff konnten sie nichts ausrichten. Einer rannte tief gebückt los, wich den Kugeln durch wendiges Zickzacklaufen aus, erreichte den Wald und hechtete ins Dickicht. Da rannten alle hinter ihm her; Herr Shimizu lief neben mir. Bei den Bäumen angelangt liefen wir weiter, und ich schaute zu ihm hinüber. Er hinkte leicht.

»Nicht so schlimm!« Er lachte, dabei seine Zähne entblößend. »Ist nur eine leichte Verletzung!«

Von hinten hörte ich einen Schrei, den Schrei einer Frau. Das war doch die Frau von der Imbißstube ... Als ich an sie dachte, kam ich plötzlich zu mir. Bis jetzt war ich vor lauter Angst mit aller Kraft gerannt, aber jetzt stutzte ich auf einmal — warum ist das alles so gekommen? Gibt's denn so etwas überhaupt? Ein solcher Unsinn! Warum muß ich mich eigentlich in einer solchen Gegend herumtreiben? Was ist denn bloß geschehen? Was soll denn das alles bedeuten?

»Nicht stehenbleiben! Das ist zu gefährlich!« Als ich Herrn Shimizus Stimme vernahm, spürte ich etwas Glühendes mitten durch meinen Arm gehen, im gleichen Augenblick verlor ich das Bewußtsein.

Ich fühlte etwas Kaltes mein Gesicht berühren. Als ich die Augen öffnete und aufblickte, war ich wieder in der gleichen Imbißstube wie zuvor. Aus dem Radiotelephon sprudelte Musik. Ich war mit dem Oberkörper auf der Theke zusammengesunken gewesen. Meiner Brust und meinem Arm war nichts Besonderes geschehen. War denn alles nur ein Traum gewesen?

»Das eben, war das nur ein Traum?« fragte die Frau hinter der Theke und schaute mich verstört mit blassem Gesicht an. »Ich war auf einem Schlachtfeld! Ich wurde angeschossen, ich fiel um, ich hatte wahnsinnige Schmerzen ... — aber jetzt ist alles vorbei. War das alles nur ein Traum?« Ich antwortete ihr nicht, denn ich konnte nichts antworten.

Herr Shimizu lag noch mit dem Kopf auf der Theke. Was war gewesen? Er mußte uns das unbedingt erklären.

»Herr Shimizu!« Ich wollte ihn wecken. Als ich sein schlaff vom Stuhl herabhängendes Bein berührte, fühlte ich etwas Feuchtwarmes — Blut!

»Nicht so schlimm!« murmelte er, den Schmerz unterdrückend, »ist nur eine leichte Verletzung! Wenn ich daheim bin, werde ich einen Arzt kommen lassen ...« Warum? Weshalb? Aber jetzt war nicht die Zeit, solche Fragen zu stellen. Die Frau und ich bemühten uns, Herrn Shimizus Wunde, deren Ursache wir nicht kannten, zu versorgen und das Blut zu stillen, dann gingen wir hinaus und riefen ein Taxi.

Als Frau Shimizu, die uns in den Vorraum entgegengekommen war, Herrn Shimizu und mich erblickte, schien sie die Situation mit einem Blick zu erfassen: Ohne nach dem Grund der Verletzung zu fragen, untersuchte sie die Wunde und rief sofort den Arzt.

»Haben Sie's wieder getan?« Mit dieser Frage begann der Doktor, offensichtlich als Hausarzt schon mit Herrn Shimizus seltsamen Abenteuern vertraut, seinen Patienten zu untersuchen. Frau Shimizu führte mich in ein westlich eingerichtetes

Zimmer neben dem Vorraum. Dort hatte sie mir ein Sofa als Bett hergerichtet, aber ich brachte kein Auge zu.

»Ich danke Ihnen von Herzen für Ihre Hilfe!« sagte sie zu mir, nachdem der Arzt gegangen war. »Mein Mann schläft jetzt gut. Es war ja keine schwere Verletzung. Ich glaube, er kann schon nach einer Woche wieder in die Arbeit kommen.«

»Es ist gut, daß die Verletzung nicht so schlimm war«, erwiderte ich, »aber . . .« — ich konnte mir die Frage nicht verkneifen — »warum hat er sich denn überhaupt verletzt?«

»Warum? Das weiß ich auch nicht. Aber so etwas geschieht mit meinem Mann, seit er vom Krieg nach Hause gekommen ist.« Sie sagte dies mit einem traurigen Lächeln. »Ich glaube, er hatte damals sehr sehr tiefgehende Erlebnisse. Und wenn er jetzt einmal zuviel getrunken hat, dann kommen ihm die Erinnerungen von damals, und er wird wieder auf das Schlachtfeld zurückgeholt. Und die Leute, die mit ihm sind, auch . . .«

»Aber warum denn?«

»Das weiß ich auch nicht. Der Arzt, der ihn jedesmal behandelt, kann es auch nicht erklären. Jemand meinte, mein Mann übe — ohne es zu wissen — eine Art Hypnose auf die Anwesenden aus.«

»Eine Art Hypnose?«

»Ja, aber nach dieser Auffassung käme seine Verletzung ebenfalls aus dieser lebhaften Einbildung. Doch wie sollte man eine so beträchtliche Verletzung nur durch Einbildung bekommen? Während seiner Zeit bei der früheren Firma bekam er zuletzt eine Schußwunde, einen richtigen Durchschuß, der lange Zeit brauchte, bis er heilte. Deshalb hat mein Mann ja die Stellung bei dieser Firma aufgegeben.«

Ich schwieg bestürzt.

»Solange es nicht lebensgefährlich ist, kann man ja noch damit fertigwerden. Aber wenn ich daran denke, daß einmal sein Kopf oder sein Herz getroffen würden! Ach, ich mache mir solche Sorgen!« Frau Shimizu wischte sich Tränen aus den Augen. »Ich sage ja immer wieder, er soll nicht soviel trinken, aber er kann nicht aufhören — wegen der Arbeit, sagt er immer.«

Ich wußte wirklich nicht, was ich ihr antworten sollte.

»Was ich wirklich nicht verstehe«, murmelte sie, ohne mich anzublicken, »warum wird nur mein Mann verwundet? Es waren doch so viele Männer im Krieg! ... Aber warum stößt so etwas nur meinem Mann zu?«

Ein Verkäufer

Als er am Morgen erwachte, hatte er scheußliche Kopfschmerzen. Ursache und Ausgangspunkt dieser Schmerzen konnte er nicht feststellen; es war ein dumpfer Schmerz, der gleichsam verschwommen durch einen Nebel drang.

»Oh, tut das weh!« murmelte er, während er sich aufrichtete. »Mensch, das kapier' ich nicht, das kapier' ich wirklich nicht.« Seine Frau antwortete nicht; sie deckte den Frühstückstisch: Kaffee und die üblichen synthetischen Lebensmittel.

»Das begreif' ich wirklich nicht«, redete er weiter. »Ich hab' so ein Gefühl, als hätte ich so etwas schon mal gehabt. War das gestern, oder vorgestern? Oder war das vielleicht im letzten Jahr? Irgendwann bin ich aufgewacht und hatte auch solche Schmerzen. Das muß eine Krankheit sein, ja, eine richtige Krankheit!«

»Du kommst zu spät!« die Frau hatte seinen Worten keinerlei Beachtung geschenkt. »Du nimmst doch heute an dem Verkäufer-Wettbewerb teil, nicht wahr?«

»Verkäufer-Wettbewerb? Ach ja, stimmt ja!« Er nickte. »Aber sag mal, Liebling, machst du dir denn keinerlei Sorgen über meine gesundheitliche Verfassung? Denkst du bloß noch an diesen Verkäufer-Wettbewerb? Sind das wirklich deine einzigen Sorgen?«

»Komm, hör auf damit!« Die Wangen der Frau zuckten, als halte sie ein Lachen zurück.

»Ja, hören wir auf! Hören wir auf!« Er lachte schwach. »Also, wenn ich jetzt dieses faserige synthetische Zeugs da gegessen habe, werde ich auf deinen Befehl hin hinausgehen ins feindliche Leben ...« Er machte ein schmatzendes Geräusch, während er weiteraß. »Aber dieser Fraß hier, der taugt nichts.

Wenn man da eine Faser zwischen die Zähne bekommt, die kriegt man ja kaum wieder raus!« Die Frau tat jedoch wieder schweigsam und verschlossen wie eine Muschel. Da er mit dem Raketentaxi fahren mußte, schluckte er zwei Tabletten gegen das Schwindelgefühl, das von der Beschleunigung hervorgerufen wurde. »Also, ich gehe jetzt!«

»Natürlich freue ich mich, daß Sie an dem Verkäufer-Wettbewerb teilnehmen; ja, mir kommen fast die Tränen vor Rührung. Der Wettbewerb bedeutet eine gute Reklame für unser Produkt und demonstriert, daß wir in Ihnen über einen ausgezeichneten Verkäufer verfügen. Würden wir einmal dabei gewinnen, so wäre das für uns schon eine Sensation. Aber der Verkäufer-Wettbewerb ist eigentlich nur eine Show. Wenn man dabei gewinnt, so sagt das noch nicht, daß man auch tatsächlich ein guter Verkäufer ist. Wir legen selbstverständlich mehr Wert auf das reale Verkaufstalent ... Tja, das ist der springende Punkt!« sagte der Vorgesetzte und händigte ihm die Erlaubnis zur Teilnahme am Wettbewerb aus.

»Ja, natürlich weiß ich, daß es nur eine Show ist. Ich habe allerdings auch gehört, daß jemand sein Grundgehalt erhöhen konnte, indem er an dem Verkäufer-Wettbewerb teilnahm. Vielleicht bin ich jetzt etwas aufdringlich, aber ich hege auch eine gewisse Hoffnung in diese Richtung. Ein bißchen zu hoffen macht ja nichts aus, nicht wahr?«

»Na ja«, der Vorgesetzte lächelte nachsichtig, »ich weiß nicht. So etwas wird höheren Ortes entschieden. Aber machen Sie nur mal fröhlich mit!«

Er kam als erster dran. Er trat vor die fünfzig Männer und Frauen und verbeugte sich: »Meine angenehme Aufgabe ist es, Ihnen Träume zukommen zu lassen. Nicht solche leeren Träume, wie Sie Ihnen eine Reklame vorgaukelt, sondern echte, wirkliche Träume. Es handelt sich um reale Träume ganz nach Ihrer Wahl!«

Er nahm die Maschine aus seiner Tasche: »Wie herrlich sich dieses Gerät anfühlt! Wie man spürt, daß man ihm rückhaltlos vertrauen kann! Wünschen Sie, es näher kennenzulernen? Bitte, nehmen Sie es in die Hand und begutachten Sie es nach Herzenslust! Dieses Gerät ist weltbekannt! Und es wird für Sie ein ganz zu Ihnen passender Freund werden!«

Er gab den Leuten in der ersten Reihe Gelegenheit, die Maschine anzuschauen. »Der eigentliche Name dieses Gerätes ist ›Zerebralstimulierender Permanenthalluzigenator‹, wir nennen es jedoch ›Angel Dream‹, denn es nimmt Ihnen auf ungemein erfreuliche Weise im Nu jede Art von Streß.«

Gong!

Die erste Runde des Wettbewerbs war nun für ihn vorüber.

Sein Gegner war der Vertreter einer pharmazeutischen Firma. Nachdem er den Podest bestiegen hatte, blickte er nur einige Zeit die Leute in den vorderen Reihen an und schwieg. Die Leute begannen unruhig zu werden. Trotzdem schwieg er weiter beharrlich.

»So sagen Sie doch was!« rief jemand. Der Arzneimittelvertreter zog eine kleine Schachtel heraus und öffnete sie. Im Raum erklangen kreischende Schreie: Aus der Schachtel war eine kleine Maus herausgekommen. Jetzt flitzte sie auf dem Fußboden herum. Der Arzneimittelvertreter nahm eine Stange zur Hand, die er schon vorbereitet hatte, und schlug auf die Maus. Noch mal und noch mal, immer wieder schlug er auf sie. Im Raum brandete Erregung auf. Mit jedem Schlag wurden die Bewegungen der Maus langsamer und schwerfälliger, bis sie — zusammengeschlagen, wie es schien — zusammenbrach.

Jedoch, nach wenigen Sekunden schüttelte die Maus sich, stand langsam auf, und begann, sich wieder munter zu bewegen, lebhafter sogar noch als vorher. Der Arzneimittelvertreter stecke die Maus wieder in die Schachtel, verbeugte sich tief vor dem Publikum und sagte: »Diese Maus nahm ›Olympos‹ ein, das berühmte Medikament unserer Firma.«

Gong!

»Träumen — welch eine herrliche Sache!« nahm er seine Darbietung wieder auf. »Ein Drittel seines Lebens verbringt ja der Mensch in der Welt der Träume. Es kommt auf Sie an, ob

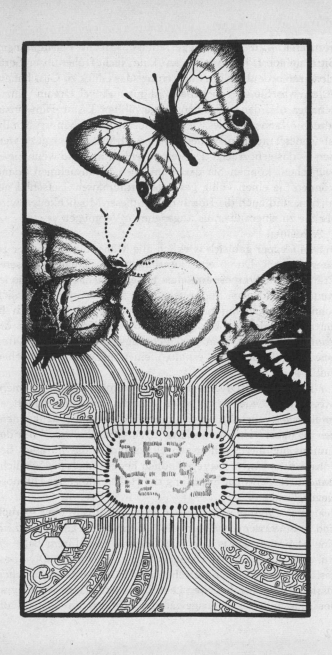

Sie dieses Drittel erfreulich gestalten oder nicht. Warum fangen Sie nicht sofort heute damit an? Eine Nacht früher unser Gerät einsetzen bedeutet eine Nacht früher das Glück zu Gast haben! Alles, was Sie zu tun haben, ist nur, ›Angel Dream‹ einzuschalten und den von Ihnen ausgewählten Traum-Film einzulegen — dann geht alles wie von selbst. Und Sie können sich Ihr ureigenes Traumland sichern! Von Alpträumen geplagt zu werden — das gehört jetzt der Vergangenheit an! Und wenn Sie es wünschen, können Sie den Film auch herausnehmen; dann können Sie einen völlig gesunden, traumlosen Tiefschlaf genießen, und auch die Kombination dieser Möglichkeiten wird für Sie zu einem überaus angenehmen Vergnügen.«

Ablösung!

Sein Gegner gab sich wirklich alle Mühe, die Zuschauer zu überzeugen: »Durch eine kontinuierliche Einnahme unseres Präparates ›Olympos‹ erreichen Sie eine nachhaltige Veränderung Ihres Körpers. Sie besteht nicht nur in einer erstaunlich schnellen Regeneration Ihres Zellgewebes, sondern auch in einer phänomenalen Widerstandsfähigkeit gegen Schocks, die gewöhnliche Menschen gar nicht aushalten können. Offen gesagt heißt das: Sie erhalten einen nahezu unsterblichen Leib!«

»Unser ›Angel Dream‹ hat ein Repertoire von 840 Filmen. Schauen Sie jede Nacht einen anderen an, dann dauert es zweieinhalb Jahre, bis Sie das ganze Programm einmal kennengelernt haben. Unsere moderne Zivilisation holt die Welt des Traums aus ihrem primitiven Urzustand in das Paradies des Fortschritts! Und selbstverständlich besteht auch die Möglichkeit, unser Gerät zur Erlernung der Hohen Kunst der Hypnose einzusetzen!«

»Unser ›Olympos‹ hat keinen Eigengeschmack oder Geruch und ist in Wasser schnell aufgelöst. Nehmen Sie allmorgendlich eine bestimmte Dosis in einem Getränk nach Ihrem Belieben ein, so wirkt es schon nach einem Monat. Die durch ›Olympos‹ gestärkten Menschen unterscheiden sich im äußeren Aussehen in nichts von gewöhnlichen Leuten. Bis jetzt haben wir ›Olympos‹ nur an einigen ausgewählten Familien im Testverkauf erprobt, aber da so gut wie keine Nebenwirkungen festgestellt wurden, gehen wir jetzt voll auf den allgemeinen Markt.«

»Unser ›Angel Dream‹ verschafft himmlische Erlebnisse, und um zu verhindern, daß jüngere Menschen da süchtig würden, bieten wir auch ein Modell mit eingebauter Selbstkontrolle an!«

»Unser ›Olympos‹ hat noch eine beachtliche Wirkung: Es gibt ja Menschen, die aufgrund geringer Aktivität während des Tages einen Aktivitätsstau haben und dann im Schlaf aufstehen und in der Nacht herumtoben. Jetzt bietet sich für die Familie eine einfache Lösung des Problems: Geben Sie Ihrem mit ›Olympos‹ gestärktem Angehörigen einfach eine Morphiumspritze oder einen Schlag mit einer Keule — er ist still und weiß am Morgen gar nichts davon. Diese Methode ist völlig ungefährlich — am nächsten Morgen ist Ihr Familienmitglied wieder völlig gesund und munter!«

»›Angel Dream‹ bietet Ihnen selbstverständlich auch erotische Träume. Sie können mit den verschiedensten Partnern auf verschiedenste Weise die Freuden der Liebe genießen. Und nicht nur die erregenden Erfahrungen des Sex stehen Ihnen zur Verfügung, sondern auch die von Raub und Mord und jedem beliebigen anderen Verbrechen!«

»›Olympos‹ eignet sich überdies in besonderer Weise für Leute, die auf einer Baustelle arbeiten, für Autofahrer, für Sportler — ich denke da an Boxen oder Rugby —, und auch für Lottogewinner ist es ideal!«

»Ich habe im Fernsehen zugeschaut. Es war nur recht und billig, daß du verloren hast«, sagte seine Frau von ihrer Bettseite her. »Du hast dir die Rede deines Gegners überhaupt nicht angehört. Du warst ganz schön eingebildet!«

»Ich habe nicht zugehört? Doch, doch, ich hab' schon zugehört, ich hab' ganz gut zugehört!« brummte er vor sich hin. »Na ja, wenigstens habe ich jetzt an dem Verkäufer-Wettbewerb teilgenommen. Morgen sage ich diesem Schwachkopf von Chef, er soll mein Grundgehalt erhöhen. Ja, das sag' ich ihm ganz bestimmt!«

»Ich glaube trotzdem immer noch, daß du nicht zugehört hast!«

Er antwortete nicht mehr.

»Schläfst du schon?«

Plötzlich sprang er auf, schrie »aaah, aaah, ah!«, hüpfte aus dem Bett, fletschte die Zähne, rumpelte gegen die Wand und brüllte: »Ein Löwe! Ein Elefant!« Dann umklammerte er die Stehlampe, riß das Bettzeug an sich und raste durch das Zimmer.

»Geht das schon wieder los!« sagte seine Frau und nahm mit geübtem Griff die Stange neben ihrem Bett hoch.

Ein Schlag: Er riß die Augen weit auf. Ein zweiter Schlag: Er fiel um. Noch ein dritter Schlag: Er rührte sich nicht mehr. Die Frau gähnte und deckte sich zu. Einige Minuten später kroch er wieder ins Bett und begann zu schnarchen.

Als er am Morgen erwachte, hatte er scheußliche Kopfschmerzen. Ursache und Ausgangspunkt dieser Schmerzen konnte er nicht feststellen; es war ein dumpfer Schmerz, der gleichsam verschwommen durch einen Nebel drang.

Der Reisende auf Platz C

Als wir auf dem Bahnsteig ankamen, waren es noch zwei Minuten bis zur Abfahrt des Hikari-Superexpresses.

»Ach ja, kaufen Sie doch noch Reiseproviant und Tee!« sagte der Abteilungsleiter zu mir.

»Jawohl!«

»Für mich zwei Portionen, ja?«

»Jawohl, Herr Abteilungsleiter.«

Ich lief zum Kiosk, und kaum hatte ich eingekauft, da läutete es schon zur Abfahrt. Keuchend stieg ich in den Waggon des superschnellen Zuges.

»Ah, danke!« Der Abteilungsleiter, der sich schon auf dem Platz A am Fenster niedergelassen hatte, nahm mit beifälligem Nicken die Imbißschachteln in Empfang und riß sie gleich auf.

»Diese drei Stunden bis Tôkyô muß man ausnützen, meine ich immer«, sagte er essend. »Zuerst esse ich mich satt und dann schlafe ich. Auf diese Weise spare ich Schlafzeit.«

»Jawohl.«

»Es gibt ja Leute, die bei der Fahrt im Superexpreß Ideen entwickeln oder Unterlagen studieren. Aber ich sage Ihnen, das lohnt sich nicht, dabei kommt doch nichts Gescheites heraus.«

Mit vollem Mund den Reis kauend fuhr er fort: »Die Vibration des Zuges bewirkt so etwas wie eine leichte Gehirnerschütterung, glaube ich. In einem solchen Zustand sollte man nicht versuchen, ernsthafte Gedankenarbeit zu leisten.«

»Ja, ich bin auch Ihrer Meinung, Herr Abteilungsleiter.« Mit dem Mund stimmte ich ihm zwar zu, aber in meinem Inneren war ich sehr enttäuscht. Seit einem halben Jahr arbeitete ich in dieser Firma, die für ihr schnelles Wachstum berühmt ist und zu den vielversprechenden Unternehmen zählt. Aber überall lauerte da Arbeit über Arbeit. Ich konnte kaum aufatmen. Jetzt sollte ich endlich mal geschäftlich nach Tôkyô reisen, und ausgerechnet da mußte ich den Abteilungsleiter begleiten, dem man den Spitznamen ›Arbeitsteufel‹ gegeben hatte.

Der Zug verringerte seine Geschwindigkeit: Wir fuhren im Hauptbahnhof von Kyôto ein.

»Legen Sie doch endlich Ihre Studentenmentalität ab!« Nachdem er die zweite Imbißschachtel geleert hatte, redete er weiter: »Wenn Sie auch in Zukunft so gedankenlos bleiben, kommen Sie nicht voran. Ja, in unserer Firma ist das so!«

»Hm . . .«

Während ich nur mit einem Ohr zuhörte, betrat ein merkwürdiger Mann in einer gelben Sportjacke den Waggon: Seine Haare waren rötlich, die Nase ragte wunderlich empor. Ob er ein Japaner war oder ein Ausländer, war nicht zu erkennen. Er näherte sich uns suchend, studierte unsere Sitznummern und seine Platzkarte gut eine Minute lang und setzte sich dann neben mich auf Platz C. Er öffnete seine Tasche und holte ein Buch heraus, einen ziemlich dicken Wälzer mit einem fremdartigen Muster auf dem Einband.

Der Abteilungsleiter dozierte weiter, ohne auch nur einen Blick an den Fremden zu verschwenden: »Solche Leute, die sich nur darauf verlassen, daß ihnen die Firma schon sagt, was sie zu tun haben, die bringen keine ordentliche Leistung. Die Firma, das bedeutet . . .«

Er schaute mich an: »Hören Sie mir überhaupt zu?«

Ich antwortete nicht, nein vielmehr, ich konnte nicht antworten. Der Mann auf Platz C las jetzt in dem Buch — wenn es überhaupt ein Buch war. In diesem buchartigen Gegenstand war nämlich nichts gedruckt, die Seiten waren makellos weiß.

Der Fremde schlug Seite um Seite um, dabei mal nachsinnend, mal verhalten schmunzelnd. Er blätterte aber das Buch nicht einfach durch, sondern betrachtete eine solche weiße Seite jeweils einige Minuten lang und ging dann zur nächsten über.

Mit einer stummen Geste machte ich den Abteilungsleiter auf das Verhalten dieses Mannes aufmerksam.

»Ach, das sind ja nur leere Seiten«, sagte er beiläufig und

streifte den Mann mit einem kurzen Blick, dann fuhr er fort, als wäre dabei überhaupt nichts Außergewöhnliches: »Auf der Welt gibt es schon merkwürdige Leute.« Dann wandte er sich mir zu und sagte: »Auf jeden Fall müssen Sie als Geschäftsmann ein ganz ausgekochter Profi werden, Sie müssen hundertprozentig sein! Wenn man dazu nicht entschlossen ist . . .«

Aber ich gab ihm nur eine zerstreute Antwort, denn ich konnte meine Neugier gegenüber dem Nachbarn auf Platz C kaum zügeln. Der Abteilungsleiter musterte mich geringschätzig.

»Ja ja, Leute, die erst in die Firma kommen, nachdem das Unternehmen groß geworden ist, die taugen nichts. Die haben einfach keine Einsatzbereitschaft!« sagte er und lehnte sich selbstgefällig zurück. »Also, ich schlafe jetzt!«

Bald hörte ich ihn schnarchen, aber ich konnte nicht schlafen. Im Gegenteil! Der Reisende auf Platz C klappte das Buch zu, fingerte in seiner Tasche herum und brachte diesmal eine faustgroße goldene Halbkugel zum Vorschein.

Diese Kugel hob er an die Augen, wandte sich zum Fenster und bewegte emsig die Finger. Vielleicht eine Art von Kamera . . .? Aber ich hatte noch nie von einer solchen Kamera gehört.

Im nächsten Moment stutzte ich — der Mann hatte nur vier Finger. Es waren offensichtlich schon von Geburt an vier, keiner war amputiert. Dieser Mann — was für ein Wesen war er denn? Aber das konnte ich doch nicht gut ihn selber fragen!

Ich blickte mich um, ob inzwischen noch jemand auf ihn aufmerksam geworden wäre. Aber niemand gab auf die Mitreisenden acht. Kalter Schweiß brach mir aus. Der Abteilungsleiter schnarchte friedlich vor sich hin . . .

»Oh, sind wir schon in Tôkyô?« Er öffnete die Augen, als ich ihn rüttelte. »Hab' gut geschlafen, bin zufrieden. Haben Sie auch geschlafen?«

»Nein . . .«

»So? Haben Sie sich wohl mit diesem komischen Kerl da

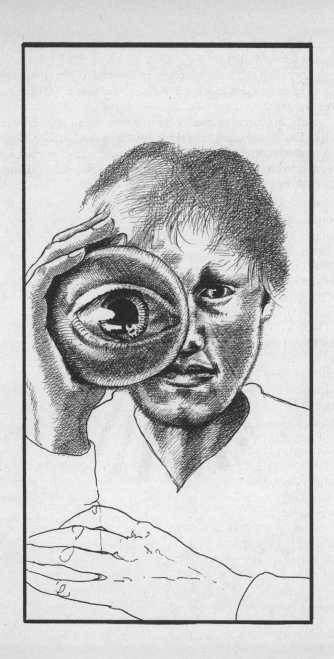

beschäftigt? Was soll denn aus Ihnen werden, wenn Sie ein so zartes Gemüt haben?!«

»Aber«, ich zeigte auf den fremden Reisenden, der sich gerade anschickte, mit den anderen den Zug zu verlassen, »der hat nur vier Finger . . .!«

»Ach, Sie Einfaltspinsel! Was ist denn daran so merkwürdig?« Der Abteilungsleiter verzog spöttisch den Mund. »Es gibt halt verschiedene Menschen. — Aber jetzt Schluß mit solchen studentischen Gefühlsduseleien, widmen Sie sich gefälligst Ihrer Arbeit!«

Das Mädchen aus Suma

1

Da es noch vor 8 Uhr morgens war, herrschte im Hauptbahnhof von Tôkyô großes Gedränge auf dem Bahnsteig des Hikari-Superexpresses. Yoshiaki Kurita kaufte Reiseproviant und Tee und stieg in den superschnellen Zug. Er hatte vor, während der Fahrt zu schlafen. Zwar hatte er in der letzten Nacht besser als sonst geschlafen, aber er spürte doch noch seinen chronischen Schlafmangel. So hielt er es für zweckmäßig, sich den Bauch so schnell wie möglich vollzuschlagen, dann konnte er länger im Zug schlafen, und wenn es nur eine Minute länger war!

Natürlich kann man auch am Zugbüffet oder im Speisewagen essen, aber das wollte er nicht. Er verzichtete darauf, in unruhiger Umgebung und hektischer Atmosphäre ein Essen herunterzuschlingen, das man nicht einmal aus höflicher Schmeichelei schmackhaft nennen konnte. Da das Personal noch mitten in den Vorbereitungen steckt, öffnet ja der Speisewagen sowieso nicht sofort nach der Abfahrt. Im Speisewagen ein Essen einnehmen — das würde Kurita vielleicht auf einem Ausflug tun, aber heute benutzte er ja den Superexpreß, weil er in Eile war und die Zeit ausnützen wollte. Wartete er untätig bis zur Öffnung des Speisewagens, so beschlich Kurita immer ein zunehmendes Gefühl der Unruhe und der Ungemütlichkeit. Um dieses Gefühl zu vermeiden, aß er lieber einen Imbiß an seinem Platz. Zwar war diese Gewohnheit eine nur vorübergehende Selbsttäuschung, aber Kurita redete sich ein, es gehe ihm in erster Linie darum, seine Zeit nach eigenem Belieben voll auszunützen.

Der Zug fuhr pünktlich nach Fahrplan ab. Kurita, der auf

Platz A am Fenster saß, öffnete die Imbißschachtel mit routinierten Handbewegungen und begann zu essen. Als er fertig war, ging er zum Abfallschlucker und warf die leere Schachtel hinein. Auf seinen Sitz zurückgekehrt, schloß er die Augen.

Er war unterwegs nach Kôbe — genaugenommen nach Suma, einem westlichen Stadtteil, früher einmal eine eigene Stadt, jetzt aber eingemeindet in die langgedehnte Hafenstadt Kôbe. Kurita sollte als Studiogast in einer live gesendeten Plauderei bei einem Radiosender in Suma auftreten, und das nicht nur einmal, sondern einen Monat lang allwöchentlich. Heute war der erste Tag.

Während er darauf wartete, daß die Schläfrigkeit ihn übermannte, ergriff wie immer ein Gefühl der Verwirrung von ihm Besitz. Was war er eigentlich, er selbst, der Mensch, der hier saß? Ohne daß er es sich recht erklären konnte, empfand er sich selbst auf einmal als eine absonderliche Existenz.

Kurita war keineswegs ein Funk- oder Fernsehstar, sondern Assistenzprofessor einer privaten Universität in Tôkyô, und seine Fachdisziplin war Soziologie. Aber die Angebote zum Auftritt im Radio oder im Fernsehen, die er seit ein, zwei Jahren erhielt, hatten nichts mit seinem Status als Assistenzprofessor zu tun. Da es zur Zeit akademisches Lehrpersonal mehr als genug gab, war der Titel eines Assistenzprofessors nichts besonders Eindrucksvolles. Das Interesse der Medien an ihm war erst erwacht, als er — bei näherer Überlegung war es schon seltsam — begonnen hatte, Karikaturen zu zeichnen.

Als er noch ein Junge war, hatte er Maler werden wollen und ziemlich ernsthaft Zeichnen geübt, aber am Ende hatte er doch nicht den Mut gehabt, die künstlerische Laufbahn einzuschlagen, da er nicht wußte, ob er jemals davon leben könnte. So hatte er einen ›sicheren und unproblematischen Weg‹ eingeschlagen, war an die Universität gegangen und schließlich in seinem gegenwärtigen Beruf gelandet.

Aber jetzt, nachdem er geheiratet hatte, Vater geworden war und bald die Mitte dreißig überschritt und deshalb alles, was von nun an die Zukunft noch für ihn bereithielt, bis zu einem gewissen Grad überschaubar geworden war, wurde er allmählich dieses ruhigen und ereignislosen Lebens überdrüssig. War das alles? Reichte das aus, um ihn ein ganzes Leben lang zufriedenzustellen? Oder, fragte er sich, wenn er schon mit diesem beständigen Wunsch nach einem freieren Leben so dahinlebte, warum sollte denn das nicht möglich sein?

Er hatte begonnen, über verschiedene Themen Essays zu schreiben und für eine kleine Zeitschrift, die Freunde von ihm mehr aus Liebhaberei herausgaben, gelegentlich Karikaturen zu zeichnen, in denen er vom Standpunkt seines Faches, der Soziologie, aus gesehen Gesellschaftskritik betrieb. Diese Karikaturen waren zufällig einem Journalisten aus seinem Bekanntenkreis zu Gesicht gekommen, und auf dessen Empfehlung hatte er seine Arbeiten an verschiedene größere Zeitschriften geschickt.

›Probier ruhig alles aus, was du willst — im Grunde ist es ja nur ein Spiel!‹ Da die Karikaturen, die er mit dieser Einstellung zeichnete, jedoch auf originellen Einfällen beruhten und gekonnt gestaltet waren, erlangten sie eine gewisse Berühmtheit als Cartoons mit einem etwas eigenwilligen Stil. Als daraufhin zahlreiche Aufträge für weitere Arbeiten eingingen, machte er sich seinerseits die gute Gelegenheit zunutze und zeichnete eifrig weiter. Nach kurzer Zeit wurde er in der Karikaturistenszene als originelles neues Talent akzeptiert und gewann einige neue Freunde. In der Folge blieb es nicht nur bei den Karikaturen, sondern es kam die Arbeit an Essays dazu, und dann Auftritte im Fernsehen, beim Radio, ja besonders beim Radio. Und jetzt konnte er eigentlich nicht mehr sagen, wo er hauptsächlich tätig war, an der Universität oder an den Massenmedien . . .

Seine Frau hatte sich zuerst darüber beschwert, daß er, obwohl er Assistenzprofessor war, seine Zeit für so unnütze Dinge verschwendete. Als aber dann durch diese zusätzlichen Einnahmen sich nach und nach ihr bisheriger bescheidener Lebensstandard merklich hob, hatte sie nicht mehr viel einzuwenden, und jetzt hatte sie sich teils damit abgefunden, teils fand sie die neuartige und hektische Welt, in die er seinen Kopf gesteckt hatte, interessant und unterhaltend.

Er selbst aber wußte nicht, wie lange er noch diese beiden verschiedenen Rollen in Einklang miteinander bringen konnte. Einerseits bekam er an der Universität schon bissige Bemerkungen zu hören, andrerseits konnte er sich noch nicht recht entschließen, sich ganz dem Zeichnen und Schreiben zu widmen. Er war sich ganz und gar unschlüssig. Und solange er sich unschlüssig war, wollte er auf jeden Fall beide Rollen weiterspielen, solange dies möglich war; sicherlich würde sich dann inzwischen irgend etwas tun. Ohne eine Entscheidung zu treffen und dafür die Verantwortung zu übernehmen, lebte er so dahin — dies war sein tatsächlicher Zustand.

Diese heutige Reise nach Suma war gerade mit einer Aufgabe verknüpft, die gewissermaßen seine unentschiedene Situation beispielhaft aufzeigte. Diese Sache hatte ihm ein Freund aus Studientagen vermittelt, der jetzt Professor in Kyôto war (ebenfalls im Fach Soziologie). Dieser Freund trat von Zeit zu Zeit bei einem in Suma stationierten Sender namens ›Radio Hyôgo‹ auf; er war einmal gefragt worden, ob er nicht jemanden kenne, der sich für eine bestimmte Sendung freitags um zwei Uhr nachmittag eigne — und da hatte er Kurita empfohlen.

»Nun ja, um was für ein Programm es sich da genau handelt, das weiß ich eigentlich nicht, und über das Honorar habe ich auch nichts Näheres gehört, aber wenn du Lust hast, dann mach's doch bitte!« hatte der Freund am Telefon gesagt. »Außerdem hast du doch mal gesagt, du seist noch nie weiter westlich als bis Sannomiya gekommen, nicht wahr?«

»Ja, das stimmt.«

»Suma ist eine schöne Stadt. Jemand wie du, der soviel am Hals hat, der sollte mal gelegentlich einen solchen Ort besuchen, meinst du nicht auch? Und es ist ja nur einmal in der Woche, einen Monat lang, und noch dazu am Freitag ...«

»Wart mal einen Augenblick!« Kurita ging im Kopf seinen Terminkalender durch, um erst einmal festzustellen, ob diese Sache da noch dazupaßte. »Nun, also ... — auf jeden Fall möchte ich mal den zuständigen Redakteur dieses Senders kennenlernen. Aber was haben die eigentlich mit mir vor?«

Der Freund lachte laut in die Telefonmuschel: »Du brauchst dir doch darüber nicht soviel Gedanken zu machen! Die Radioleute wurden auf dich aufmerksam, weil du als Soziologieprofessor noch mit Karikaturenzeichnen und Artikelschreiben dazuverdienst. Und diese seltsame Doppelexistenz ist ihnen eben aufgefallen. Du brauchst da gar nichts anderes zu tun, als einfach du selbst zu sein, so wie du bist!«

Kurita wußte nichts darauf zu erwidern.

Wenn der Freund das so sagte, dann mußte es wohl so sein. Später traf er den zuständigen Redakteur von Radio Hyôgo, einen Mann namens Ide, der in Zusammenhang mit noch einer anderen Angelegenheit nach Tôkyô heraufgekommen war. Ide, der auch noch Regisseur war, sagte ironisch, er sei dazu noch Laufbursche und Mädchen für alles. Schließlich willigte Kurita ein, in diesem Programm aufzutreten.

Trotz dieser von Hektik gekennzeichneten Situation empfand Kurita selbst nicht im geringsten, daß er Gefahr lief, sich in einer Vielzahl von Verpflichtungen zu verlieren. Im Gegenteil! Er freute sich geradezu, daß er soviel nach Herzenslust und mit allen Kräften aushalten konnte. Deshalb war es keineswegs verwunderlich, daß einige Leute aus seinem Bekanntenkreis sagten, Kurita sei irgendwie jugendlicher geworden, sehe irgendwie jünger aus. Ja, vielleicht wurde er wirklich jünger? Vielleicht wuchs ihm wirklich wieder die Energie und Vitalität eines Zwanzigjährigen zu?

Während er solchen Gedanken nachhing, übermannte ihn endlich der Schlaf.

2

Auf dem Bahnhof Neu-Osaka stieg Kurita, Ides Instruktionen folgend, aus dem Hikari-Superexpreß in einen Schnellzug der herkömmlichen Bahnlinie um. Der Zug hielt in Sannomiya, Motomachi, Kôbe und noch einige Male und kam schließlich in Suma an. Nachdem er den Zug verlassen hatte, stieg Kurita die Treppe zum Ausgang hinauf.

Als erstes sah er das Meer. Der Bahnhof lag direkt neben dem Strand. Kurita fühlte sich überrumpelt und blickte eine Weile auf das spätherbstliche Meer hinaus. Am Strand und auf der Mole standen — offensichtlich angelnd — einige junge Leute, die wie Studenten aussahen.

Kurita überlegte, ob er zu ihnen hingehen und eine Zeitlang das Meer anschauen sollte, aber leider hatte er ja nicht viel Zeit. Nächstesmal würde er also etwas eher nach Suma kommen. Ich komme ja nächste Woche sowieso wieder hierher, sagte er sich, ging durch die Sperre und stieg die Treppe auf der dem Meer abgewandten Seite des Bahnhofs hinab. Er nahm ein Taxi und war in knapp drei Minuten schon vor dem Gebäude von Radio Hyôgo. Als er eintrat, erwartete ihn schon Ide, der Redakteur.

»Vielen Dank, daß Sie von so weit hierher zu uns gekommen sind!« sagte er. »Wir wollen gleich die Sendung besprechen. Kommen Sie bitte mit mir!«

Eine halbe Minute, nachdem Kurita in das Besprechungszimmer geführt worden war, kam Ide mit einigen Leuten herein, die er ihm vorstellte. Vom Produktionsleiter abgesehen waren es lauter Mitarbeiter dieses speziellen Programms, zum Beispiel der Regieassistent und der Angestellte, der den Kontakt zur Sponsorfirma dieser Sendung pflegte. Als man sich gegenseitig begrüßt hatte, wünschte der Produktionschef guten Erfolg und zog sich wieder zurück.

»Rin-chan kommt heute aber spät!« sagte Ide zum Regieassistenten, der neben ihm saß. »Ob sie wohl bei den Probeaufnahmen hängengeblieben ist? Ohne sie, die ›Personality‹ dieser Sendung, können wir ja gar nicht anfangen!«

»Ich geh mal nach ihr schauen.«

»Ja, machen Sie das bitte!«

Als der Regieassistent gegangen war, wandte Ide sich Kurita zu und erklärte: »Wie ich Ihnen neulich schon sagte, wird dieses Programm regelmäßig jeden Nachmittag von zwei bis drei Uhr ausgestrahlt, von Montag bis Samstag ... Und das macht alles Rin-chan, ich meine Fräulein Mika Rinno, unsere freie Mitarbeiterin, die ›Personality‹ des ganzen Programms.«

Kurita hörte schweigend zu und nickte. Ide wiederholte ja nur das, was er schon beim letzten Gespräch erklärt hatte.

»Und Freitag ist eben der Tag, der für einen Studiogast reserviert ist. Der Studiogast soll einfach frei plaudern, frisch von der Leber weg. Sie können also alles erzählen, was Ihnen gefällt.« Während Ide dies sagte, blickte er in Richtung der Tür.

Der Regieassistent kam mit einer jungen Frau zurück. Allem Anschein nach war sie eine Frau, die sich durch keinerlei besondere Merkmale von ihren Geschlechtsgenossinnen unterschied. Nur ihre großen runden Augen waren bemerkenswert; sie gaben ihrem Gesicht einen hübschen Ausdruck. Sie war von kleiner Statur und mochte 21 oder 22 oder vielleicht auch etwas älter sein — Kurita konnte es nicht genau schätzen.

»Fräulein Mika Rinno — von uns freundlicherweise Rin-chan genannt. Und hier, das ist Herr Professor Kurita«, stellte Ide sie einander vor.

»Es freut mich, Sie kennenzulernen!« sagte Mika Rinno und setzte sich.

Sie hat eine klare und deutliche Stimme, dachte Kurita. Radiosprecher haben nicht unbedingt immer eine schöne, natürliche Stimme. Denn es kommt ja in erster Linie nur darauf an, ob die Stimme gut fürs Mikrofon ist, weil sie ja schließlich vom Lautsprecher des Radios oder des Fernsehens wiedergegeben gehört wird. Jedoch bisweilen gab es auch, wie Kurita allmählich festgestellt hatte, Sprecher oder Sprecherinnen, deren natürliche und wohlklingende Stimme ihn beeindruckte. Diese Mika Rinno gehörte zweifellos zu ihnen. Ihre Stimme war nicht großartig und kräftig, im Gegenteil, zart und kristallklar. Ihr Rufname Rin-chan kam doch vermutlich von ihrem Familiennamen Rinno, und da ›rin‹ ja »Wäldchen« bedeutete, paßte dieser Name gut zu ihr.

»Rin-chan ist zwar nur eine freie Mitarbeiterin, aber sie macht ihre Sache eifrig und geschickt«, sagte Ide.

»Ach, was heißt hier ›eifrig und geschickt‹ ... Mir gefällt meine Arbeit einfach, und deshalb mache ich sie eben«, erwiderte Mika Rinno leise.

»Aber wenn Sie freie Mitarbeiterin sind . . .«, mischte sich Kurita unwillkürlich ein, und während er redete, kam ihm der Gedanke, daß es wohl deplaziert war, hier nach anderen Radiogesellschaften zu fragen, »hier arbeiten Sie ja von Montag bis Samstag täglich jeweils eine Stunde, und wenn Sie noch bei anderen Sendern ein Programm haben, dann haben Sie ja ganz schön viel zu tun, nicht wahr?«

Auf diese Frage hin zeigte Mika Rinno ein Lächeln: »Ich will außer bei diesem Sender gar nicht woanders arbeiten!«

»Ach wirklich?« Kurita war ziemlich überrascht, denn seine vorgefaßte Meinung war gewesen, eine freie Sprecherin müßte — jede Minute voll ausnützend — voll ausgelastet von einem Sender zum andern eilen.

»Nun denn«, Ide war bemüht, das Gespräch zum Ausgangspunkt zurückzubringen, »wollen wir doch mit unserer Besprechung fortfahren! — Nun, Herr Professor, worüber wollen Sie heute sprechen?«

»Hm . . .«, zögerte Kurita. Wenn man ihm sagte, er könne frei plaudern, ganz nach Belieben erzählen, was ihm einfiel, dann wurde er gerade unschlüssig, worüber er reden sollte.

»Herr Professor!« begann auf einmal Mika Rinno zu sprechen. »Neulich haben Sie doch in einer Monatszeitschrift einen Essay zusammen mit einer Karikatur zu dem Thema ›Der Lebensstil des Aufeinanderwartens‹ veröffentlicht, nicht wahr?«

»Ach ja, stimmt!« Kurita nickte.

»Dieses Thema paßt ganz gut, glaube ich«, sagte Mika Rinno. »Und Sie haben es meiner Meinung nach auch in Ihrem kürzlich erschienenen Buch ›Die japanische Gesellschaftsstruktur und das Zeitbewußtsein‹ behandelt. Können Sie nicht noch mehr über dieses Thema erzählen?«

Kurita blickte erneut auf Mikas Gesicht. Zum erstenmal traf er auf eine Rundfunkmitarbeiterin, die so gut über ihn informiert war. Im allgemeinen war es ja ganz anders; die Radioleute arbeiteten ziemlich oberflächlich, oder sie fragten einfach den betreffenden Studiogast über ihn selbst aus und eigneten sich so ein paar Kenntnisse über ihn an. Das war die übliche

Art bei den meisten Sendern. Na ja, nicht nur bei den Radiosendern war das so. Da gab es zum Beispiel so Typen bei irgendeiner niveaulosen Publikumszeitschrift, die ihn um einen Artikel baten und gleichzeitig fragten, was er denn überhaupt schreibe. Natürlich gibt es auch gelegentlich Ausnahmen. Aber ein Fall wie diese Mika Rinno hier — das war eine Ausnahme unter den Ausnahmen. Kurita fühlte sich jedenfalls geschmeichelt.

»Ja, ich bin damit einverstanden«, antwortete er etwas vorsichtiger. »Aber meinen Sie nicht, daß dieses Thema doch zu ernst oder zu langweilig sein wird?«

Mika lächelte wieder: »Ach, das ist schon völlig in Ordnung! Machen Sie sich da keine Gedanken!«

»Wenn Sie meinen«, erwiderte Kurita, »aber ... Sie sind recht gut informiert — über mich!«

Mika sagte nichts und hob nur kurz die Schultern.

»Dieses Mädchen macht das immer so«, mischte sich Ide ein. »Sie recherchiert vorher über die Studiogäste, die für ihr Programm vorgesehen sind. Und sie entwirft sich vorher immer einen genauen Plan — auf diese Weise erspart sie uns viel Arbeit.«

»Ja, das glaube ich«, pflichtete Kurita bewundernd bei. Gleichzeitig stellte er fest, daß diese Mika Rinno, die ihm da gegenübersaß, ihm jetzt seltsamerweise anziehender erschien als am Anfang ihrer Begegnung. — Die Besprechung kam gut voran; schließlich waren es noch fünf Minuten bis zum Beginn der Sendung.

»Also gut, machen wir es so. Aber könnten Sie jetzt allmählich in den Senderaum gehen?« forderte Ide sie auf. Kurita erhob sich und betrat zusammen mit Mika den Aufnahmeraum.

Sie nahmen einander gegenüber Platz und setzten die Kopfhörer auf, wobei sie ein Ohr frei ließen, um miteinander ihr improvisiertes Gespräch führen zu können. Über den Kopfhörer kam Ides Stimme von jenseits der Glasscheibe: »Wir testen! Sprechen Sie etwas!«

Kurita sagte ein paar Worte, dann Mika, und es war okay.

Mika legte sich schon ihren Zeitplan und ihre Papiere zurecht; es war noch fast eine Minute bis zum Beginn der Sendung. Da fragte sie ihn plötzlich: »Wie gefällt Ihnen die Stadt Suma?«

»Das kann ich noch nicht sagen, denn ich bin ja gerade erst angekommen ... Aber ich glaube, es ist eine sehr schöne Stadt«, antwortete er. »Jedenfalls heute ... — na ja, schade ...«

»Schade — wieso?«

»Vom Bahnhof Suma aus sieht man das Meer, nicht wahr? Ich hätte gern vom Strand aus eine Weile auf das Meer geschaut. Aber ich hatte ja keine Zeit. Irgendwann muß ich mir mal die Zeit nehmen!«

»Können Sie nicht nach der heutigen Sendung zum Meer gehen?«

»Leider nein, ich muß ja gleich wieder nach Tôkyô zurück. Vielleicht geht es nächste Woche.«

»Ja«, Mika nickte und blickte ihn an, »wenn Sie nichts dagegen haben, kann ich Ihnen Suma zeigen und Sie hier herumführen!«

»Das ist aber ein sehr liebenswürdiges Angebot!« Natürlich kam ihr Angebot seinen Wünschen entgegen. Da er in diesen ihm bisher unbekannten Landstrich ja nicht nur einmal, sondern öfter kommen mußte, wollte er nicht nur das Meer sehen, sondern auch andere Plätze, die er mit dem Klang des Namens ›Suma‹ verband. Gerade wollte er sie fragen. »Aber paßt Ihnen das wirklich?«, da hörte er aus dem Kopfhörer das Zeitzeichen für 14 Uhr und schwieg. Die Themamelodie der Sendung erklang. Als die Musik wieder leiser wurde, sah Kurita, wie Ide hinter der Glasscheibe den Arm hob.

Das Startzeichen kam. Mika nahm das Mikrofon und begann zu sprechen, in einem leicht singenden, kristallklaren, aber freundlichen Tonfall: »Guten Tag! Hier ist wieder ›Eine Stunde Nachmittagsplauderei mit Rin-chan‹. Erlauben Sie mir, daß ich Ihnen von 14 bis 15 Uhr Gesellschaft leiste. Ich bin Mika Rinno, genannt Rin-chan. Nun, meine Damen und Herren — heute ist Freitag. Wie immer am Freitag haben wir auch heute einen Gast hier im Studio. Unser heutiger Gast wird uns einen Monat lang die Ehre geben. Es handelt sich um einen Universitätsprofessor, der auch Karikaturist ist und darüber hinaus einer Vielfalt anderer Aktivitäten nachgeht — mit einem Wort, meine Damen und Herren, Herr Professor Yoshiaki Kurita war so freundlich, heute zu uns zu kommen . . .«

Während er Mikas Stimme lauschte, kam über Kurita diese besondere Spannung, die der Beginn einer Live-Sendung mit sich bringt, und gleichzeitig das beruhigende Gefühl, daß er sich der Gesprächsführung dieser Partnerin voll anvertrauen konnte.

3

Die Sendung ging ohne Probleme zu Ende und schien auch recht gut gewesen zu sein. Als sie beide aus dem Senderaum kamen, nickte Ide Mika leicht zu und fragte Kurita, was er nun vorhabe.

»Ich muß noch heute nach Tôkyô zurück! Ich habe heute abend noch etwas zu Hause zu erledigen.« Ide bedauerte diese Antwort, aber er ließ doch ein Taxi rufen.

»Sind Sie zufrieden, wenn das Taxi Sie bis zum Bahnhof Neu-Kôbe bringt, zum Hikari-Superexpreß? Wenn es nach mir ginge, ließe ich Sie ja mit dem Taxi bis nach Tôkyô direkt vor Ihr Haus bringen, aber wenn wir uns solche Spesen öfter erlauben würden, wäre ja unsere arme Rundfunkanstalt bald bankrott!« Ide lachte und zeigte seine weißen Zähne.

Bis zur Ankunft des Taxis unterhielt sich Kurita noch eine Zigarette lang in der Halle am Empfang mit den anderen Angestellten des Senders — eine etwas zusammenhanglose Unterhaltung, da die Gesprächspartner nacheinander entweder ans Telefon gerufen wurden oder irgendwelche Aufträge bekamen. Auf einmal merkte er, daß nur Mika noch bei ihm stand, ganz allein.

Mika schien die Unterhaltung mit Kurita ziemlich zu amüsieren. Für sie war er etwas Neues: ein seltsamer, origineller Mensch, der nicht wußte, was eigentlich sein Hauptberuf sei, und sie stellte ihm allerhand Fragen, eine nach der anderen. Er seinerseits wurde nach und nach unbekümmert und kam unwillkürlich auf ihr voriges Gespräch zurück: »Darf ich Ihnen wirklich zumuten, mich durch Suma zu führen?«

»Aber ja, ich werde Sie begleiten!« antwortete sie unbefangen, dann legte sie nachdenklich die Finger auf die Lippen: »Aber ... vor der Sendung ist ja allerhand vorzubereiten — paßt es Ihnen nachher, wenn die Sendung gelaufen ist?«

»Aber sicher paßt es mir so, schließlich bin ich es ja, der Sie mit dieser Bitte behelligt hat.«

»Also, nächste Woche?«

»Nächste Woche?« Er blätterte in seinem Notizbuch. »Ach nein, in der nächsten Woche muß ich leider auch gleich wieder zurück nach Tôkyô. Warten Sie mal — wie wäre es mit der übernächsten Woche? Da muß ich am darauffolgenden Samstag sowieso nach Ôsaka fahren; dann könnte ich ja gut hier in Suma übernachten.«

»Gut, machen wir's so. Also dann in der übernächsten Woche, ja?«

Als sie dies sagte, meldete ein Mitarbeiter, das Taxi für Kurita sei gekommen, und sie ging, Ide zu holen. Als Kurita sich aus dem Sessel erhob, kam ihm zu Bewußtsein, daß er in seinem Innern das gleiche irgendwie naive Gefühl hegte wie damals in seiner Jugendzeit, als er das erstemal mit einer Freundin ein Rendezvous vereinbart hatte, und er lächelte melancholisch.

Am nächsten Freitag kam er eher in Suma an, ging zum Strand hinunter und blickte auf das Meer hinaus. Der Himmel war bewölkt, ein kalter Wind zerrte am Saum seines Mantels. Das Meer war von bleiernem Grau, hier und da gab es Wellen mit einer weißen Gischtkrone. Weit und breit war kein Mensch zu sehen, und beinahe hätte er sich erkältet. Als er bei Radio Hyôgo ankam und den anderen davon erzählte, schauten sie sich an und lachten verwundert: »Was, an einem so kalten Tag wie heute?«

Nur Mika lachte nicht. Sie blickte ihn mit einem ernsten

Gesichtsausdruck an. Und als die Sendung vorüber war und sie wieder das Studio verließen, fragte sie ihn: »Mögen Sie das Meer?«

»Na ja, nicht unbedingt nur das Meer. Aber warum fragen Sie?«

Mika lächelte und murmelte: »An einem so kalten Tag wie heute gedankenverloren auf das Meer hinausblicken — ich mag einen Menschen, der das tut.«

Kurita wußte nicht, was er sagen sollte.

»Also, nächste Woche — bitte nicht vergessen!«

»Selbstverständlich vergesse ich das nicht!«

Als er mit dem Taxi zum Bahnhof Neu-Kôbe fuhr, begann es zu regnen. Während er zusah, wie die Regentropfen gegen das Wagenfenster klatschten, fühlte er die Erwartung allmählich in ihm zunehmen. Hoffentlich regnet es nächste Woche nicht! Hoffentlich gibt es schönes Wetter! dachte er, und dann fragte er sich: Aber was erwartest du dir eigentlich?

Nach dem in die Sendung eingefügten Werbespot sprach Mika zur Musik den Abschiedsgruß, dann ertönte das Zeitzeichen für 15 Uhr, und die Sendung war zu Ende.

»Gut gemacht, vielen Dank!«

»Dank auch meinerseits!« antwortete Kurita auf Ides Worte, die über den Kopfhörer gekommen waren, und stand auf. Mika räumte schnell den Zeitplan und ihre Papiere zusammen und erhob sich ebenfalls.

»Gehen wir gleich los?« fragte sie.

»Wenn möglich ja. Ein Wintertag geht ja so schnell zu Ende.«

»Da haben Sie recht«, sagte sie, während sie vor ihm aus dem Senderaum trat. »Können Sie bitte wie immer dort in der Sitzecke am Empfang auf mich warten? Ich mache mich schnell fertig und ziehe nur den Mantel an.«

Als Kurita am Empfang neben seiner Tasche stand, kam Ide mit langsamen Schritten auf ihn zu. »Herr Professor, wie ich höre, haben Sie ein Rendezvous mit Rin-chan vor?« fragte er.

»Ja, sie will mir Suma zeigen«, antwortete Kurita.

»Das ist schön!« sagte Ide, dann wurde seine Miene ernst und er redete weiter: »Nun, wenn das so ist ... —«

»Ja, was ist denn?« Kurita fragte etwas ungeduldig, weil er merkte, daß der andere noch etwas auf dem Herzen hatte, aber anscheinend um den heißen Brei herumlief.

»Tja, das ist so ...« Im selben Augenblick, als Ide angesetzt hatte fortzufahren, erschien Mika wieder.

»Ich habe Sie lange warten lassen, nicht wahr?«

Kurita sagte nichts zu ihr, sondern blinzelte Ide zu, er solle weiterreden, aber Ide schien nicht mehr darüber sprechen zu wollen und sagte mit einer ganz anderen, lauten Stimme: »Also dann, auf Wiedersehen!«

Kurita und Mika verließen das Gebäude des Senders. Draußen schien die Sonne am frühwinterlichen Himmel, dessen wie gläsern wirkende Bläue sich ohne die geringste Spur von Bewölkung über ihnen dehnte. Es war windstill. Blieb man in der Sonne stehen, dann konnte man meinen, man müßte schwitzen.

»Wo sollen wir die Stadtbesichtigung beginnen, und was wollen Sie alles sehen?« fragte Mika und blickte mit ihren großen runden schwarzen Augen zu ihm auf.

»Das überlasse ich ganz Ihnen. Was Sie für richtig halten, damit bin ich völlig einverstanden.«

»Gut, dann besuchen wir zuerst den Suma-Park, und wenn dann noch Zeit bleibt, dann können wir uns noch anderswo umschauen«, entschied Mika und sprach einen Taxifahrer an, der gerade einen Fahrgast aussteigen ließ: »Zum Suma-Park, bitte!« Der Fahrer nickte kurz, wendete, und sie fuhren in westlicher Richtung los.

»Schon unterwegs, an der Rikyû-Straße, gibt es eine Sehenswürdigkeit: die Gräber von Matsukaze und Murasame ... Haben Sie schon davon gehört?«

»Nein, leider nicht! Was historische Plätze anlangt, bin ich ganz schwach!«

»Eine Sage erzählt, Ariwara-no-Yukihira habe sich nach seiner Verbannung nach Suma hier mit zwei Frauen angefreundet, eben mit Matsukaze und Murasame. Als er aber später

wieder in die Hauptstadt Kyôto zurückkehrte, verabschiedete
er sich von ihnen, indem er sein Gewand an eine Kiefer hängte.
Dort, wo einst diese Kiefer mit Yukihiras Gewand gestanden
hatte, ist jetzt das gemeinsame Grab dieser beiden Frauen.
Allerdings, in dem Werk ›Kurze Erzählungen zu den Hundert
Gedichten der Hundert Dichter‹ heißt es, diese Geschichte sei
nur vom Volksmund erfunden worden.«

»Oh, Sie wissen aber darüber sehr gut Bescheid!« sagte er.
Mika blickte ihn kurz an und lachte leicht: »Das habe ich alles
aus Büchern. Und ... bis jetzt habe ich schon einige Male
Studiogäste durch die Stadt geführt.«

»Ach so ...« Wenn sie also schon etliche Leute hier herum-
geführt hat, dann brauchte er sich ja nicht befangen zu fühlen.
Kurita wußte zwar nicht, was Ide ihm noch hatte sagen wollen,
aber Befangenheit war sicher fehl am Platz. Andrerseits war er
leicht enttäuscht — vielleicht hegte Mika ihm gegenüber ein
besonderes Gefühl, so hatte er gedacht, aber jetzt war es ja
durchaus möglich, daß dies keineswegs der Fall war.

Halt mal! — Was denke ich da eigentlich? Wenn ich so etwas
denke, dann bedeutet das ja, daß ich ihr gegenüber ein besonderes Gefühl zu empfinden beginne. Und erwarte ich jetzt
von ihr, daß sie das Gleiche fühlt?‹

»Bis hierher, nicht wahr?« Die Stimme des Taxifahrers riß
ihn aus seinen Gedanken. Sie waren am Suma-Park angekommen.

»Mit einer Seilbahn kann man bis dort hinauf zum Gipfel des
Hachibuse-Berges fahren«, sagte Mika und zeigte auf einen
nicht sonderlich hohen Berg, der sich vor ihren Augen erhob.
»Aber besuchen wir zuerst den Grabhügel des Atsumori.«

Natürlich handelte es sich hier um Atsumori aus dem
Fürstenhause der Taira, der 1184 im Gebirge bei Suma von
dem Ritter Kumagai Naozane erschlagen worden war. Diese
Gegend ist übersät mit historischen Plätzen und Geschichts-
denkmälern, handelt es sich doch um die geschichtsträchtigen
Orte Suma und Akashi ...

Kurita folgte Mika auf dem von der Wintersonne beschie-
nenen Weg in Richtung Westen. Weil es ein Wochentag war,

noch dazu außerhalb der Touristensaison, trafen sie kaum andere Menschen in dem an Bäumen und Hügeln so reichen Park. Als sie den Parkplatz überquerten, kamen sie an eine Bude mit einem Schild ›Atsumori-Buchweizennudeln‹. Hier bogen sie nach rechts ab und waren gleich beim Grabhügel des Atsumori. Die Zweige der Winterbäume überdachten das altertümliche Grab, an dem Opferblumen und Weihrauchstäbchen dargebracht wurden und ein alter Mann im Stehen voller Andacht aus den Heiligen Schriften Buddhas rezitierte.

Vor dem Grabhügel stand eine Stele mit einer Inschrift, die Kurita allerdings nicht entziffern konnte, da sie im künstlerischen Schriftfluß der Kalligraphie gehalten war.

»Es steht hier noch mal!« Mika zeigte auf die Rückseite der Stele, wo die Inschrift leserlich war:

> »Im Regen
> Ein nächtlicher Gast
> kehrte bei Atsumoris Buchweizennudeln ein —
> der künftige Mond.«

Dieses Gedicht hatte der Haiku-Dichter Seisei Matsuse (1869—1937) verfaßt, wohl während der Zeit, als er in Suma lebte.

»›Der künftige Mond‹? Welcher Mond ist wohl mit ›der künftige Mond‹ gemeint?« murmelte Kurita.

»Sicherlich . . . der Mond der dreizehnten Nacht nach Neumond, nicht wahr?« entgegnete Mika.

»So, wirklich?«

»Ach, Herr Professor, Sie wissen so vielerlei, aber diese Dinge hier sind wohl Ihre schwache Seite, nicht wahr?«

»Leider haben Sie recht!« erwiderte er. Von jeher hatte er gern moderne Gedichte und Romane gelesen, aber mit der alten traditionellen Lyrik der Haiku- und Tanka-Dichtung hatte er sich so gut wie überhaupt nicht beschäftigt.

»Aber ich bin froh darüber«, sagte sie.

»Froh — wieso?«

»Ja, weil ich jetzt Ihre schwache Seite kenne, empfinde ich

Ihnen gegenüber so etwas wie — Vertrautheit«, sie lachte hell und fuhr fort: »Wenn Sie von hier genug haben — fahren wir dann mit der Seilbahn?« Noch während sie das sagte, begann sie, mit kleinen lebhaften Schritten zurückzugehen. Dabei wirkte sie fast knabenhaft. Um nicht zurückzubleiben, folgte er ihr schnell auf dem Weg, den sie zuvor gekommen waren.

4

Um in die Seilbahn einzusteigen, mußte man eine Kontrollsperre passieren und dann eine Treppe hinaufsteigen. In der Gondel, die den Namen ›Umihiko‹, ›Meeresjüngling‹, an der Seite aufgemalt trug, wartete schon rund ein halbes Dutzend Leute auf die Abfahrt.

»Wenn diese Gondel hier ›Umihiko‹ heißt, dann gibt es bestimmt noch eine andere, die . . .« Der Satz, den er begonnen hatte, wurde von Mika zu Ende geführt:

». . . ›Yamahiko‹ heißt, ›Bergjüngling‹ also. Sind das nicht Namen, die treffend gewählt sind? Sie passen so gut zu dieser alten Stadt Suma, die seit Urzeiten zwischen Bergen und Meer liegt.«

Eine Fremdenführerin kam noch in die Gondel, dann ging die Fahrt los. In der üblichen unbeteiligten Redeweise der Fremdenführer begann diese Frau ihre routinemäßigen Erklärungen: »Meine Damen und Herren, dort drüben sehen Sie das Schlachtfeld von Ichinotani. Im Bürgerkrieg zwischen den Fürstenhäusern der Genji und der Taira . . .« — und so ging es in dieser Art weiter.

Kurita wurde sich bewußt, daß Mika die geborene Radiosprecherin war — für sie war Plauderei der Beruf. Mit welchen Gefühlen mochte sie die Erläuterungen dieser Fremdenführerin hören? Er blickte zu Mika, die neben ihm stand. Sie schien seinen Gedanken erraten zu haben, denn sie warf der Fremdenführerin einen kurzen Blick zu und zeigte auf ihren Lippen ein leichtes Lächeln. Er empfand, als seien sie jetzt irgendwie durch ein Gefühl miteinander verbunden.

Sie kamen auf dem 247 Meter hohen Gipfel des Hachibuse an. Da hinter diesem Berg noch weitere Berge aufragten, hatte man das Gefühl, als sei man in eine ziemlich hoch gelegene Gegend heraufgekommen.

»Von hier aus kann man mit einem Sessellift zum Hatafuri-Berg weiterfahren. Haben Sie Lust?« fragte Mika.

»Nein, mit einem Lift mag ich nicht«, erwiderte er. Er hatte sich bisher noch nicht an das Fahren mit einem Lift gewöhnen können: Nur mit einer Hand eine Haltestange umfassend dasitzen und fürchten, man könne mit jedem Ruck hinunterfallen ... Dachte er nur an das Fallen, dann schwitzte schon seine Hand, mit der er die Stange hielt. War es vielleicht Höhenangst? Aber die Seilbahn machte ihm nichts aus, war es also doch keine Höhenangst?

»Also, laufen wir dann?«

»Bis dorthin?« Er blickte zum Hatafuri-Berg. Der Gipfel schien ziemlich nah zu sein, aber in Wirklichkeit war der Weg bestimmt doch sehr weit. »Ach nein, ich mag nicht. Das kostet uns doch zuviel Zeit, und es geht über die Kräfte eines Mannes im mittleren Alter.«

Mika blickte sich belustigt zu ihm um und sagte: »Im mittleren Alter? Aber so sehen Sie doch gar nicht aus!«

»Doch, doch! Ich bin wirklich schon ein Mann im mittleren Alter, das kann ich nicht ableugnen.«

»Also gut, dann dispensiere ich Sie von diesem Fußmarsch!« Sie lachte eine Weile und zeigte dann auf ein Gebäude auf dem Gipfel: »Aber dort zu dem Turm mit der rotierenden Aussichtsplattform können wir doch gehen?«

Irgendwie ist fast etwas wie ein richtiges Rendezvous daraus geworden, dachte er und begann sich doch darüber zu freuen.

Auf der Aussichtsplattform, dem obersten Stockwerk des zylinderförmigen Turmes, saßen sie nebeneinander auf einer Bank, gegenüber einem der großen Glasfenster in dem sich langsam drehenden Rundbalkon. Mika gab zu jeder einzelnen der langsam vorbeiziehenden Landschaften Erklärungen: »Dort ist der Tekkai-Berg, drüben liegt die Ortschaft Maya ... und da das Meer vor Suma ...« Sie erläuterte alles präzis und treffend, wie bei einer Radiosendung. Als der Turm eine volle Umdrehung erreicht hatte und ihr Blick wieder auf das erste Landschaftsbild fiel, verstummte sie.

»Sie kennen sich aber hier sehr gut aus!« Und gleich entschlüpfte ihm noch eine Frage, die ihm schon lange auf der Zunge gelegen war: »Rin-chan, sind Sie in Kobe geboren?«

»Ich?« Sie blickte ins Leere, dann sagte sie: »Ja . . . Ich lebe in Suma . . . schon seit langer Zeit. Deshalb liebe ich Suma so sehr.«

»Hm . . .«

»Und deshalb mag ich die Leute, die Suma auch mögen«, setzte sie in einem fast singenden Ton fort. »Ich habe kein Interesse an anderen Orten. Deshalb arbeite ich nur für Radio Hyôgo. Erscheint Ihnen das seltsam?«

»Nein.«

»In dieser Gegend ist jetzt schon viel gebaut worden, aber trotzdem kam es vor kurzem vor, daß ein Wanderer sich verirrte, abstürzte und sich so schwer verletzte, daß er sich nicht mehr bewegen konnte. Volle zwei Tage brauchte man, um ihn zu finden . . . An verschiedenen Stellen im Gebiet von Suma leben noch viele Baumfeen und Grasgeister. Die spielen von Zeit zu Zeit den Menschen Streiche und locken sie irgendwohin . . .«

Kurita lauschte schweigend. Eigentlich war diese Geschichte unwirklich wie ein Traum, aber als Mika sie erzählte, klang alles ganz natürlich. Und er fühlte sich wie von einer Mika umgebenden Aura eingehüllt.

»Nun, gehen wir wieder hinab?« fragte sie. Die Sonne stand schon tief, die Abenddämmerung nahte. Bis zum Sonnenuntergang war es keine ganze Stunde mehr.

»Was haben Sie jetzt vor? Möchten Sie schon zurückgehen?« fragte sie nochmals.

Kurita blickte schweigend auf das von der Abendsonne beschienene Meer dort jenseits der Glasscheibe, dann schaute er Mika an. Ihre Atmosphäre hielt ihn gefesselt, und er wollte sich noch nicht von ihr trennen.

»Gibt es irgendeinen Platz, wohin man von hier aus noch

gehen kann?« In dieser Frage kleidete er die Aussage über sein Gefühl.

»Hm, ja . . .« Wie es ihre Gewohnheit war, hatte Mika mit dem Finger die Unterlippe ihres leicht geöffneten Mundes berührt; sie blickte zu ihm auf: »Der Schrein, der der Seele des kleinen Kaisers Antoku geweiht ist — würde der Sie interessieren?«

»Ich kenne mich ja nicht gut aus, aber wenn Sie meinen . . .«

»Ja, gerne!« Mika nickte. »Wir müssen zwar einen Umweg machen, aber es ist der Weg, auf dem ich auch nach Hause gehe . . . Wir müssen vom Ostrand des Parks aus etwas hinaufsteigen.«

»Gut, machen wir uns auf den Weg!« erwiderte er. Da sie fast kollegial mit ihm gesprochen hatte, redete er nicht mehr sehr förmlich zu ihr.

Ein sanfter Wind war aufgekommen. Sie waren mit der Seilbahn wieder hinabgefahren, gingen durch den Park und stiegen auf einem schmalen, sich Zickzack windenden Pfad den Abhang des Ichinotani-Schlachtfelds hinauf. Mit einemmal war ganz schnell die Dämmerung hereingebrochen. Der Weg war ziemlich lang. Oder erschien es ihm nur so, weil der Hang sehr steil war?

Als sie am Antoku-Schrein ankamen, herrschte überall schon Dämmerlicht. Der Schrein stand einsam in der zunehmenden Dunkelheit — der kleine Schrein, der dem kleinen Kaiser geweiht war, dem Kind-Kaiser Antoku, der 1185 nach der Niederlage in der Seeschlacht von Dan-no-Ura als siebenjähriges Kind mit seiner Kinderfrau ins Meer gesprungen und ertrunken war.

Neben dem Schrein ragte eine Statue von Sarasvati auf, der Göttin der Weisheit, und aus einem kleinen Springbrunnen sprudelten mit leisem Plätschern zwei Wasserstrahlen. Etwas abseits stand ein Denkmal, das an den zerstörten kaiserlichen Palast erinnerte.

In diesem Augenblick hatte Kurita zum erstenmal das Gefühl, er nehme mit allen Sinnen war, wie übervoll mit Ge-

schichte und Sage der Platz war, an dem er stand. Mika hatte gesagt, die Geister hausten immer noch hier überall — vielleicht war das die Wahrheit? Er fühlte, daß es so sein könnte.

Der Wind wehte vorüber und ließ dürre Äste knacken und das wenige noch an den Zweigen hängende Laub rascheln. Es war kalt. Die Empfindung der Kälte machte ihm bewußt, daß er eben in Gedanken verloren gewesen war. Er wandte sich Mika zu. Ihr Gesicht schien zu schweben, weiß in der immer dichter werdenden Dunkelheit.

»Gehen wir!« sagte sie.

Als er den ersten Schritt tat, stolperte er und fiel fast hin.

»Vorsicht!« Mika ergriff seine Hand, um ihn zu stützen. Dann jedoch machten weder er noch sie Anstalten, von sich aus die Hand zurückzuziehen, die die andere gefaßt hielt. Sich an den Händen haltend gingen sie weiter, bis der gewundene Pfad auf dem Kamm des steilen Abhangs angelangt war.

»Ist dein Haus ... hier in der Nähe?« fragte er, dabei das Gefühl unterdrückend, es sei besser, das Schweigen nicht zu brechen und alles einfach weiter so bleiben zu lassen wie bisher.

»Ja«, kam leise die Antwort von Mikas weißem Gesicht und schattenhafter Gestalt, die in der Dunkelheit verschwammen. »Von hier aus möchte ich allein weiter nach Hause gehen.«

»Ich begleite dich doch!«

»Nein, du brauchst mich nicht zu begleiten.« Während sie dies sagte, drückte ihre Hand die seine, die sie gefaßt hielt, als gäbe sie das Zeichen zum Abschied. Unwillkürlich zog er ihre Hand an sich. Während er dies tat, war doch noch ein Rest Vernunft in ihm geblieben, und diese Vernunft sagte ihm, daß sie zögerte.

Er ließ ihre Hand los und fragte: »Hast du ... schon einmal einen Mann mit einer Ohrfeige bestraft?«

»Nein!« Sie schüttelte den Kopf.

»Also — dann gebe ich dir jetzt Gelegenheit dazu!« Er packte mit beiden Händen ihre Schultern und zog sie an sich. Jetzt war es ihm völlig gleichgültig, ob sie ihn ohrfeigte.

Mika wollte die rechte Hand heben — dann aber warf sie

sich aus eigenem Antrieb an seine Brust. Er umarmte sie, hob ihr Kinn mit seinen Fingern und küßte sie. Ihre Lippen waren weich. Als es geschehen war, wurde Mika beim nächstenmal leidenschaftlicher. Mitten in diesem süßen, betörenden Gefühl nahm er war, daß von irgendwoher der Duft von Baumrinde strömte.

Nachdem ihre Lippen sich wieder getrennt hatten, schwiegen sie eine lange Zeit.

»Ich begleite dich doch!« sagte er.

Mika schüttelte den Kopf.

»Darf ich dich nicht begleiten?« Als er seine Frage noch einmal wiederholte, sprach Mika mit einer tiefen Stimme, nicht hell und klar wie gewohnt, sondern heiser und rauh, als habe sie Mühe, die Worte herauszubringen: »Wirklich — nein! Bleib bitte hier eine Minute lang stehen! Versprich mir das?«

»Ja!«

»Ich bitte dich darum! Also dann — sayônara!« Bei diesen Worten löste sie mit einer flinken Bewegung ihre Finger aus seiner Umklammerung und lief den Abhang hinab. Gleich darauf war ihre Gestalt von der dichter werdenden Nacht verschluckt. Einmal glaubte er, sie bei einer Straßenlaterne auftauchen zu sehen, aber dann war sie wieder verschwunden.

Eine Minute lang wartete er, eine lange Minute lang. Mika war überhaupt nicht mehr zu sehen. Plötzlich überkam ihn Angst: War es nicht gefährlich für sie, den dunklen Abhang allein hinabzulaufen — obwohl sie ja gesagt hatte, es sei völlig ungefährlich?

Er lief mit großen Schritten hinab. Vielleicht hatte er Glück und erreichte sie noch! Aber ihr Schatten war nirgends zu sehen. Auf einer Seite des Hanges standen einige große Häuser nebeneinander — sie mußte in eines von ihnen hineingegangen sein! Anders konnte er es sich nicht erklären.

Er stieß einen Seufzer aus und ging schließlich den Weg hinab, der zur Ostseite des Parkes führte.

Am nächsten Morgen verließ Kurita sein Hotel in der Nähe von Sannomiya, fuhr genau nach Plan nach Ôsaka, erledigte seine Angelegenheiten bei den Verwandten und nahm schließlich ein Taxi, um zum Hauptbahnhof von Osaka zu fahren. Sein Freund, der Professor in Kyôto, hatte ihn zum Abendessen eingeladen.

Kurita lehnte sich im Autositz zurück und erinnerte sich an das, was gestern geschehen war. Seine gestrigen Empfindungen kamen ungetrübt wieder: Gewiß, er war von der Atmosphäre, die Mika umgab, von dieser irgendwie feenhaften Stimmung, ganz verzaubert gewesen. Er war doch sonst wirklich nicht der Mensch, der so etwas tat. Aber — er hatte sie geküßt ... Vielleicht war Mikas irgendwie magische Aura daran schuld? Sie war ihm doch so außerordentlich anziehend und gleichzeitig völlig unschuldig erschienen.

Nein, ich darf mir nichts vormachen! dachte er. Es wäre unehrlich, Mika die Schuld an dem zuzuschieben, was vorgefallen war. *Er* mochte sie. Er hatte sie von Anfang an gemocht, und diese seine Zuneigung war immer stärker geworden, und er hatte sich nicht mehr beherrschen können. Ja, so war es! Und der Beweis dafür war ja, daß es ihm heiß ums Herz wurde, wenn er an gestern abend dachte. Er bereute es nicht. Im Gegenteil! Es verlangte ihn noch heftiger als zuvor, Mika zu treffen.

Mika — was machte sie jetzt? Bei diesem Gedanken bemerkte er, daß es gerade kurz nach zwei Uhr nachmittag war. Ihr Programm mußte jetzt angefangen haben. Wenigstens konnte er jetzt ihre Stimme hören. Das Autoradio des Taxis übertrug ein Quizprogramm einer anderen Radiostation.

»Entschuldigen Sie«, rief er dem Taxifahrer zu, »könnten Sie bitte Radio Hyôgo einstellen?«

»Radio Hyôgo?«

»Kann man den hier hören?«

»Ja!« Der Fahrer drückte auf einen Knopf und wechselte den Kanal. Es kam Beat-Musik. Ach ja, Samstag war ja der Tag von ›Musik und Plauderei‹. Als das Musikstück ausklang, kam die Stimme der Sprecherin.

Kurita zog die Augenbrauen hoch: Es war eine weibliche Stimme, aber nicht die Stimme von Mika Rinno. Was war los?

Als antwortete sie geradezu auf seine unausgesprochene Frage, sagte die Sprecherin: »Rin-chan geht es heute nicht gut; sie muß sich ausruhen. Deshalb bin ich für sie eingesprungen; ich bin Yuriko Ôyama; Sie kennen mich als ›Bokki‹ vom Programm ›Telefon-Wunschkonzert‹. Guten Tag, liebe Hörerinnen und Hörer!«

Was sollte das heißen — ihr ginge es heute schlecht? Was war mit ihr geschehen? Kurita hatte nicht die leiseste Ahnung.

Sein erster Impuls war, Radio Hyôgo anzurufen und zu fragen, was mit Mika geschehen sei; als er aber am Hauptbahnhof Ôsaka angekommen war, tat er es doch nicht. Denn was, wenn man ihn fragen würde, warum er sich soviel um Mika sorge? Dann könnte er sich sicher schlecht herausreden, ohne seine wahren Gefühle ihr gegenüber preiszugeben. Andrerseits — ihre private Telefonnummer wußte er auch nicht. Sollte er im Telefonbuch ... — aber diese Telefonzelle hier gehörte ja zum Ortsnetz von Ôsaka. Das Telefonbuch des Stadtbezirks Suma in Kôbe war nur auf dem Postamt einzusehen.

Es geht also nicht. Na ja, nächste Woche, wenn ich wieder bei Radio Hyôgo bin, dann werde ich alles über sie erfahren. Wenn sie ums Leben gekommen oder schwer verletzt wäre, hätte ja die andere Sprecherin bestimmt etwas gesagt! Und wenn es sich um einen Unfall handelt, den man vertuschen will, dann ist es bestimmt nicht gut, viel Staub aufzuwirbeln, indem ich danach frage. Irgendwann wird sich schon herausstellen, was los war. Bis dahin muß ich warten, bis zur nächsten Woche ...

Kurita drängte die Bangigkeit ins Innere seines Herzens zurück und eilte zum Fahrkartenschalter.

5

Wie jedesmal kam Kurita mit dem Schnellzug in Suma an und fuhr mit dem Taxi vom Bahnhof zu Radio Hyôgo.

Alles, was er tat, war wie immer, aber sein Herz war

unruhig. Was war mit Mika los? Oder, noch ehrlicher gesagt: Kurita wollte so schnell wie möglich erfahren, ob das, was geschehen war, durch seine Beziehung zu Mika verursacht worden war.

Er hatte versucht, dies herauszufinden, bevor er wieder hierher kam. Aber es war nicht möglich gewesen: In Tôkyô konnte man Radio Hyôgo nicht hören, und die Zeitungen und Zeitschriften, die er las, berichteten nichts über das Schicksal irgendeiner Sprecherin einer Radiostation in Kôbe. Deshalb hatte sich seine Sorge, die er ja nicht offen zeigen durfte, immer mehr gesteigert.

Das Taxi hielt vor dem Gebäude von Radio Hyôgo. Als er bezahlt hatte und ausgestiegen war, erblickte er Ide vor dem Eingang des Senders. »Guten Morgen!« Mit diesem Gruß, der in der Welt der Radiomitarbeiter zu jeder x-beliebigen Tageszeit verwendet wird, kam Ide auf ihn zugelaufen. Er hatte also auf Kurita gewartet. Es ist also doch etwas geschehen! dachte dieser und wurde wieder unruhig.

Ide wollte nicht sofort ins Gebäude zurückgehen; er sagte: »Ich möchte . . . kurz mit Ihnen sprechen. Bevor wir hineingehen, möchte ich Ihnen etwas sagen. Wir haben noch genügend Zeit. Gehen wir in die Cafeteria?«

»Ist — ist was passiert?«

»Das möchte ich Ihnen ja gerade erzählen!« Ide wies auf die kleine Cafeteria neben dem Rundfunkgebäude. Kurita blieb nichts anderes übrig als Ide dorthin zu begleiten. Drinnen war ziemlich viel Platz; Ide führte ihn zu einem fast isoliert stehenden Tisch am hintersten Ende.

»Wegen letzter Woche . . . meine ich«, begann Ide zu sprechen, nachdem die Bedienung den Kaffee gebracht hatte. »Wegen letzter Woche — als Sie mit Rin-chan zusammen ausgegangen waren . . .«

Kurita schwieg.

»Ist da etwas passiert?« fragte Ide.

Kurita blickte Ide an und sagte: »Was — was meinen Sie damit?«

»Also, das ist so« — Ide machte unwillkürlich eine kurze

Pause, dann fragte er unumwunden: »Haben Sie Rin-chan nicht geküßt?«

Kurita wußte nicht, was er sagen sollte. Teils war er überrascht, daß Ide so ins Schwarze getroffen hatte, teils erstaunt, daß er so indiskret nach einer privaten Angelegenheit gefragt hatte. Er starrte stumm in Ides Gesicht.

»Nein, nein!« Ide winkte verlegen ab. »Bitte, seien Sie nicht beleidigt. Ich weiß, meine Frage ist unhöflich. Und ich will mich ja gar nicht bei Ihnen beschweren, Herr Professor.« Er machte eine Atempause und fuhr fort: »Nur, wenn das der Fall gewesen wäre, dann müßte ich Ihnen unbedingt etwas erzählen!«

Kurita blieb noch immer stumm, lehnte sich im Stuhl zurück, schloß noch einmal den Mund und fragte dann: »Nun denn — wenn es so gewesen wäre, was hätte das denn zu bedeuten?«

»Sie kam am vergangenen Samstag nicht zur Sendung!«

»Das weiß ich. Ich habe es über das Autoradio im Taxi gehört.«

»Bitte — seien Sie bitte nicht böse!« redete Ide verlegen weiter, »sie kam nicht, weil ... — weil sie ihre Stimme fast verloren hatte.«

»Hatte sie sich etwa erkältet? Was hat das mit dem Küssen zu tun?«

»Nein, es war keine Erkältung!« Ide strich seine Haare nach oben, während er sich mit beiden Armen auf dem Tisch aufstützte. »Wie soll ich es Ihnen erklären? Es ist nämlich so — sie verlor immer ihre Stimme, wenn sie eine Beziehung zu einem Mann hatte.«

Kurita, der schon in Zorn geraten war, wurde durch diese Worte verblüfft und blickte Ide an.

»Es ist tatsächlich so«, sagte Ide, »ich weiß nicht, warum, aber bei ihr ist es eben so. Nach dem Küssen wird ihre Stimme heiser für mehr als einen Tag, und man kann sie kaum verstehen. Und wenn es zu — hm, noch mehr gekommen ist, dann ist sie mehr als zehn Tage lang nicht als Radiosprecherin einzusetzen.«

»Unsinn! Das ist doch wohl alles bloß Unsinn!«

»Ich lüge nicht!« Ide hatte Schweißperlen auf der Stirn. »Ich rede zu Ihnen über das Privatleben eines jungen Mädchens, weil — weil da noch etwas Seltsameres ist, als was ich Ihnen eben schon erzählte: Man ... weiß nicht, ob sie — überhaupt ein Mensch ist.«

Kurita brachte kein Wort heraus; einen Atemzug lang fragte er sich, ob Ide den Verstand verloren habe.

»Auf den ersten Blick sah sie wie Anfang zwanzig aus, nicht wahr?« fuhr Ide fort. »Aber niemand weiß, wie alt sie wirklich ist. Und ob der Name Mika Rinno echt ist, ob es diesen Namen in Wirklichkeit überhaupt gibt ...«

»Aber Herr Ide!!«

»Bitte, Herr Professor, lassen Sie mich zu Ende erzählen! Sie trat zum erstenmal auf, nachdem einer unserer besten Radiosprecher sie in einer Imbißstube entdeckt hatte; sie wurde in seinem Programm als ›Ein Mädchen, das ich in der Stadt traf‹ vorgestellt, und fünf bis sechs Minuten lang plauderten sie miteinander. Sie kam bei den Hörern sehr gut an. Sie trat dann noch ein paarmal auf, und wir überließen ihr später einen Teil eines bestimmten Programms, und schließlich vor zwei Jahren, bekam sie ihr eigenes Programm.«

Kurita schwieg überrascht.

»Wir wollten einen regelrechten Anstellungsvertrag mit ihr abschließen, aber da gab es Unklarheiten über ihren Wohnsitz, und wir ließen es bleiben; so wurde sie dann eine freie Mitarbeiterin. Und da sie ein so hübsches Mädchen ist, hatte sich auch der eine oder andere aus dem Sender in sie verliebt, und manch einer folgte ihr heimlich, um herauszufinden, wo sie wohnt. Aber das ist bisher keinem gelungen.«

»Niemand weiß es also?«

»Nein, niemand. Jedesmal verschwand sie irgendwo unterwegs. Vor einem halben Jahr heftete sich einer an ihre Fersen und schlich hinter ihr her. Da ging sie beim ›Weg der Sieben Windungen‹ — ja, das ist am Abhang unterhalb des Antoku-Schreins — in ein altes Haus hinein, das heißt — dort steht nur noch das Tor, das eigentliche Haus ist nur noch eine Ruine. Aber aus dieser Ruine kam sie dann nicht wieder heraus.«

Kurita blickte Ide stumm an.

»Sie hat viele Fans, aber nie will sie sich mit ihnen treffen. Sie läßt sich nicht einmal fotografieren! Alle Angebote von anderen Radiosendern und sogar von unserem eigenen Fernsehstudio lehnte sie rundweg ab. Als wir nach dem Grund fragten, erklärte sie, sie wolle eben nur bei uns arbeiten ... Aber der wahre Grund ist wohl: sie mag Männer, die nach ihrem Geschmack sind. Jedoch, weil sie, wie ich Ihnen gerade erzählte, nach dem Verlust der Stimme ihre Sendung nicht mehr machen kann, ist sie bemüht, sich zurückzuhalten.«

»Warten Sie mal!« Kurita hob die Hand: »Wenn das alles stimmt, falls das wirklich stimmt — wer ist sie denn dann Ihrer Meinung nach?«

Ide blickte ins Leere und sagte abgehackt: »Sie ist — eine Baumfee — oder — ein Waldgeist.«

»Baumfee? Waldgeist?«

»Ja! In unserem Sender glauben das inzwischen alle. Ein Geist, der irgendwo im Waldgebirge um Suma haust, nimmt menschliche Gestalt an und tritt im Radio auf. Bitte, lachen Sie nicht! Auch ich glaube das! Und deshalb ...«

»Ja, also dann«, Kurita starrte Ide entgeistert an, »Sie — nein, die Leute von Radio Hyôgo lassen sie also als Sprecherin auftreten, obwohl sie überzeugt sind, sie sei kein Mensch, sondern eine Baumfee oder ein Waldgeist?«

»Ja.« Ides Augen sahen aus, als schauten sie in weite Fernen, »das ist doch gut so. Es ist doch schön, daß es so etwas bei unserer Radiostation gibt. Suma ist eben eine solche Gegend, wo so etwas vorkommt. Ich meine, es ist alles in Ordnung.«

Jetzt erinnerte Kurita sich deutlich an den Duft von Baumrinde, der von irgendwoher gekommen war, als er sie umarmt hatte. War das etwa der Körpergeruch von Mika — Mika, der Baumfee, oder — Mika, dem Waldgeist?

»Auf alle Fälle ist das so. Uns ist es gleich, was Sie mit ihr machen, Herr Professor«, sagte Ide, während er aufstand und die Rechnung für den Kaffee vom Tisch nahm, »nur bitte ich

Sie, an eines zu denken, wenn das Ihnen möglich ist: Daß das Programm nicht unter Ihrer Beziehung leidet. Ich verlange das von Ihnen ja nicht unbedingt, aber trotzdem wollte ich Sie darum gebeten haben!«

Kurita ging zusammen mit Mika in den Senderaum. Sie verhielt sich ganz unbefangen, als wäre letzte Woche gar nichts gewesen.

Aber, dachte er, in diesem Sender wissen ja alle, was zwischen Mika und mir geschah, und was Mika wirklich ist. Alle wissen es, und doch tun alle so, als wüßten sie es nicht. Er jedoch wußte nicht, wie er sein Verhalten ihr gegenüber und seine Gefühle in den Griff bekommen sollte. Das war eben etwas, das man nicht so einfach in den Griff bekommen konnte ...

Von seinen Gefühlen unbeeinflußt, plauderte Mika wie immer in ihrer kristallklaren, unschuldig singenden Stimme.

Die Frau aus dem Innern
des Hida-Gebirges

1

Als er erwachte, befand er sich in einem Hotel in der Stadt Gifu
— das klingt zwar sonderbar, aber er empfand es wirklich so;
eine längere Geschäftsreise von Ort zu Ort bringt ja im Grunde
ein solches Gefühl mit sich; um so mehr, wenn man irgendwo
zum erstenmal übernachtete. Verwirrt ging man dann die
Möglichkeiten, wo man sich befinden konnte, eine nach der
anderen durch und fand schließlich den Ort heraus, an dem
man war, und stellte sich darauf ein.

Kôji Abe war dieses nebelhafte Gefühl schon gewöhnt. An
diesem Tag fühlte er sich noch recht matt, denn am Vorabend
war er mit Geschäftsleuten aus dieser Stadt noch bis tief in die
Nacht hinein zusammengesessen. Er tastete suchend nach
seiner Armbanduhr, die er beim Einschlafen beiseite gelegt
hatte: Es war schon nach zehn Uhr vormittags.

Ich habe etwas zu lang geschlafen! dachte er. Er hatte zwar
das Läuten des telefonischen Weckrufs und sogar die Stimme
der Telefonistin gehört, war dann aber wieder eingeschlafen.

Jetzt aber los! Abe stand auf. Bis heute abend mußte er in der
Stadt Toyama angekommen sein. Von Gifu, wo er jetzt war,
nach Toyama mußte er einen Zug der Takayama-Hauptlinie
nehmen. Eigentlich wollte er diese Route vermeiden, aber sein
Reiseplan zwang ihn, diese Linie zu benützen. Seit einigen
Jahren waren die Züge der Takayama-Hauptlinie immer voll
mit jungen Leuten, die in ganzen Scharen ins Hida-Gebirge
fuhren. Aber heute war ja ein Wochentag, da würde es wohl
nicht so schlimm sein.

Gewöhnlich nahm er morgens noch ein Bad, aber heute

fehlte die Zeit dafür. Und überdies war das Bad in diesem Hotel nur eine dieser genormten Naßzellen aus Plastik; nach europäischem Muster befanden sich Badewannen, Kloschüssel und Waschbecken eng gedrängt in ein und demselben Kabuff. Als Abe noch jung war, hatte ihm so etwas genügt, aber jetzt mochte er es ganz und gar nicht mehr.

Das Hotelzimmer selber kam ihm auch irgendwie sonderbar vor, und als er genau nachschaute, entdeckte er, daß der Raum kein Fenster hatte: An der Stelle, wo man ein Fenster erwartete, hing ein großer Spiegel.

Während er mit einem zunehmenden Gefühl der Beklemmung seine Kleidung anlegte, konnte er sich in voller Körpergröße im Spiegel betrachten. Besonders gut sah er nicht aus. In letzter Zeit hatte er an sich die Zunahme der Bauchgegend beobachtet, eben die übliche Beleibtheit eines Mannes, der in die mittleren Jahre kam. Seine Frau hatte schon gesagt: »Du siehst jetzt wirklich wie ein netter lieber Onkel aus!« Nun ja, die Zeiten, da er mit jungen Mädchen schäkern konnte, waren ja vorbei, und er wollte das ja auch gar nicht mehr. Also war es sinnlos, noch auf seine Figur zu achten.

Nach der Abmeldung im Hotel schlenderte er durch die Innenstadt von Gifu zum Bahnhof. Im Bahnhof herrschte größeres Gedränge, als er vermutet hatte. Junge Männer, die wie Studenten aussahen, und junge Mädchen, die auf den ersten Blick als Büroangestellte auf einer Gruppenreise zu erkennen waren, wimmelten durcheinander. Kôji Abe schnalzte enttäuscht mit der Zunge: Er hatte sich die Sache mit dieser Fahrt doch zu einfach vorgestellt. Als er am Schalter fragte, für welchen der Schnellzüge, die noch vor dem Abend in Toyama ankamen, man ihm einen Platz reservieren könne, mußte er hören, alle reservierbaren Plätze seien schon belegt. Widerwillig kaufte er also eine Fahrkarte für einen Waggon ohne Platzreservierung und nahm einen Schnellzug, der eine Viertelstunde später eintraf.

Ironischerweise gab es im Waggon ohne Platzreservierung jede Menge freier Plätze. Das war eben so eine Entwicklung der jüngsten Zeit: Alles drängte in die Erste Klasse, alle rissen sich um die reservierbaren Plätze. Als Abe kürzlich auf einem Schiff gefahren war, war es ebenso gewesen: Die Erste und die Extra-Klasse waren knüllevoll gewesen, die Zweite Klasse nahezu leer. Während er sich daran erinnerte, suchte er sich einen guten Fensterplatz aus, legte seinen Koffer in die Gepäckablage und stützte sich mit den Ellbogen auf den Fenstersims.

Der Zug setzte sich in Bewegung. Geistesabwesend starrte Kôji Abe durch das Wagenfenster auf die vom Sonnenlicht übergossene Landschaft. Wie er zuvor befürchtet hatte, mußte er vom Zeitpunkt der Abfahrt an wahrnehmen, wie in seinem Innern, einem dunklen Schatten gleich, dieses seltsame Unbehagen aufquoll. Was er zuvor befürchtet hatte, war genauso eingetroffen: Langsam, aber sicher erwachte die Erinnerung in ihm. Er hatte es schon vergessen gehabt — nein, er hatte sich nur eingebildet, es vergessen zu haben. Deshalb war er ja heute so mutig in den Zug der Takayama-Hauptlinie eingestiegen, obwohl er es so lange vermieden hatte, mit ihr zu fahren. Kehrten die Eindrücke jener Zeit vielleicht deshalb so klar zurück, weil es die gleiche Jahreszeit war wie damals — Herbst?

Dies war erst das zweitemal in seinem Leben, daß Kôji Abe mit der Takayama-Hauptlinie fuhr. Das erstemal war schon lange her — vor etwa acht oder neun Jahren, aber ihm schien das ferne Vergangenheit. Ja, fernste Vergangenheit mußte es sein. Um das schreckliche Erlebnis von damals verdrängen zu können, mußte er sich einreden, es sei vor langer Zeit geschehen und habe mit der Gegenwart nicht das Geringste zu tun — ja, so mußte er es sehen.

Eigentlich wollte er sich nicht daran erinnern. Aber trotzdem hatte Abe, ehe er sich's versah, den Faden der Erinnerung aufgenommen und folgte ihm jetzt in die Vergangenheit. Damals ... — damals war Hida noch kein so ungemein beliebtes Reiseziel gewesen wie heute. Damals waren die Züge noch teils von Dampfloks, teils von Dieselloks gezogen worden. Und er selber, Kôji Abe, war damals noch jung gewesen ...

In den ersten zwei, drei Jahren nach Eintritt in das Berufsleben bleibt, ob man es zugibt oder nicht, in irgendeinem Winkel des Gemüts noch allerhand von den Gefühlsregungen des Studentenlebens zurück. Eine solche Regung veranlaßte Abe damals, an eine Dienstreise noch schlauerweise einen kleinen privaten Abstecher anzuhängen. Da der Tag, an dem er damals Aufgaben in Gifu erledigt hatte, der Vorabend zweier aufeinanderfolgender Feiertage gewesen war, dachte er, hier böte sich die Möglichkeit, noch volle zwei Tage seine Reise auszudehnen, und deshalb mußte er unbedingt noch diese zwei Tage verreisen.

Noch am späten Abend streifte er auf der Suche nach einer billigen Unterkunft in Gifu umher, bekam irgendwo ohne Voranmeldung ein Zimmer, und am frühen Morgen des folgenden Tages eilte er von der Pension zum Zug. Sein Ziel war die im Hida-Gebirge gelegene Stadt Takayama.

Schon als Student hatte er immer einmal diese Stadt besuchen wollen, ohne jedoch Gelegenheit dazu gefunden zu haben. Wenn man das Hida-Gebiet gründlich anschauen will, dann braucht man schon einige Tage; er wußte gut, daß er sich schon sehr anstrengen mußte, wenn er in diesen zwei Tagen wenigstens die wichtigsten Sehenswürdigkeiten betrachten wollte.

Takayama im Hida-Gebirge ist in Japan berühmt als eines von verschiedenen ›Klein-Kyôtos‹. Warum Abe, der in Ôsaka geboren war und auch bei einer in Ôsaka befindlichen Firma arbeitete, ausgerechnet nach Takayama fahren wollte, mag auf den ersten Blick unverständlich erscheinen. Aber er selber hatte einen triftigen Grund für gerade dieses Reiseziel.

Die Leute in Tôkyô bezeichnen die Region von Kyôto, Ôsaka und Kôbe ganz einfach mit dem Wort ›Kansai‹, ›Land westlich des Grenzpasses‹, im Gegensatz zu ›Kantô‹, der östlichen Region um Tôkyô (dessen Name ja ›östliche Hauptstadt‹ bedeutet). Aber was der Name ›Kansai‹ umfaßt, kann man eigentlich nicht als einheitlichen Begriff mit einem einzigen

Wort ausdrücken. Schon diese drei Städte Kyôto, Ôsaka und Kôbe haben jeweils ihre völlig eigenen Sitten und Gebräuche. Und auch von den Provinzen Nara, Shiga und Wakayama hat jede ihre besonderen Eigenarten. Und da jede dieser Gegenden in der langen Geschichte ihr eigenes, besonderes Lebensgefühl entwickelt hat, erweist sich die Kansai-Region, wenn man sie näher betrachtet, als sehr vielfältig und komplex.

Abe hatte einmal einen sehr interessanten Vergleich gelesen, den ein in Kansai geborener Essayist angestellt hatte: Nach Meinung jenes Mannes bestehen zwischen Tôkyô und Kansai ähnliche Unterschiede wie zwischen Amerika und Europa; d. h. wenn man von Amerika sagen kann, daß es alles, was ringsum zu finden ist, aufsaugt, in den Schmelztiegel wirft und dann aus den verschiedenen Kulturen der Ursprungsländer einen eigentümlichen, kolossalen neuen Kulturkreis schafft, so trifft dies auch genau auf Tôkyô zu. Im Gegensatz dazu bewahrt in der Kansai-Region jeder Ort sorgsam seine eigenen Traditionen, steht manchmal im Gegensatz zu anderen, benachbarten Orten, arbeitet manchmal mit ihnen zusammen, will aber nie die seit langer Zeit gewohnten Besonderheiten aufgeben, so daß man durchaus sagen kann, die Kansai-Region insgesamt sei ein Kulturkreis mit einer ganzen Anzahl von verschiedenen Kernen und Zentren — ganz ähnlich wie in Europa. Nun, zumindest damals, ein paar Jahre nach Inbetriebnahme der neuen Tôkaidô-Superexpreß-Linie zwischen Tôkyô und Ôsaka, hielt man einen solchen Vergleich für ziemlich treffend. Aber lassen wir diesen etwas schwierigen Vergleich der Kulturen von Ost- und Westjapan, denn hier zumindest ist er unerheblich.

Kôji Abe war ein Mensch aus Ôsaka. Wenn es um die alten Kaiserstädte geht, dann mögen die Leute von Ôsaka die ältere Hauptstadt Nara lieber als Kyôto. Das kommt daher: Wenn Leute aus Ôsaka mit Leuten aus Kyôto zusammentreffen, dann betonen letztere, sie stammten aus der alten Kaiserstadt und hätten deshalb echte Kultur; was aber Ôsaka anlangte, so sei dies lediglich ein Sammelbecken für den Abschaum von Kyôto, eine Masse vulgärer Kerle, die an nichts anderes dächten, als sich in der Gegenwart den Bauch vollzuschlagen. Ja, so verächtlich reden die Leute von Kyôto über Ôsaka. Die Leute von Ôsaka würden gern darauf antworten: Nur weil es einen solchen geschäftstüchtigen Ort wie Ôsaka gibt, kann sich die Kansai-Region überhaupt ernähren. Da aber ein solches Argument bei der Gegenseite nicht sonderlich beliebt ist und als albern abgetan wird, schweigen die Leute von Ôsaka lieber. Sie parieren lieber mit dem Satz: »Was soll das heißen, immer nur ›Kyôto, Kyôto‹! Wurde denn Kyôto nicht erst nach Nara erbaut?« Und deshalb gehen die Leute von Ôsaka gerne nach Nara, um die dortigen Tempel zu besuchen, aber nicht gerne nach Kyôto. Und wenn sie schon mal nach Kyôto gehen, dann wollen sie dort nicht lange bleiben, und am liebsten gehen sie sowieso nur in einer geschlossenen Gruppe dorthin. Tja, so ist die Sache mit Kyôto und Ôsaka.

In diesem Sinne gehörte Abe also zur Nara-Partei. Aber er hätte gelogen, wenn er behauptet hätte, daß er sich von der Stadt Kyôto nicht doch angezogen fühlte. Andrerseits, wenn er nach Kyôto fuhr, konnte er die Eigenheiten der Einwohner von Kyôto nicht ertragen; deshalb war es seine Gewohnheit geworden, besonders gern diejenigen Städte zu besuchen, die man mit dem Beinamen ›Klein-Kyôto‹ belegt hatte. Meinte er vielleicht, in einem ›Klein-Kyôto‹ würde man auf ihn, den Mann aus Ôsaka, nicht so verächtlich herabsehen? Mit einem solchen Gedanken amüsierte er sich über sich selbst.

Takayama im Hida-Gebirge — das muß eine wirklich schöne Stadt sein! dachte er.

Jetzt saß er in dem Zug, der ratternd nach Takayama fuhr. Die Landschaft draußen entsprach seiner Erwartung. Seine Augen folgten den Windungen eines sich schlängelnden Flusses; von Zeit zu Zeit konnte er das Flußbett sehen: der Sand war blendend weiß.

Seine Gefühle hatten sein jetziges Angestelltendasein hinter sich gelassen; er kam sich wieder wie ein Student vor — frei und ledig von allen Pflichten und Verantwortlichkeiten. Dieses Gefühl von Freiheit stieg warm und lustvoll aus seinem Unterleib empor.

Ja, jetzt bin ich wirklich frei! Wenigstens für diese zwei Tage bin ich kein Angestellter! So sagte er sich immer wieder und aß aus der Imbißschachtel, die er auf dem Bahnhof von Gifu gekauft hatte.

3

Die Frau stieg in Mino-ôta ein. Sie stand eine Weile auf der Plattform und spähte in den Waggon. Dann kam sie herein und setzte sich Abe schräg gegenüber.

Fein! dachte er. Denn als sie eingestiegen war, hatte er erkannt, daß es sich um eine Frau von seltener Schönheit handelte. Jedoch, mit dem Gedanken ›Fein!‹ war keine geheime Absicht auf ein Abenteuer verbunden. Da er noch ein lediger junger Mann war und somit allein reiste, wünschte er sich eben einen Gesprächspartner für die Fahrt, am besten einen Gesprächspartner, mit dem er sich verstand. Und noch schöner wäre es natürlich, wenn als Gesprächspartner eine junge Frau in Frage käme — nur so weit gingen seine Erwartungen. Und jetzt hatte sich plötzlich die Möglichkeit ergeben, daß vielleicht diese Erwartungen aufs Schönste in Erfüllung gingen.

Die Frau blickte durch das Fenster nach draußen, während ihr Körper vom Rütteln des Zuges schwankte. Abe warf ihr verstohlene Blicke zu: Sie war wirklich eine Schönheit.

Abe hatte stets Männer verachtet, die bei Frauen nur auf das schöne Gesicht schauten. Überhaupt Schönheit — das war doch, meinte er, nur eine Frage des Geschmacks und der subjektiven Einstellung des Betrachters. Und hatte man einmal einer Frau unbesonnenerweise gesagt, sie sei schön, dann bildete sie sich ein, daß dies stimme, hielt es für völlig selbstverständlich, daß man viel Wesens von ihr machte, und fand gar nichts besonderes mehr dabei — und war damit verwöhnt, letztlich verdorben. So war es lange Zeit Abes Meinung gewesen. Als er aber jetzt die Frau ihm gegenüber anschaute, kam er zu dem Schluß, seine bisherige Meinung sei nur der Gedanke eines Mannes gewesen, der einfach noch keine Vertreterin des anderen Geschlechts getroffen hatte, die seinen Vorstellungen entsprach.

Sie war vielleicht so alt wie Abe, oder etwas jünger. Doch nein — bei Frauen konnte man ja überhaupt das Alter kaum erraten. Ihn beeindruckte ihre fast durchsichtige weiße Haut, die ihm das Gefühl gab, er könne etwa oberhalb ihrer Stirn jedes einzelne Haar schon vom Haaransatz her unterscheiden. Und ihre Augen — diese Augen waren außerordentlich tief, so als könnte ein anderer Mensch in ihnen versinken.

Halt! Er bemühte sich, nicht den Kopf zu verlieren. Darf ich mich denn so schnell von dieser Frau da faszinieren lassen? Ist es nicht angebracht, sie etwas kritischer zu betrachten? Sonst würde doch meine ganze bisherige Haltung Lügen gestraft! Das wäre doch unter meiner Würde! Das ist doch lächerlich, sich von einer Frau so hingerissen zu fühlen, die man lediglich im Zug zufällig getroffen hat! . . . Ja, ja, so ist das — junge Männer lassen sich oft täuschen von den etwas melancholischen Augen und den gedankenverlorenen Blicken einer solchen Frau. Benimmt sich eine Frau ein wenig schwermütig, dann fühlen sie sich gleich verpflichtet, ihr irgendwie zu helfen. Ja, so sind die jungen Männer . . . Ich darf mich nur ja nicht von ihr um den Finger wickeln lassen!

Aber — sie entsprach ja seinem Geschmack. Nein! Während seine Gedankengänge ihm selbst schon komisch vorkamen, bemühte er sich, an ihr irgendeinen Mangel zu finden.

Aus diesem Blickwinkel gesehen sieht diese Frau gut aus. Die meisten der sogenannten schönen Frauen haben auf einmal ein ganz mittelmäßiges Gesicht, wenn sie sich — kurz nachdem man sie als einzigartige Schönheit betrachtet hat — für einen Augenblick zur Seite wenden. Oder zum Beispiel wenn sie etwas sagen oder wenn sie lachen, dann werden ihre Gesichter seltsamerweise irgendwie maskenhaft oder gewöhnlich. Auch diese Frau muß solch einen noch nicht entdeckten Mangel haben, denn eine ungewöhnliche Schönheit taucht nicht so zufällig auf wie die hier.

Aber Abe fand trotz aller Bemühungen nichts, was den Eindruck ihrer Schönheit zunichte gemacht hätte.

Trotzdem wollte er es noch nicht aufgeben, sich der von ihr ausgehenden Faszination zu entziehen. Er verlangte danach, etwas an ihr aussetzen zu können, zum Beispiel: Schöne Frauen haben meistens ein längliches, ovales Gesicht; diese Frau dagegen hatte ein rundliches Gesicht. Ihre Körperproportionen waren keineswegs außergewöhnlich. Ihr einfaches Kostüm stand ihr gut, aber es sah doch etwas billig aus ...

Als er fortfuhr, sie zu mustern, fühlte er sich noch mehr von ihr angezogen. Was soll das heißen — ein rundliches Gesicht? Und daß ihre Proportionen nicht vollkommen sind — gibt es denn in Japan überhaupt Frauen mit vollkommen harmonischen Proportionen? Und daß ihr Kostüm anscheinend billig ist, das bedeutet doch nur, daß sie nicht reich ist!

Diese Gedanken gingen ihm immer wieder durch den Kopf. Zu diesem Zeitpunkt war Abe schon längst von dieser Frau gefesselt. Hatte sie bislang so getan, als beachte sie ihn nicht, so hob sie jetzt die Augen und blickte ihn fragend an. Er fühlte sich ertappt, seine Kehle schnürte sich zu, und er brachte kein Wort heraus. Verlegen schaute er ihr ins Gesicht.

Sie lächelte ganz leicht und wandte ihren Blick wieder der Landschaft zu. Abe machte sich heimliche Vorwürfe: Jetzt wäre die Chance gewesen, sie anzureden! Ihm blieb nichts anderes übrig, als sich ebenfalls der Betrachtung der draußen vorbeiziehenden Landschaft zu widmen.

Diese Reise sollte ja sowieso eine allein zu genießende Fahrt nach Takayama im Hida-Gebirge sein. Also brauchte er sich doch gar keine besondere Mühe zu geben, um die ihm gegenübersitzende Mitreisende anzusprechen ... Natürlich wußte er, daß er mit solcher Rechtfertigung seiner angeborenen Schüchternheit nur seine Unterlegenheit beschönigte. Geistesabwesend starrte er nach draußen; allmählich drang die Landschaft wieder in sein Bewußtsein.

Das da draußen war schon die Hida-Gegend, sogar die Landschaft von Hida im Herbst. Auf der Böschung, die von Zeit zu Zeit bis zur Höhe der Zugfenster anwuchs, ließ der Fahrtwind die dicht stehenden Stielblütengräser wie wimmelnde Wellen wehen. Hinter den schrägen Reisfeldern, die plötzlich in sein Blickfeld kamen, erhoben sich Bergketten, über denen weiße Wolkenfetzen schwebten, als sei hier in Hida die Zeit stehengeblieben.

Ein plumpsendes Geräusch ließ Abe auffahren. Der Zug hatte seine Geschwindigkeit vermindert; deshalb war die Handtasche der Frau, die jetzt zu schlafen schien, heruntergefallen. In einer gewohnheitsmäßigen Reaktion hob er, sich so schnell wie möglich bückend, die Handtasche auf und gab sie der Frau zurück, die soeben aufgewacht war.

»Oh, danke!« sagte sie und nahm die Tasche an sich. Ihre Stimme war überraschend tief und weich.

»Bitte!« In dieser konventionellen Antwort versuchte er so viel Liebenswürdigkeit wie möglich mitklingen zu lassen. Sie zeigte das gleiche feine Lächeln wie vorhin und fragte ihn dann:

»Wohin fahren Sie denn?« Sie sprach hochjapanisch; genauer gesagt, die Sprache der Schulbücher war für Abe, der aus Ôsaka stammte, das Hochjapanische. Der Akzent der Frau klang eher nach Tôkyô als nach der Kansai-Gegend, aber Abe konnte nicht erkennen, ob die Frau tatsächlich aus der Kantô-Gegend um die Hauptstadt stammte, oder ob sie vom Hida-Gebirge war und nur besonders gut hochjapanisch sprach.

»Meinen Sie mich?« fragte Abe zurück, denn er wußte nicht recht, was er antworten sollte. Bei genauerer Überlegung wußte er ja noch gar nicht, in welchem Gasthof er absteigen, welche Route er nehmen wollte. Bisher hatte er ja nur einfach nach Takayama im Hida-Gebirge fahren wollen ... Trotzdem antwortete er dann:

»Ich möchte zunächst mal ... nach Takayama fahren und dann ... — über das Weitere habe ich mich noch nicht entschieden.«

»Ach, dann sind Sie also zum erstenmal in der Region von Takayama?«

»Ja!« Endlich, dachte er, kann ich mit ihr ein Gespräch anfangen! Und er fragte sie: »Und Sie?«

»Ich? Ich fahre ins Innere des Hida-Gebirges.«

Er schaute sie fragend an.

»In dem Gebiet von Takayama bis zum Fuß der Japanischen

Nordalpen gibt es viele heiße Quellen. Ich fahre zurück nach Bad Hirayu.« Und dann fügte sie noch hinzu: »Aber eigentlich stamme ich aus Tôkyô.«

Während dieser Unterhaltung war der Zug, der vorher schon die Fahrt verlangsamt hatte, zum Stehen gekommen; einige neue Fahrgäste drängten sich in den Waggon.

»Ist hier noch ein Platz frei?« fragte jemand. Neben ihnen stand ein Mann in mittlerem Alter mit einer Aktentasche unter dem Arm. Zwar hatte der ihr Gespräch gestört, aber Abe antwortete unwillkürlich mit »Ja«.

Die Frau warf einen kurzen Blick auf den Neuankömmling und rückte dann zum Fenster. Der Mann setzte sich schweigend neben sie. Er nahm nicht nur den Platz bei ihnen ein, sondern musterte noch mit abschätzig forschenden Blicken Abe und die Frau, deren Gespräch abgerissen war. Dies war Abe zuwider, hatte der Mann sie doch gerade in dem Augenblick unterbrochen, als er gerade mit der Frau die Unterhaltung begonnen hatte. Wirklich zuwider — er konnte diesen Mann ganz und gar nicht ausstehen.

Dieser Kerl war der ›Mann im mittleren Alter‹, wie er leibt und lebt. Seine Erscheinung war von Banalität geprägt: Eine Brille auf der Nase, untersetzte, etwas füllige Gestalt, mit einem Gesichtsausdruck, der ihn klug erscheinen lassen soll und doch nur verrät, daß er ein stumpfsinniger Mensch ist. Schaute man ihn genau an, dann sah man, daß sein dunkler Anzug schon abgetragen war, dazu eine dünne gestreifte Krawatte . . . Männer dieses Typs gab es in Abes Firma einige. Die Arbeit ist ihr ein und alles, aber was im menschlichen Leben wirklich wichtig ist, das begreifen sie nicht, diese Abteilungsleiter oder Gruppenleiter . . . Ja, dieser Mann war genau dieser Typ. Ein Prachtstück von Mann in den mittleren Jahren mit einem Fettnacken, wie die jüngeren Angestellten meinten.

Heute ist doch ein Feiertag! dachte Abe. Aber diese Leute können mit einem freien Tag nichts anfangen. Die kennen bloß ihre Arbeit. Über den Schrebergarten ihrer beruflichen Beschäftigung geht ihr Horizont nicht hinaus.

Ob nun diese Gefühle, die Abe hegte, auf seinem Gesicht zu

erkennen waren oder nicht, das war belanglos, denn selbst wenn seine Miene seine Empfindungen nicht verraten hätte — man spürte doch trotzdem intuitiv die Gefühle von Zu- und Abneigung.

Ohne gleich etwas zu sagen, warf dieser Mann Abe einen Blick zu. Aha, der ließ seine Gefühle erst mal tief im Inneren aufquellen und hob sie lieber auf, um später um so hinterlistiger ihm eins auszuwischen, als daß er sie jetzt gleich zeigte. Dieser stumme Zweikampf dauerte einige Minuten.

»Nun«, sagte die Frau unvermittelt, während sie Abe direkt ins Gesicht blickte, »wenn es Ihnen paßt, kann ich Sie durch die Altstadt von Takayama führen.« Sie ignorierte den älteren Mann neben ihr völlig und tat so, als sei er gar nicht vorhanden. Abe jedoch war nicht fähig, es ihr gleichzutun und den anderen Mann zu ignorieren. Als er nach einer Atempause ansetzte zu antworten, fragte der Mann, ohne sich direkt an einen von beiden zu wenden:

»Sind Sie auf einer Reise?«

»Ja.« Abe antwortete nur aus bloßer Höflichkeit und nickte kurz.

»Die jungen Leute von heute haben es gut«, sprach der andere seelenruhig weiter, »wenn es nur irgendeine Möglichkeit gibt, dann gehen sie so einfach auf die Reise, ganz unbekümmert.«

Abe fühlte, wie geballter Ärger in ihm hochstieg. Der da glaubte wohl, wenn andere sich in seiner Nähe unterhielten, könne er sich einfach in das Gespräch einmischen. Oder war es vielleicht anders? Merkte dieser Mann, wie sich zwischen der Frau und Abe eine Beziehung anbahnte, und wollte er sie deshalb mit dem typischen weitschweifigen Geschwätz eines nicht mehr jungen Mannes stören? Sagte er sich vielleicht: Wenn ich mit meinem Gerede das Gespräch dieser beiden abwürgen kann, habe ich schon etwas erreicht, und wenn ich selber in das Gespräch hineingezogen werde, dann ist es ein unerwarteter Gewinn?

»Na, ist das nicht so?« sagte der Mann zu der Frau. »Ihr verbraucht doch die Hälfte eures Gehaltes für Glücksspiele und

Reisen, nicht wahr?« Seine Sprechweise wurde allmählich vulgär, und außerdem nahm er eine Haltung ein, als wolle er die Frau ausgiebig von der Seite her beäugen. Ja, genauso lief das — dieser Mann da hatte es von Anfang an darauf abgesehen, die Frau anzusprechen. Mich hat er nur angesprochen, um sich eine Gelegenheit dafür zu schaffen, dachte Abe, während er sich gleichzeitig fragte, ob er da nicht in eine Art Verfolgungswahn gerate.

Die Frau hatte für den anderen Mann nicht einen Blick übrig. Sie nickte Abe zu und setzte ihren Vorschlag von vorhin fort: »Ich glaube, ich bin keine schlechte Führerin zu den Sehenswürdigkeiten.« Indem sie den anderen Mann völlig ignorierte, forderte sie Abe auf, es ihr gleich zu tun. Das kam Abe natürlich ganz gelegen.

»Also dann, ich bitte Sie darum, daß Sie das tun!« Er legte mehr Begeisterung in seine Stimme als eigentlich angebracht war, während er sich der Anwesenheit des anderen, der ihn schief anblickte, überdeutlich bewußt war.

»Abgemacht!« Die Frau lachte leise und griff nach seiner Hand, um sie zum Zeichen des Einverständnisses zu schütteln. »Ich heiße Mayumi — Mayumi Harugawa.«

Er erwiderte ihren Händedruck und sagte: »Ich heiße Kôji Abe.«

»Kôji?«

»Ja«, antwortete er, und ein leicht taumeliges Gefühl überkam ihn, daß die Sache so schnell ihren Lauf nahm, wenn auch dieser andere Mann da wie eine Art Katalysator gewirkt haben mochte. Zwar waren die Umstände außergewöhnlich, aber trotzdem konnte er es kaum glauben, daß er tatsächlich schon die Hand einer jungen Frau gedrückt hatte, die er gerade erst im Zug getroffen hatte.

Der andere Mann sagte nichts mehr und schaute mit einem Gesichtsausdruck schlecht verhehlter Verstimmung zur Seite. Wenn ein Vorgesetzter oder ein dienstälterer Angestellter eine solche Miene aufsetzte, dann wurde Abe immer ganz unbehaglich zumute, hier und jetzt aber war ihm das völlig egal.

Der andere stieg an der Station Gero aus; beim Verlassen des

Wagens rümpfte er verächtlich die Nase und sagte, während er die beiden anblickte, verächtlich: »Das Benehmen der jungen Leute von heute ist derart unerhört, daß einem einfach die Spucke wegbleibt.«

Ha, quatsch nur daher, was du willst, du alter Schwachkopf! dachte Abe. Die Frau, die sich als Mayumi Harugawa vorgestellt hatte, überhörte völlig die geringschätzige Bemerkung des Aussteigenden. Für sie hatte es die ganze Zeit über diesen Mann in mittlerem Alter überhaupt nicht gegeben.

4

Es war noch Vormittag, als der Zug in Takayama ankam. Abe gab nur schnell sein Gepäck bei der Aufbewahrung ab — Mayumi hatte nur eine Handtasche bei sich —, dann schlenderten sie durch die Stadt Takayama.

Der Widerschein der Herbstsonne lag auf den ruhigen Häuserreihen der Stadt, und beiden kam es fast heiß vor. Auf der Straße zog Mayumis Schönheit die Aufmerksamkeit anderer Leute auf sich. Abe bemerkte, daß einige Leute beim Vorübergehen sich nach ihr umwandten. Das störte ihn keineswegs.

»Zuerst besuchen wir einmal drei oder vier Hauptsehenswürdigkeiten«, sagte Mayumi, »dann haben Sie eine gewisse Vorstellung von der Stadt, und dann können wir noch entscheiden, was wir danach unternehmen wollen, oder?«

»Ja, machen wir's so.«

»Leihen wir uns Fahrräder?«

»Fahrräder? Wieso?«

»Damit können wir die Stadtbesichtigung schneller hinter uns bringen.«

»Nein«, Abe schüttelte den Kopf, »jetzt, wo ich endlich einmal in Takayama bin, möchte ich die Atmosphäre dieser Stadt in aller Ruhe genießen.«

»Aber für einen Rundgang in der Stadt braucht man gut einen ganzen Tag!«

»Ach, wir schauen uns eben nur einige ganz bedeutende

Sachen an. Ich will diesmal nicht schon alles anschauen. Lassen wir etwas übrig, für nächstesmal, wenn ich wieder hierherkomme!«

»Bis Sie wieder hierherkommen?« fragte Mayumi, wobei sie Abe einen seltsamen Blick zuwarf und kicherte.

»Ist daran etwas komisch?«

»Nein, nein.« Sie zog die Schultern hoch.

»Nun, das jedenfalls ist der Grund, weshalb ich nicht so unmäßig sein will, alles auf einmal anzuschauen«, sagte er, und sie schien zunächst etwas enttäuscht zu sein, dann aber willigte sie ein, »Also gut!« und ging wieder neben ihm.

Als erstes besuchten sie einen Tempel, den Kaiser Shômu*, einer der großen Förderer des Buddhismus in Japan, gestiftet hatte.

»Der untere Teil dieses Torbaus mit dem Glockenturm stammt von der Burg Takayama, die — bevor sie in den Besitz der Reichsregierung kam — Sitz des Clans der Kanamori war. Der obere Teil wurde in der Hôreki-Ära** dazugebaut. Noch genauer wird das alles auf der Tafel erläutert, die dort . . .« In dieser Art begann Mayumi ihre Erklärungen. Abe hatte zwar einige allgemeine Kenntnisse über diese Stadt, aber Mayumi wußte alles viel ausführlicher und genauer. Na ja, das ist doch eigentlich natürlich, dachte er, innerlich lächelnd, und hörte ihr zu.

Sie gingen durch das Tor in dem Glockenturm; vor der linken Seite der Haupthalle, die in der Muromachi-Epoche*** erbaut worden war, stand ein riesengroßer Ginkgo-Baum, dessen Alter auf etwa 1200 Jahre geschätzt wurde.

Vor 1200 Jahren — das ist ja schrecklich lang her . . . Abe versank vor dem Baum in tiefes Nachdenken. Wenn man diese Angabe über sein Alter glaubt, dann war zu der Zeit, als dieser Baum hier jung war, die Hauptstadt noch gar nicht von Nara nach Kyôto verlegt. Tja, Kyôto, das sich heute so stolz »die

---

* Kaiser Shômu (706—756).
** Hôreki-Ära (1751—1756).
*** Muromachi-Epoche (1390—1573).

alte Kaiserstadt« nennt, war also damals noch gar nicht kaiserliche Hauptstadt oder sonst irgendwas ...

»Was gibt's denn?« fragte Mayumi. Auf ihrem Gesicht zeigte sich Ungeduld.

»Nein, nichts«, erwiderte Abe und kam wieder in die Gegenwart zurück.

»Ich erkläre Ihnen alles, aber Sie hören gar nicht zu«, sagte sie.

»Verzeihung!« bat er. »Aber — ist das nicht auch eine der Freuden einer Reise, daß man da mal sich tief in Gedanken verlieren darf, oder nicht?«

»So?« murmelte Mayumi.

Abe stutzte. Ihr Gesicht erschien ihm jetzt wider Erwarten hart. Ist sie böse auf mich? Vielleicht ... Er glaubte, auf Mayumis Zügen einen Schatten wahrzunehmen, aber das hielt nur eine kurze Zeit an.

»Gehen wir dann weiter?« forderte sie ihn auf, mit der gleichen munteren Stimme wie zuvor. »Gehen wir in den Stadtteil Kamisan-no-machi und besichtigen wir dann die frühere Residenz des Statthalters von Takayama.«

»Gut.«

Sie gingen alles zu Fuß. Abe spürte, daß die Herbstsonne ihn schwitzen machte. Er wurde müde. Gestern hatte er ja bis spät in die Nacht nach einem Quartier gesucht, nicht sehr viel geschlafen und heute in aller Herrgottsfrühe den Zug genommen. Und überdies — für eine Frau ging Mayumi ziemlich schnell.

»Warten Sie doch bitte einen Augenblick!« sagte er und wischte sich den Schweiß von der Stirn.

Mayumi hielt an und beobachtete ihn.

»Sie sind noch sehr munter«, sagte er, aber dann hatte er den Eindruck, daß sie doch nicht mehr so munter war: Auf ihrem Gesicht zeigte sich Müdigkeit; ihre sowieso schon großen Augen hatten sich etwas geweitet, und ihre Schultern schienen spitzer zu sein als vorher. Warum sie schon müde sein sollte, konnte Abe sich kaum vorstellen (und wollte es auch nicht), aber es mußte doch Müdigkeit sein. Er sprach jedoch diese seine Gedanken nicht aus, nickte nur kurz und ging dann weiter. Mayumi verlangsamte ihre Schritte nicht.

Bald kamen sie in den Stadtteil Kamisan-no-machi, wo alte Häuser aneinandergereiht standen: Eine Sake-Brauerei, ein Laden für alte Möbel, eine Herberge, und andere. Ohne daß es Mayumis Erläuterungen bedurfte, konnte Abe sich gut in die alte Zeit zurückversetzen, denn die vorspringenden Fenster mit ihren Holzgittern und die schmalen Wassergräben zu beiden Seiten der Straße waren aus der Edo-Zeit* fast unverändert zurückgeblieben.

Beim Vorübergehen an diesen alten Häuserreihen kamen Abe ironische Gedanken: Ein solcher Anblick weckt in den Japanern Wehmut nach der alten Zeit, aber vielleicht nur deswegen, weil wir jetzt in der sogenannten modernen Zeit leben. Er erinnerte sich, wie er als Jugendlicher immer gewünscht hatte, diese alten Städte mit ihren alten Gebäuden hinter sich zu lassen. Damals war sein Verlangen gewesen, dieses alte, weltabgewandte, mit traditionellen Sitten und Gebräuchen vollgestopfte Japan gleichsam abzuschütteln und sich in etwas ganz Neues, ganz Modernes zu stürzen. Aber jetzt hatte sich das geändert: Die Zuneigung zu dem kulturellen Erbe, das man aus den Augen verloren hatte, und die Sehnsucht, es wiederzufinden, wurde in der modernen Industriegesellschaft stärker. — Solchen Gedanken hing Abe nach, während sein Blick auf einen der Läden entlang der Kamisan-no-machi-Straße fiel, in denen Reiseandenken aus der Hida-Gegend feilgeboten wurden.

»Sind Sie schon wieder in Gedanken versunken?« fragte Mayumi in leicht vorwurfsvollem Ton. »Wenn Sie sich an einem einzigen Ort so viel Zeit lassen, dann kommt doch der ganze nachfolgende Zeitplan durcheinander.«

»Hören Sie doch bitte auf!« erwiderte Abe. Mayumis Drängen wurde ihm allmählich lästig. »Ich möchte eben die Stadt Takayama in dem mir gemäßen Tempo besichtigen.«

»Aber . . .«

---

* Edo-Zeit (1600—1868).

»Wenn Sie mich so oft drängen, dann gehen Sie doch schon mal voraus! Ich schau mich dann eben alleine um; das hatte ich ja sowieso am Anfang so geplant.«

Mayumi schwieg verblüfft, dann sagte sie, unerwartet kleinlaut: »Verzeihen Sie! Es tut mir leid. Ich werde nicht mehr quengeln.«

Abe antwortete nicht, sondern ging absichtlich langsamer als vorher. Mayumi schien etwas sagen zu wollen, unterließ es dann aber und ließ ihn gewähren. Sie brauchten viel Zeit, um das Kamisan-no-machi-Viertel zu durchqueren, und schließlich kamen sie an der früheren Residenz des Statthalters von Takayama an. Übergossen vom Licht der sich schon langsam neigenden Sonne stand da ein achtunggebietender Torbogen; dahinter konnte man eine prächtige Eingangshalle mit einer hölzernen Innenveranda sehen.

»Diese Residenz des Statthalters von Takayama war zuvor das Stadthaus der Burgherren von Takayama, der Fürstenfamilie Kanamori. Als das Lehen Hida in den Besitz der Reichsregierung kam, wurde der Sitz des Statthalters daraus«, erklärte Mayumi ganz ruhig, ungeachtet des vorherigen Wortwechsels.

Aus einer Broschüre, die sie beim Pförtner bekamen, erfuhren sie, daß bei der Neueinteilung der Reichslehen am 2. Jahr der Ära An-ei* dieser Statthalter in den Rang eines Oberstatthalters erhoben worden war, so daß er über ein Territorium mit einem Jahrestribut von hunderttausend Scheffel Reis herrschte.

»›Vogtei‹ nennt man gewöhnlich das Wohngebäude eines Vogts, aber nach diesem Büchlein hier bezeichnet man auch damit das Gebiet, das er verwaltete, und deshalb nennt man das Gebäude auch ›die Residenz des Statthalters‹. Ein gewöhnlicher Statthalter verwaltete ein Territorium bis zu fünfzigtausend Scheffel Reis; ein Oberstatthalter herrschte über ein Lehen von hunderttausend Scheffel. Gleichzeitig war er Zivilbeamter im sechsten Hofrang, und ein solches Tor entsprach

* 1773

seinem Rang. Während der Edo-Zeit, unter dieser strengen Regierung der Militärherrscher, da gab es sogar hinsichtlich der Gestaltung der Tore ganz strenge Regeln«, erzählte Mayumi.

Innen war es heller, als er vermutet hatte, aber er spürte, daß dies hier wirklich eine Statthalterresidenz war; in den großen Hallen mit ihren Schiebetüren und papierbespannten Wänden war etwas von der düsteren Strenge der Feudalzeit zurückgeblieben. Zwar wohnten hier keine Samurai mehr, aber das Haus hatte den Charakter einer Feudalresidenz bewahrt. Zwar hatte die Zeit die Schatten der Vergangenheit aufgelöst, aber trotzdem konnte Abe die Vorstellung nicht loswerden, das Haus würde sofort wieder zu seinem alten Leben erwachen, wenn die Samurai wieder hierher kämen und ihre Herrschaft wieder aufnähmen. Deshalb fühlte er sich erleichtert, als er gegenüber einem der offenen Verbindungsgänge einen Garten erblickte.

»Ruhen wir uns hier ein wenig aus?« schlug Mayumi vor, als sie zu dem Garten kamen, wo außer ihnen gerade niemand war. Abe hatte nichts dagegen. Er setzte sich neben sie, Schulter an Schulter, und blickte in den Garten. Der Garten dieser Residenz, von der aus 177 Jahre lang nacheinander zwölf Statthalter und 13 Oberstatthalter über die Bezirke von Hida und die angrenzenden Gebiete geherrscht hatten, schien seltsam durchsichtig. Aus einem kleinen Brunnenrohr plätscherte beständig das Wasser, und wenn Wind aufkam, raschelte das Laub der Bäume im Garten. Beide Geräusche wirkten wie aufeinander abgestimmt. Mayumi und Abe genossen eine Weile schweigend den Anblick des Landschaftsgartens.

»Verzeihen Sie bitte wegen vorhin!« sagte Mayumi unvermittelt.

»Oh, ganz meinerseits!« antwortete Abe ganz leise, als fürchte er die Stille der Umgebung zu stören.

»Jetzt fällt mir gerade ein«, begann sie wieder zu reden, allerdings nicht in einem so unschlüssigen Ton, als ob ihr das tatsächlich gerade erst eingefallen sei, sondern bemerkenswert wohlerwogen, »ich muß bis heute abend noch in Bad Hirayu sein. In diesem Tempo wie bisher kann ich heute nicht mehr viel zeigen. Wollen Sie nicht für heute Schluß machen und mit mir nach Bad Hirayu fahren? Sie können dann heute in Hirayu übernachten und morgen früh nach Takayama zurückfahren. Nachdem Sie schon einmal bis hierher gekommen sind, wollen Sie da nicht auch einmal das Innere des Hida-Gebirges besuchen?« Sie blickte nach oben und fügte noch an: »Natürlich nur, wenn Sie das wünschen!«

Abe schwieg einige Minuten. Er war überrascht; über so etwas hatte er noch nicht nachgedacht. Das Innere des Hida-Gebirges? Er hatte schon vom inneren des Gebirges gehört, mit seinen Skipisten und heißen Quellen, und er wußte, daß es eine heiße Quelle in Bad Hirayu gab. Aber — wenn er in das Hida-Gebirge fuhr, dann konnte er nicht in einer dieser alten Herbergen von Takayama mit ihren vorspringenden Holzgitterfenstern übernachten. Andrerseits lockte ihn auch dieses heiße Quellbad tief drinnen im Hida-Gebirge. Er überlegte stumm hin und her.

»Kommen Sie mit?« fragte Mayumi wieder. »Ich würde mich sehr freuen, wenn Sie mitkämen. Ich will mich noch nicht von Ihnen verabschieden. Und ich kann ja für Sie in Hirayu eine Unterkunft suchen, nicht wahr?«

Während ihre Schulter fast die seine berührte, flüsterte sie ihm zu: »Bitte!«

Abe wurde leicht verlegen. Warum ging die ganze Geschichte so schnell weiter? Warum lud sie ihn so eindringlich ein? Ihm wurde mit einemmal bewußt, daß diese Frau von Anfang an die Initiative ergriffen hatte, seit sie sich ihm im Zug gegenübergesetzt hatte. Konnte er daran zweifeln? Nein, alles war von ihr ausgegangen: Sie hatte sich im Zug nach ihm umgesehen, hatte sich zu ihm gesetzt, den Beginn des Gespräches in die Wege geleitet und von sich aus die Rolle der Fremdenführerin übernommen. Deshalb schien dieses Angebot jetzt kein plötzlicher Einfall zu sein. Hatte sie das nicht von Anfang an geplant? Es kam ihm jedenfalls so vor. Wollte also die Mayumi ihn verführen? Fühlte sie sich von ihm angezogen? Dieser Gedanke erschien ihm zwar selbstsüchtig, egoistisch und allzu hochgestimmt, aber offensichtlich hatte er damit nicht ganz unrecht.

»Nun, wie steht's?« fragte sie und schaute ihm ins Gesicht. Er erwiderte ihren Blick. Ihr Gesicht erschien ihm jetzt etwas hagerer als zuvor, die Backenknochen spitzer — lag es an den Schatten der sinkenden Sonne oder an der Erschöpfung durch das viele Laufen? Aber dieses Gesicht ließ ihn glauben, daß ihr Angebot viel ernster gemeint war, als es die Worte ausgedrückt hatten.

Ist doch ganz gut, dachte er, warum sollte ich ihr Angebot nicht annehmen? Wenn meine Vermutung, daß sie sich für mich interessiert, nicht stimmt, dann kann ich heute nacht wenigstens an der heißen Quelle im Inneren des Hida-Gebirges träumen. Und wenn meine Vermutung zutrifft ... Er wurde sich plötzlich bewußt, daß er sich gar nicht von ihr trennen wollte: ... dann brauche ich doch nicht zu zögern. Ich fahre einfach mit ihr mit.

»Also gut, ich komme mit!« Er nickte ihr zu; sie lächelte. Ihm schoß der Gedanke durch den Kopf, ihr Lächeln gliche mehr dem, das die Nô-Masken weiblicher Geistererscheinungen trugen, als dem, das der Maskentyp des fröhlichen Weibes zeigte.

»Also, wenn du dich dazu entschlossen hast — gleich wenn wir mit dem Stadtrundgang fertig sind, müssen wir direkt zur Bushaltestelle vor dem Bahnhof gehen«, sagte Mayumi beim Aufstehen, »wenn wir den Bus um drei Uhr verpassen, dann müssen wir bis halb fünf warten.«

5

Als sie am Bahnhof Takayama ankamen — auf Mayumis Drängen hin hatten sie sich beeilt —, war es schon drei Uhr vorbei, und der Bus nach dem Inneren des Hida-Gebirges fuhr gerade ab.

»Wir sind zu spät gekommen!« stöhnte Mayumi und starrte erbost hinter dem davonfahrenden Bus her. Dann ließ sie die

Schultern fallen und sagte leise, wie von Sorge gequält: »Was soll ich nur machen? Was soll ich nur machen? Ich schaffe es nicht, bis zum Abend zurückzukommen.«

»Na ja, es hat eben nicht geklappt. Nehmen wir einfach den nächsten Bus!« versuchte Abe sie zu trösten, obwohl er nicht wußte, aus welchem Grunde Mayumi es so eilig hatte.

»Ja«, antwortete sie heiser und bat ihn dann, die Fahrkarten für beide zu kaufen.

Am Schalter in dem Gebäude gleich neben dem Busbahnhof kaufte Abe zwei Fahrkarten nach Bad Hirayu. Dabei schaute er auf dem Fahrplan nach, der beim Schalter hing: Von Takayama bis Bad Hirayu fuhr man fast anderthalb Stunden. Bei dieser Jahreszeit und mitten im Gebirge — wenn wir um halb fünf abfahren, rechnete er sich aus, dann kommen wir dort erst nach der Abenddämmerung an, oder, wenn es gut geht, gerade bei Einbruch der Dämmerung. Aber er wußte ja nicht, warum es Mayumi so eilte.

»Wir haben noch viel Zeit!« sagte er nach einem Blick auf die Armbanduhr, als er mit seinem Gepäck von der Aufbewahrung zurückkam. »Schauen wir uns bis zur Abfahrt noch ein wenig in der Stadt um?«

»Nein!« Mayumi schüttelte den Kopf.

»Warum denn nicht?«

»Ich habe keine Lust mehr dazu.« Im Lichte der tief im Westen stehenden Sonne schien ihr Gesicht noch magerer, nein — sie schien nicht nur, sie war tatsächlich magerer als zuvor. Seltsam . . ., dachte Abe zum erstenmal.

»Was ist los? Ist etwas mit meinem Gesicht?« fragte Mayumi in vorwurfsvollem Ton, als sie seinen Blick wahrnahm. Ohne seine Antwort abzuwarten, ergriff sie seine Hand. »Gehen wir in ein Café?«

»In ein Café?«

»Ja, dort drüben ist ein schönes Café!« Das Lokal, in das sie ihn führte, war nur spärlich beleuchtet, so daß man kaum das Gesicht des anderen erkennen konnte. Als sie in einer hinteren Ecke Platz genommen hatten, begann Mayumi mit weiteren Erläuterungen über die Statthalterresidenz, die sie vorher zu sagen vergessen hatte. Es klang wie eine Vorlesung, aber ihre Stimme war heiser und erschöpft vom vielen Sprechen.

Als sie aufstanden, da der Bus bald kommen mußte, holte sie plötzlich ein Taschentuch heraus und hielt es vor den Mund.

»Was ist denn?«

»Ach, ich fühle mich nicht ganz wohl. Aber — das wird gleich vergehen«, antwortete sie, noch heiserer als zuvor.

Man konnte schon in den Bus einsteigen. Er war nur spärlich besetzt, aber auf Mayumis Wunsch hin setzten sie sich auf die letzten Plätze, Schulter an Schulter. Ihr Zustand hatte sich noch nicht gebessert; sie drückte immer noch das Taschentuch vor den Mund. Der Bus fuhr pünktlich ab, durchquerte die Stadt Takayama und kam dann auf die Landstraße zwischen den Feldern, die zu beiden Seiten rötlich im Abendlicht schimmerten. Ab und zu sah Abe ein Feld mit Tabakpflanzen — ein für ihn ganz ungewohnter Anblick.

Er blickt Mayumi von der Seite an. Sie verdeckte immer noch die Hälfte ihres Gesichtes mit dem Tuch.

»Wie geht es dir jetzt?«

Sie nickte nur mit dem Kopf.

»Wenn dir so schlecht ist, willst du dann nicht, daß der Bus kurz anhält, um ...« Das Wort ›auszusteigen‹ blieb ihm im Hals stecken. Ganz unerwartet entdeckte er Falten in ihrem Gesicht. Unter ihren Augen sah er ganz deutlich Falten, Krähenfüße. Etwa ein halbes Dutzend waren scharf in ihrem Gesicht zu erkennen.

Seltsam, dachte er. Na ja, zwar sagt man, ab vierundzwanzig oder fünfundzwanzig kämen die Falten, aber vorher hatte sie doch keine. Oder habe ich mich da getäuscht? Oder ist nur ihr Make-up abgegangen? Aber sie hatte sich doch kaum geschminkt!

»Du bist widerlich«, sagte Mayumi; ihre Stimme war durch das Taschentuch gedämpft. »Starr mich doch nicht so an! Mir ist so schlecht, ich lege mich hin.« Sie legte sich mit dem Oberkörper auf den freien Sitz neben ihr, den Kopf nach drüben.

Wenn das so ist, lasse ich sie eben in Ruhe, dachte Abe und

beobachtete nun die Landschaft durch das Busfenster. Die Straße stieg zu einer Paßhöhe hinauf und schlängelte sich immer höher. Er sah Birken, deren bislang weiße Stämme zu gilben begannen. Die Sonne war noch tiefer gesunken. Der Wind, der durch den Spalt des nicht ganz geschlossenen Fensters drang, war kalt. Im Bergschatten, wo der Sonnenschein nicht mehr hinkam, wurde es kühl. Der Bus kroch höher und höher.

Abe fragte Mayumi nach ihrem Befinden, aber sie winkte nur ärgerlich mit der Hand ab und bedeutete ihm, er solle sie in Ruhe lassen. Bald war es richtig Abend geworden, und jetzt fuhr der Bus bergab. Er hatte den Hirayu-Paß überquert und mußte bald in Bad Hirayu sein.

»Wir sind bald da!« Egal ob sie wollte oder nicht, er mußte sie jetzt wecken. Er wollte ihren Körper rütteln, da zuckten seine Hände mit einem kalten Schauder zurück: Während sie die untere Hälfte ihres Gesichtes hinter dem Taschentuch versteckte, starrte Mayumi ihn mit großen Augen an. Wenn es nur Augen gewesen wären! Zwei große dunkle Höhlen, in deren Tiefe etwas leuchtete ...

Mayumi richtete sich auf, ganz langsam, und dabei fiel das Tuch von ihrem Gesicht. Abe schrie auf (oder es kam ihm so vor, als habe er aufgeschrien), er war wie erstarrt und konnte sich nicht rühren: Das war nicht Mayumis Gesicht, nicht einmal ein menschliches Gesicht überhaupt, eher das Gesicht eines Affen, eines Lemuren — faltige Haut, riesengroße Augen, eine zusammengepreßte Nase, ein lippenloser Mund ... Und während er den Blick davon nicht abwenden konnte, verwandelte sich dieses Gesicht noch weiter: Die Falten nahmen zu, die Haut verfärbte sich braun, aus der Nase wurden im Nu zwei bloße Löcher — das ganze Gesicht war nur noch ein fellbespannter Schädel. Aber es bewegte sich. Die Gestalt rappelte sich hoch und kam auf Abe zu. Eine Hand packte ihn am Handgelenk.

Abe wurde sich undeutlich bewußt, daß die anderen Fahrgäste im Bus aufgestanden waren, und er hörte jemanden schreien: »Anhalten! Halten Sie den Bus an!« Aber der Bus

hielt nicht an; er raste sogar mit beschleunigter Geschwindigkeit die Straße bergab, machte eine große Kurve und hielt nach wenigen Minuten an. Sie waren am Busbahnhof von Bad Hirayu angekommen.

Das gespenstische Wesen, das Abe festgeklammert hielt, zog jetzt an ihm mit aller Kraft, es wollte ihn offenbar aus dem Bus zerren. Niemand wagte, sich einzumischen. Er wurde aus dem Bus geschleift. Draußen versank alles in der Dämmerung.

»Was machst du?« Endlich brachte er Worte heraus. »Was willst du? Was bist du?«

Das Wesen antwortete mit einer heiseren keuchenden Stimme, in der noch Mayumis Sprechweise nachklang: »Du kommst jetzt mit mir zum großen Wasserfall von Hirayu! Es ist nur eine halbe Stunde. Gehen wir zusammen. Du hast gesagt, daß du mitkommst.«

»Nein, laß mich los!« schrie er und zappelte.

»Aber ich laß dich nicht los!« Schritt um Schritt zerrte das Wesen ihn auf das Gebüsch am Abhang zu und flüsterte in einem Ton, der wie das Reiben zweier Felsbrocken klang, untermischt mit Gekicher: »Ich hatte dich ins Auge gefaßt, und ich habe dich bis hierher mitgenommen . . . Ich lasse dich nie mehr los!«

»Hilfe!« Kôji Abe schrie aus Leibeskräften, und dabei kehrte seine Stärke wieder in seinen Körper zurück; er fuchtelte mit den Armen herum.

»Hilfe! Hilfe!« Laut schreiend lief er zum Busbahnhof zurück. Er fiel ein paarmal hin, aber die Angst, die Hand jenes Ungeheuers auf seinem Nacken zu spüren, ließ ihn sofort wieder aufspringen und weiterlaufen, und dabei schrie er ununterbrochen.

Als er wieder zu sich kam, lag er auf dem Rücken; irgend jemand hielt ihn im Arm. Unter einer weißen Neonlampe blickten einige Leute auf ihn herab.

»Wie geht es Ihnen?« fragte einer.

»Das Ungeheuer! Das Ungeheuer!« brachte er stockend hervor. »Es will mich fangen mit seinen Klauen, diese Mumie!«

»Es ist nicht mehr da«, sagte der Mann, der ihn hielt. Es war der Busfahrer. »Es kommt nicht mehr, es ist verschwunden. Sie sind gerettet!«

Kôji Abe hob den Kopf. Er sah vor sich den Ort Hirayu mit seinen sanften Lichtern in der Dunkelheit inmitten der hohen Berge. Er blickte in die andere Richtung — dort war nur Dunkelheit.

»Verschwunden? Was war das denn überhaupt?«

»Ein Gespenst«, antwortete der Busfahrer, »der Geist einer Frau, die in dem großen Wasserfall von Hirayu zu Tode gekommen ist. Immer wieder einmal ist einer überfallen worden.«

Am Abend hörte Abe es noch ausführlicher von der Besitzerin eines Gasthofes, wo er Quartier gesucht hatte.

Vor einigen Jahren fand man neben dem Wasserfall von Hirayu das Skelett einer Frau, die — wie sich herausstellte — eine Büroangestellte gewesen war und eine besondere Vorliebe für Geschichte gehabt hatte. Sie hatte sich mit einem Doktoranden einer Universität befreundet, der die gleichen Interessen hatte wie sie. Aus irgendeinem Grund konnten sie nicht heiraten und wollten sich deshalb gemeinsam an einem Wasserfall das Leben nehmen. Aber der Mann brachte es nicht fertig, nach ihr Selbstmord zu begehen und floh voller Angst. Die Leiche der Frau lag lange Zeit dort allein, ohne daß jemand sie fand. Die ganze Sache kam erst ans Licht, als dieser Mann einige Zeit später in der Nähe des Skeletts der Frau erwürgt wurde. Als man Nachforschungen anstellte, kam dies alles heraus. Der Mörder, der den Mann erwürgt hatte, wurde nie gefunden.

Die Leute in der Gegend von Hirayu brachten das Gerücht auf, der Mann sei von dem Geist der toten Frau, der Groll gegen ihn hegte, hierher gelockt worden und am Platz des geplanten Doppelmords umgebracht worden.

»Aber wenn damit die Sache ihr Ende gefunden hätte, dann wäre es ja noch gut gewesen!« seufzte die Wirtin. »Aber seitdem wurden viele Männer von dem gleichen Geist — alle nennen es Geist oder Gespenst, aber wie seltsam, ein Gespenst mit einem Körper! — angelockt und umgebracht. Einige wurden allerdings gerettet, und sie erzählten das gleiche wie Sie, daß sie nämlich zuerst eine sehr schöne Frau begleiteten, die sich allmählich in dieses Ungeheuer verwandelte. Früh am Morgen war sie eine Schönheit, aber wenn die Sonne sich nach Westen neigte, verblaßte ihre Schönheit allmählich und in der Dämmerung zeigte sie ihr wahres Gesicht. Einige Busfahrer haben es auch gesehen und sie erzählten das gleiche. In der Nacht verschwindet es. Deshalb waren alle, die gerettet wurden, solche, die erst am Abend hier ankamen.«

Die Wirtin seufzte wieder: »Ich verstehe ja die Gefühle dieser Frau! Aber wie lange will sie das noch so treiben? Alle Leute, die das Gespenst mitnahm, waren ohne Ausnahme junge Männer.

Kôji Abe hörte schweigend zu. In den Pausen, die die Wirtin bei ihrer Erzählung machte, hörte er, wie draußen unablässig das Wasser der heißen Quelle sprudelte.

6

Der Schnellzug, der irgendwo gehalten hatte, fuhr wieder los. Kôji Abe kam aus der Erinnerung an das Vergangene wieder in die Gegenwart zurück.

Damals war ich doch noch jung, dachte er. Als er der Erzählung der Wirtin gelauscht hatte, hatte er Mitleid, Mitempfinden mit Mayumi gefühlt, die sich an den Männern weiter so rächte. Aber heute dachte er anders darüber. Gespenst bleibt Gespenst. Jetzt dachte er an das Unglück, von einem solchen Phantom verführt zu werden. Mitleid verdiente nicht das Gespenst, sondern die Männer, die es in die Irre führte.

Nie wieder wollte er einem Phantom in die Hände fallen. Deshalb hatte er nicht nur die Stadt Takayama seitdem gemieden, sondern auch die Fahrt mit der Takayama-Hauptlinie. Er hatte sich gefürchtet . . .

Er blickte kurz auf, welcher Bahnhof es war, der jetzt am Zugfenster vorbeiglitt: Mino-ôta. Ja, auf diesem Bahnhof ist die Frau damals eingestiegen. Sie stand auf der Plattform des Zuges ...

Abe fühlte, wie er erbleichte: Sie stand da. Mayumi stand jetzt da! — Ach, Unsinn! — Aber wie sehr er auch seine Augen anstrengte — sie mußte es sein. In derselben Kleidung wie damals stand sie da, nur mit einer Handtasche, und blickte sich im Zug um. Ihr Gesicht, ihre Schönheit — das war Mayumi! Sie war eine schöne Frau. Da er jetzt älter geworden war, betrachtete Abe die Frauen mit einem noch kritischeren Blick. In seinen Augen erschien sie jetzt fast vollkommen. Gerade weil er jetzt schon im mittleren Alter stand, fühlte er sich um so mehr von ihr angezogen.

Ein Alptraum! Das ist — ein Alptraum! In ihm erhoben sich miteinander kämpfende, widersprüchliche Wünsche: daß ihr Blick ihn nicht finden möge, und gleichzeitig — daß sie ihn erkennen möge.

Ihr Blick traf ihn, ging weiter und verharrte auf einem jungen Mann, der auf einem Sitz weiter vorn allein saß und ein Buch las. Mit ganz ungezwungenen Bewegungen ging sie zu dem jungen Mann und nahm ihm gegenüber Platz. Alles lief so ab, wie es in Abes Erinnerung festgehalten war.

Das war Mayumi! Sie war wieder erschienen und wollte wieder einen Mann anlocken! Und der junge Mann war sich offensichtlich ihrer Gegenwart bewußt!

Abe hatte einen Augenblick den Impuls, den Mann zu warnen. Aber wer hätte eine solche Warnung geglaubt? »Diese Frau ist ein Gespenst ...« Man würde ihn auslachen, was für Halluzinationen er habe.

Bevor Abe sich dessen bewußt geworden war, war er aufgestanden. Tief in seinem Herzen erinnerte er sich daran, wie er sie beim erstenmal getroffen hatte. Sie war hier wie damals zugestiegen. Halb aufgerichtet blickte er sie an. Beinah hätte er ihren Namen ausgesprochen, ›Mayumi‹ ...

Die Frau blickte nur kurz in seine Richtung, aber auf ihrem Gesicht erschien kein Ausdruck des Wiedererkennens. Ein

Mann, den sie zufällig getroffen hatte — nein, ihre Augen nahmen ihn gar nicht wahr.

Ja, so ist das, dachte Abe und setzte sich wieder langsam hin. Jetzt bin ich jener Mann, der Mann im mittleren Alter, ein Ausbund an Banalität — nichts anderes bin ich. Ich gehöre nicht mehr zu den Männern, die Mayumi locken will. Jetzt bin ich ein Mensch, den es in ihrer Welt nicht mehr gibt.

So redete er in Gedanken mit sich selbst, während er sich mit den Ellbogen am Fenstersims aufstützte. »Damals war ich jung!« Diese Worte wiederholte er jetzt in seinem Inneren mit einem ganz anderen Sinn als zuvor.

Torokin

1

Als er am Eingang des Wohnblocks ankam, fiel ihm ein, daß er das Torokin vergessen hatte. ›Torokin‹ ist der Name eines Beruhigungsmittels. Zwar gibt es keine Werbung dafür, und der Hersteller ist eine so gut wie unbekannte pharmazeutische Firma, aber es war das gern gebrauchte Hausmittel seiner Frau. Er hatte es in der Innenstadt kaufen sollen.

»Bitte, vergiß es ja nicht!« hatte seine Frau ihn mehrmals erinnert. »Ich kaufe es sonst in der Apotheke hier um die Ecke, aber in letzter Zeit haben sie es nicht vorrätig. Such doch bitte eine Apotheke in der Nähe deiner Firma, wo du es bekommst! Bei mir wirkt nur dieses Mittel. Bitte, vergiß es nicht!«

Da seine Frau mit ihrem derzeitigen Leben zufrieden zu sein schien und ihn sonst kaum mit einer Besorgung beauftragte, mußte es ihr sehr ernst damit sein, da sie ihn so eindringlich darum gebeten hatte. Deshalb hatte er ihr auch nicht erwidert, sie solle mit so etwas nicht ihren Mann belästigen und es statt dessen selbst besorgen, sondern er hatte gedankenlos »ja, ja« gesagt und war in die Firma gegangen. Diese Gedankenlosigkeit war schuld. Bis Mittag hatte er noch daran gedacht, aber kurz vor Dienstschluß war der Gruppenleiter mit einer Einladung zum Biertrinken gekommen, die er nicht ausschlagen konnte. Er hatte sich allerhand Klatsch über Personalprobleme in der Firma anhören müssen und war schließlich nicht mehr ganz nüchtern in die S-Bahn gestiegen.

Ich hab's vergessen. Ich hab's wirklich glatt vergessen. Jetzt kann ich nicht mehr ins Zentrum zurückfahren, und dort ist sowieso keine Apotheke mehr auf. Ich kann nichts mehr daran ändern. Sie wird schon nicht durchdrehen, wenn sie mal einen

Tag ohne dieses komische Beruhigungsmittel auskommen muß. Sie muß eben heute abend ohne das Medikament zurechtkommen. Ich werde ihr halt sagen, daß es gar nicht gut für ihre Gesundheit ist, wenn sie sich an ein solches Mittel gewöhnt.

Er ging die Treppe hinauf und läutete an der Tür seiner Wohnung im 3. Stock. Niemand antwortete; durch den Türspion konnte er sehen, daß es drinnen dunkel war. Er holte seinen Schlüsselbund aus der Tasche und sperrte auf. Die ganze Wohnung war dunkel. War sie denn etwa ausgegangen?

Er schaltete das Licht ein. Auf dem Tisch stand das Abendessen: Gebratener Tintenfisch mit Algen. Der elektrische Reiskocher dampfte noch; auf dem ausgeschalteten Gasherd stand heiße Bohnenmus-Suppe. Und da lag ein Zettel seiner Frau:

Ich gehe zum Versammlungshaus, zum Treffen des Warentest-Vereins. Ich habe noch nicht gegessen. Ruf mich bitte im Versammlungsraum an oder iß bitte allein!

Ach, deshalb! Er nickte.

Seine Frau, die sich völlig an das Leben in den Wohnblocks angepaßt hatte, ging wahllos zu allen möglichen Treffen und Versammlungen. Ob es eine Sitzung der Selbstverwaltung war oder ein Bildungsseminar oder irgend etwas anderes — da sie an diesen Zusammenkünften eifrig teilnahm, lernte sie viele neue Leute kennen, die sie wiederum zu anderen Vereinigungen mitschleppten.

»Mir reicht es jetzt wirklich!« sagte sie von Zeit zu Zeit, aber das meinte sie gar nicht so ernst. Er wußte, daß sie es einfach genoß, immer so in Trab zu sein.

Von all diesen Versammlungen hatte sie an denen des Warentestvereins von Anfang an, seit sie in diesen Wohnblock eingezogen waren, teilgenommen und dabei nie eine seiner Zusammenkünfte ausgelassen. In diesem Verein untersuchten sie neu auf den Markt gekommene Waren oder sie forschten bei Gerüchten über Lebensmittelvergiftungen in den Lebensmittelläden der Nachbarschaft nach, ob die betreffenden Produkte da angeboten wurden. Dieser Verein hatte zwar nicht viele Mitglieder, aber sie verstanden sich alle untereinander sehr gut.

So erzählte zumindest seine Frau. Er selber wußte darüber nicht so genau Bescheid, denn er hörte alles nur von seiner Frau und interessierte sich kaum dafür. Vielleicht wäre das anders, wenn es in diesem Verein männliche Mitglieder gäbe, in die seine Frau sich verlieben könnte, aber der ganze Verein bestand nur aus verheirateten Frauen, und deshalb ließ er sie da nach ihrem Belieben mitmachen.

Also im Versammlungsraum. Er stand auf. Er wollte sie abholen. Sonst aß er eigentlich allein, aber heute hatte er vergessen, Torokin zu kaufen. Indem er sie abholte, wollte er sie versöhnlich stimmen.

2

Das Versammlungshaus des Wohnblocks war von seiner Wohnung etwa fünfzig Meter weit entfernt; zuerst mußte er einem schmalen Weg folgen und dann die Hauptstraße überqueren. In dem niedrigen, von neu gepflanzten Bäumen umgebenen Betongebäude brannte Licht. Ohne sich etwas dabei zu denken, ging er an der Außenmauer des Versammlungshauses entlang auf den Eingang zu. Er hielt kurz inne, denn vom geöffneten Fenster her vernahm er erregte Stimmen.

»Das ist doch eine Verschwörung!«

»Ja, ganz gewiß!«

Was — eine Verschwörung? Ein solches Gesprächsthema paßte doch nicht zum Warentest-Verein! Er schlich zum Fenster und spähte ins Innere.

Etwa fünfzehn Hausfrauen saßen um einen rechteckigen Tisch. Seine Frau war natürlich dabei. Sie stützte sich mit beiden Armen auf; ihr Gesichtsausdruck war überaus ernst. Neben ihr saß Frau K., die im ersten Stock des gleichen Hauses wohnte. Während er die anderen Bewohner des Wohnblocks kaum kannte, war Frau K.'s Gesicht ihm vertraut. Sie war eine attraktive Frau mit scharf geschnittenen Gesichtszügen. Einmal hatte ihn ein Arbeitskollege zu Hause besucht, und sie waren Frau K. im Treppenhaus begegnet. »Oh, eine so schöne Frau wohnt hier?« hatte der Kollege nachher staunend gesagt, und seitdem erkannte er sie genau wieder.

Jetzt sprach Frau K.: »Unsere Organisation hat bemerkt, daß wir mit unserem jetzigen Leben zufrieden sind. Deshalb hat man die Versorgung mit Torokin unterbrochen. So muß es sein.«

Torokin! Er zog sein Gesicht vom Fenster zurück. Das hieß also: Nicht nur seine Frau nahm dieses unbekannte Medikament ein, sondern auch all die anderen?

»Anders kann ich es mir nicht vorstellen!« nickte die große Frau am Tischende. »Ohne dieses Medikament können wir uns keine Sekunde entspannen, denn wenn wir uns kurz entspannen . . .«

»Aufhören!« rief seine Frau laut dazwischen. Alle schwiegen.

»Also, kurz gesagt, es paßt unserer Organisation nicht, daß wir an der Arbeit nicht mehr kooperieren«, sagte die große Frau langsam. Alle zeigten, daß sie mit ihr übereinstimmten.

»Aber — ich möchte nicht wieder mit der Arbeit anfangen!« sagte eine junge Frau unwillig.

Er folgte diesem Gespräch mit offenem Mund. Worüber unterhielten sie sich? Worum ging es bei dieser Diskussion? ›Die Organisation‹, ›die Arbeit‹ — das klang wie nach einem Gangstersyndikat. War das wirklich die Zusammenkunft eines Warentest-Vereins? Aber dieser Frage konnte er jetzt nicht mehr nachgehen.

Er hatte den seltsamen Eindruck, als ob die im Zimmer beisammensitzenden Frauen irgendwie verschwommen wirkten. Das geschah nicht nur einmal, sondern da wurde zuerst Frau K. verschwommen, dann im nächsten Augenblick seine eigene Frau, danach die Frau im mittleren Alter . . . Für einen ganz kurzen Augenblick schwankten die Frauen leicht, aber gleich darauf war alles wie vorher. Was bedeutete das? Er schüttelte den Kopf. Bin ich etwa betrunken? Oder bin ich einfach zu müde? Von seinen Zweifeln unberührt ging das Gespräch weiter.

»Auf alle Fälle müssen wir etwas unternehmen! Wenn wir selber kommen, verkaufen sie es uns nicht. Also müssen wir uns an die Regel halten, daß Familienangehörige das Medikament für uns kaufen«, sagte die Frau im mittleren Alter, und alle seufzten.

»Sie haben es noch gut«, sagte Frau K. zu seiner Frau, als beneide sie sie, »Ihr Mann trinkt, und so können Sie die Sache etwas vertuschen. Aber ich habe jeden Abend große Angst.«

»Ach, das ist sicher sehr schlimm für Sie!« antwortete seine Frau.

Natürlich verstand er nicht, worum es ging. Was für eine Sache konnte wegen seinem Trinken vertuscht werden? Weshalb hatte Frau K. jeden Abend große Angst? Er kapierte nichts.

Na ja, aber was soll's? Was die Frauen so treiben, das geht über das Vorstellungsvermögen der Männer. Ich sollte wohl lieber nicht versuchen, diese Weiberangelegenheiten zu begreifen. Dem Gespräch nach zu schließen, neigt sich die Versammlung dem Ende zu. Wenn ich jetzt auftauche, werfen sie mich bestimmt nicht raus.

Er verließ seinen Lauscherplatz am Fenster und ging zum Eingang des Gebäudes. Als er an die Tür klopfte, hörte drinnen das Gespräch abrupt auf.

»Ja bitte!«

Er öffnete die Tür und spitzte hinein, die Türklinke noch in der Hand. Seine Frau erhob sich.

»Ach, kommst du extra, um mich abzuholen?«

»Na ja«, sagte er schnell, während er die Aufmerksamkeit aller auf sich gerichtet fühlte, »wenn du hier noch nicht fertig bist, dann macht das nichts.«

»Nein nein, wir sind schon am Ende.«

»Stimmt das?«

»Ja, wirklich«, sagte die Frau im mittleren Alter, »mit dem,

was unbedingt zu besprechen war, sind wir schon fertig . . .
Bitte, Sie können ruhig schon nach Hause gehen.«

»Danke! Also dann . . .« Seine Frau kam heraus, und er zog
die Tür hinter sich zu.

3

»Du brauchtest doch nicht bis zum Versammlungsraum zu
kommen! Wenn du dort angerufen hättest, wäre ich schon
zurückgekommen!« sagte seine Frau, als sie die Treppe hinaufstiegen.

»Ach, das macht doch nichts! Oder — habe ich euch etwa
gestört?«

»Nein, warum solltest du uns denn gestört haben?«

»Na ja, wie du meinst . . .«

Als sie im ersten Stock ankamen, bemerkten sie den großen
Mann, der im Treppenhaus stand. Es war Herr K., der Mann
jener Frau K., die noch im Versammlungsraum geblieben war.
Ganz im Gegensatz zu seiner Frau hatte Herr K. ein nervöses
Gesicht, und heute schien er ganz besonders aufgeregt zu
sein.

»Ach, guten Abend!« sagte er, als er sie erblickte. »Haben
Sie vielleicht . . . irgendwo meine Frau gesehen?«

»Ja, ihre Frau ist noch im Versammlungsraum; sie dürfte
bald nach Hause kommen . . . Wir hatten nämlich eine Zusammenkunft des Warentest-Vereins.«

»Des Warentest-Vereins?« Herrn K.'s Gesichtsausdruck zeigte sofort Erleichterung. »Ach ja, dieser Verein? Ach so! Als ich
nach Hause kam, war sie nämlich nicht da, und ich befürchtete, sie habe einen Unfall gehabt oder irgendwas. Ja, dann
vielen Dank!« Herr K. verabschiedete sich schnell und verschwand in seiner Wohnung.

Sie kicherte: »Herr K. ist anscheinend immer so. Sonst rührt
er keinen Finger, aber wenn seine Frau nicht da ist, macht er
sich große Sorgen um sie.«

»Ein komischer Mensch!« sagte er.

»Aber seiner Frau gefällt das unheimlich gut!« erwiderte sie, dann schaute sie ihm ins Gesicht: »Übrigens — hast du Torokin gekauft?« Jetzt bin ich dran! dachte er. »Oder hast du's vergessen?«

Da sie ihn so unvermittelt fragte, brachte er es nicht fertig, sich mit der Antwort zu verteidigen, die er sich ursprünglich zurechtgelegt hatte.

»Nein, vergessen hab' ich's nicht, aber — der Gruppenleiter hat mich eingeladen . . .«

»Also hast du's doch vergessen!«

»Das heißt, es fiel mir erst dann wieder ein, als ich hier vor unserem Wohnblock ankam.« Sie waren vor der Wohnungstür angelangt.

»Das hab' ich mir schon gedacht, denn sonst hättest du mich ja nicht vom Versammlungshaus abgeholt«, sagte sie und holte den Schlüssel heraus, öffnete die Tür aber nicht sofort, sondern schaute zu ihm auf: »Bitte — vergiß es morgen bestimmt nicht!«

»Ja, ich denk' dran!«

Sie stieß die Tür auf.

»Ich wärme dir noch mal die Bohnenmus-Suppe auf. Derweil kannst du dich umziehen.«

»Okay!« Er atmete auf, daß sie ihm viel weniger Vorwürfe gemacht hatte als befürchtet, ging ins andere Zimmer und legte seine Jacke ab. War die ganze Sache damit abgetan, oder würde sie ihn nachher noch hartnäckig ausfragen?

Als er ihr einen verstohlenen Blick zuwarf, war sie gerade dabei, eine Flasche Bier aus dem Kühlschrank zu holen.

»Du, ich will kein Bier mehr. Ich hab' heute schon genug getrunken!«

Aber sie ließ sich davon nicht beeindrucken: »Ach komm, das macht doch nichts — trink doch ruhig! Ich möchte auch etwas trinken, und da kannst du mir doch Gesellschaft leisten, oder?«

Er antwortete nicht. Sie nahm sein Schweigen als Zeichen der Zustimmung und stellte die Bierflasche auf den Tisch.

Wieso wollte sie unbedingt mit ihm trinken? Plötzlich fiel ihm das Gespräch im Versammlungshaus ein. Frau K. hatte da doch gesagt: »Ihr Mann trinkt, und so können Sie die Sache etwas vertuschen.«

»Du«, sagte er laut, während er aus dem anderen Zimmer kam, »was heißt das denn: ›Wenn einer trinkt, kann man die Sache etwas vertuschen?‹«

Für einige Augenblicke kam keine Antwort. Dann sagte sie, wobei sie ihm noch den Rücken zuwandte: »Du hast also gelauscht?« Ihre Stimme klang seltsam bedrückt.

Er geriet in Verlegenheit, aber jetzt durfte er nicht schweigen. »Na ja, ich hab' das halt gehaört, und das kann ich jetzt nicht mehr ändern!«

Sie lachte leise auf.

»Was hast du denn?«

»Nichts, gar nichts.« Sie wandte sich um und brachte zwei Gläser auf den Tisch. »Also, trinken wir!« Sie goß das Bier ein.

»Na gut . . .«

»Prost!« Sie tranken beide, und sie füllte sofort wieder die Gläser.

»Was du da vorhin gehört hast, das hat überhaupt nichts zu bedeuten!« sagte sie mit einem verschmitzten Augenaufschlag. »Ach, ein Ehemann ist schon etwas Lästiges! Aber vielleicht ist daran der Streß von der Arbeit schuld . . .«

»Du bist ja wieder mal ganz schön hart!«

»Ach nein, wir Ehefrauen müssen doch immer ganz vorsichtig sein. Wenn da die Männer nicht wenigstens von Zeit zu Zeit Alkohol trinken und sich so entspannen würden . . .«

». . . dann wäre das Los der Frauen wohl zu schwer?«

»Richtig! Du hast mich gut verstanden. — Komm, machen wir noch ein Bier auf!«

»Hm, ja . . .« Aber er war nicht völlig zufrieden. Ihre Erklärung klang schon plausibel, aber war da nicht doch noch etwas Seltsames dahinter?

Allmählich begann der Alkohol zu wirken, und damit verflogen seine Zweifel nach und nach. Und was auch sein mochte — schließlich hatte sie ein hübsches Gesicht und (wie sie sagte) keinerlei Verwandte. Sie war ganz auf ihn angewiesen. Er als ihr Mann, an den sie sich anlehnen mußte, durfte keinesfalls künstlich eine Kluft zwischen ihnen beiden aufreißen.

Er trank weiter, wie sie es ihm anbot. Schließlich wurde er müde; nach kaum einer Stunde ging er schon zu Bett.

4

Geräusche weckten ihn. Tanzte da jemand herum? Nein, es klang eher nach Streit. Was für ein Lärm! Ach, das war wohl draußen vor der Tür! Er riß die Augen in der Dunkelheit auf.

»Was ist denn da los?« sagte seine Frau neben ihm; sie war auch schon wach. Er warf einen Blick auf die Armbanduhr, um die Ziffern abzulesen, die wie im Rhythmus der Atemzüge aufleuchteten. Es war vier Uhr morgens.

»Was soll das heißen, um diese Zeit?«

Der Lärm draußen wurde lauter. Irgend jemand kam die Treppe heraufgerannt.

»Hilfe!« schrie eine Männerstimme.

Er warf seine Bettdecke beiseite und tastete in der Dunkelheit nach der Lampenschnur. Noch bevor die Leuchtröhre ihre volle Helligkeit erreicht hatte, war er schon im Morgenmantel an der Wohnungstür. Seine Frau folgte ihm hastig.

Bum! Bum! Das dumpfe Geräusch an der Tür klang, als stoße irgend etwas immer wieder dagegen.

»Das ist zu gefährlich!« Sie klammerte sich an ihm fest. Er zögerte einen Augenblick lang, dann blickte er durch den Vorhang des kleinen Flurfensters nach draußen.

Die Gestalt eines Menschen entfernte sich von der Wohnungstür, wollte noch weiter die Treppe hinaufsteigen, wandte sich jedoch dann um und schrie: »Komm mir nicht näher! Hör auf! Hör auf!«

Er stand hinter der Tür und wunderte sich: Das war doch Herr K. vom ersten Stock!

Dann rief eine Frauenstimme: »Warte doch!« Im selben Augenblick kam die Frau in sein Blickfeld; es war Frau K. Was sollte das bedeuten? Er drehte die Klinke um und eilte ins

Treppenhaus hinaus. Dabei hatte er ganz kurz das Gefühl, als wolle seine Frau ihn zurückhalten, aber er nahm keine Rücksicht darauf.

Das Treppenhaus war nur spärlich beleuchtet. Herr K., der im Schlafanzug war, ging rückwärts Stufe um Stufe hinauf, wobei er mit weit aufgerissenen Augen heftig keuchte. Frau K., die ebenfalls nur ein Nachthemd trug, folgte ihrem Mann langsam, Schritt um Schritt.

»Komm mir nicht näher!« Herrn K.'s Stimme zitterte, während er rückwärts die nächste Treppe hinaufstieg. »Du bist ein Ungeheuer! Du bist ein Gespenst! Geh weg! Geh weg!«

»Ach, hör doch auf mich!« beschwor Frau K. ihren Mann mit todernstem Gesicht. »Das stimmt doch nicht! Sowas bin ich doch nicht! Du hast doch bloß geträumt! Hör mir doch bitte zu!«

»Was ist denn los?« fragte er. Doch die beiden beachteten ihn nicht. »Was ist denn hier los?« rief er noch einmal, lauter.

Herr K. sah ihn mit ausdruckslosen Augen an, ohne ihn zu erkennen, zeigte dann aber auf seine Frau und stammelte heiser: »Die da . . . die da . . . — die ist kein Mensch! Die ist ein Ungeheuer!«

»Bitte, hör doch auf damit!« Frau K. wollte ihren Mann am Arm nehmen, aber Herr K. sprang beiseite.

»Komm mir ja nicht näher!«

»Bitte!«

»Ha, ich hab' es gesehen!« schrie Herr K. mit verzerrtem Gesicht, »die da war . . . neben mir . . . im Bett . . . wie eine Amöbe! Wie Brei! Die hat ausgesehen wie rosa Brei! Schleimig! Ohne feste Gestalt!«

Er wußte nicht, was er dazu sagen sollte. Wie, in aller Welt, kam er auf solchen Unsinn? Der mußte doch verrückt sein! Ja, Herr K. war wohl geistig verwirrt!

»Bleiben Sie doch mal ganz ruhig!«

»Da — da kann ich doch nicht ruhig bleiben!« schrie Herr K. und fuchtelte mit den Armen, um seine Frau fernzuhalten, die ihm langsam folgte.

»Ich sage die Wahrheit! Als dieses Ungeheuer merkte, daß

ich es anschaute, da hat es sich im Nu wieder in die Gestalt eines Menschen verwandelt! Die da ... die da sieht aus wie eine Frau — aber in Wirklichkeit ist sie ein Ungeheuer!«

»Warum sagst du so etwas Schlimmes?« Frau K. begann zu weinen.

»Ob du heulst oder nicht, davon lasse ich mich nicht täuschen. Du bist ein Ungeheuer! Ja, das ist wahr! Diese Frau da ... nein — dieses Ding da ist ein Ungeheuer! Bite, Sie müssen mir glauben!«

Er blieb stumm. Herr K. mußte verrückt sein! Wie konnte er denn sonst solch wirres Zeug daherreden! Auf jeden Fall mußte er Herrn K. festhalten und zur Besinnung bringen. Er wollte sich Herrn K. nähern, doch dessen Frau war schneller. Schluchzend streckte sie die Hand nach ihrem Mann aus und wollte ihn fassen. Doch Herr K. wich schreiend zurück und stieß mit dem Rücken gegen das Treppengeländer. Unter angstvollen Schreien wand er sich hin und her, um der Hand seiner Frau zu entgehen.

Frau K. rief gerade: »Ach du!«, da verlor ihr Mann den Boden unter den Füßen, machte eine Drehung und war verschwunden. Mit einem Aufschrei rannte Frau K. zum Geländer und er mit seiner Frau hinterher.

Ein dumpfer Aufprall! Hals über Kopf rannten sie zu dritt die Treppe hinunter. Herr K. war heftig auf dem Betonboden aufgeschlagen und lag tot da.

Er starrte eine Weile auf Frau K., die laut jammerte, und auf seine eigene Frau, die Frau K. tröstend umarmte, dann kam er wieder zu sich und lief zur nächsten Telefonzelle, um die Polizei zu alarmieren.

5

»Ach, geh jetzt bitte in die Firma! Es ist ja schon fast acht Uhr!« bat ihn seine Frau, als sie aus der Wohnung des Ehepaars K. zurückkamen, wo sie von den Polizisten als Zeugen gehört worden waren.

»Aber das geht doch jetzt nicht!« Er setzte sich auf einen Stuhl, zündete sich eine Zigarette an und erwiderte ihren Blick. »Frau K. braucht sicher Hilfe!«

»Wenn du da bleibst, dann ist nur zahlenmäßig einer mehr, aber in Wirklichkeit kannst du ihr nicht viel helfen. Ich werde ein wenig verschnaufen, dann kümmere ich mich um sie! Du geh doch jetzt bitte in die Firma!«

»Soll ich wirklich?«

»Ja doch, bitte! Beeil dich, sonst kommst du noch zu spät!«

»Na gut!« Mit einem übernächtigten Gesicht band er sich die Krawatte um, kämmte sich und zog seine Schuhe an.

»Du ...«

»Ja, was gibt's noch?«

»Bitte — vergiß heute auf keinen Fall, Torokin zu kaufen!«

»Torokin?« fragte er überrascht. »Nach solch einem Vorfall denkst du an nichts anderes als dieses Torokin?«

Seine Frau warf die Lippen auf: »Ich mache keinen Scherz! Gerade in einer solchen Situation brauche ich doch mein Beruhigungsmittel! Du willst doch nicht, daß ich durchdrehe oder mir die Nerven durchgehen?«

»Ist ja schon gut, ich hab's kapiert!«

Er ging nach draußen. Im Treppenhaus war Unruhe; bis zur Treppe vor seiner Wohnung wimmelte es von Menschen. Hausbewohner wollten Frau K. ihr Beileid über den plötzlichen Unfalltod ihres Mannes aussprechen und sie trösten. Zwischen diesen Leuten ging er die Treppe hinab. Einige, die um die Sache schon Bescheid wußten, wollten ihn ansprechen, aber er senkte seinen Blick und setzte seinen Weg fort, die Neugierigen ignorierend.

Er hatte den 1. Stock erreicht. Von Frau K. war nichts zu sehen. Sicher verkroch sie sich jetzt in ihrer Wohnung und schloß sich gegen die Umwelt ab.

Er trat aus dem Haus. Die Morgensonne blendete ihn. Sie war zu grell für seine Augen. Er hatte zu wenig geschlafen, ja, er hatte wirklich viel zu wenig geschlafen. Vom Morgengrauen an hatten er und seine Frau die Frau K. zu trösten versucht; sie hatte immer wieder gejammert, sie wolle sterben. Mehrmals

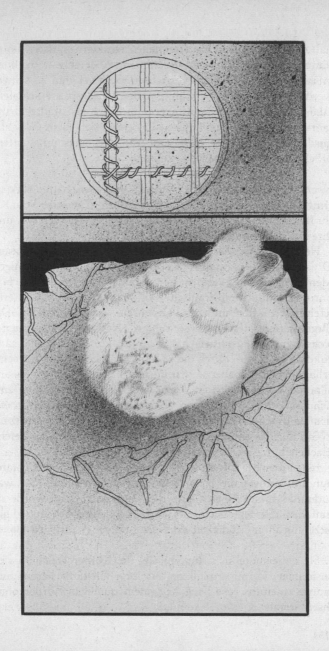

hatten sie der Polizei das Geschehen schildern müssen. Ja, er hatte in der Tat zu wenig geschlafen. Aber er war dennoch imstande, seine Arbeit zu verrichten. Sollte es ihm zu schwer werden, dann würde er während der Mittagspause schlafen. Und nach der Arbeit mußte er unbedingt ins Stadtzentrum fahren und — Torokin kaufen! Er beeilte sich. Sein Gesichtsausdruck war wieder ganz und gar der eines ernsthaften, pflichtbewußten Firmenangestellten.

Nachdem ihr Mann die Wohnung verlassen hatte, saß sie einige Zeit geistesabwesend auf ihrem Stuhl. Die arme Frau K.! Ihr Mann hatte sie gesehen, wie sie erschlafft gewesen war und ihre Form verloren hatte.

Herr K. tut mir leid, aber es war gut, daß er starb. Unsere Organisation unternimmt ja sowieso etwas gegen diejenigen Menschen, die die Wahrheit herausfinden. Und sie ist ja schon unruhig, irritiert, mißtrauisch. Wir sind zufrieden mit unserer jetzigen Situation und erfüllen unsere Aufgaben nicht. Die Organisation ist schon böse auf uns. Unter dem Deckmantel eines Beruhigungsmittels hat man uns bisher die Substanz zukommen lassen, durch die unsere Menschengestalt aufrechterhalten bleibt — aber wegen unserer Faulheit hat man es uns jetzt schwer gemacht, an Torokin heranzukommen. Hoffentlich kauft er Torokin. Denn ohne es werden wir ja, wenn wir uns ein bißchen entspannen, zu einem amorphen Lebewesen. Wenn mir das einmal passiert, dann kann bei uns das gleiche geschehen wie bei Ehepaar K.!

Ein plötzliches Zittern überkam sie; sie schüttelte sich, stand auf und öffnete die Schiebetür zum Schlafzimmer. Sie war todmüde. Wenn sie sich jetzt nicht ausruhte, dann würde sie umfallen. Sie legte sich aufs Bett. Sie mußte sich unbedingt jetzt von ihrer Müdigkeit erholen, solange er nicht zu Hause war.

Sie entspannte sich. Im Nu fiel ihr Körper weich in sich zusammen. Formlos quoll sie aus ihrer Kleidung heraus und wurde zu einem rosa Ding, zu einem qualligen Körper ohne feste Gestalt.

Aber, trotz allem ist dieses Leben auf der Erde viel bequemer! dachte DAS DING in seinem Gefühl von Schwimmen und Schweben. Zwar war es als Kundschafter seiner Rasse in die Rolle eines Menschen geschlüpft, aber war es nicht viel angenehmer, sich von einem einzelnen Menschen wie von einem privaten Sklaven versorgen zu lassen, anstatt an der kollektiven Unterwerfung aller Erdbewohner mitzuwirken?

Eine seltsame Ehefrau

1

Als Kôhei vom Außendienst ins Büro zurückkam, herrschte dort eine merkwürdige Atmosphäre. Niemand kümmerte sich mehr um die Arbeit; alle flüsterten und tuschelten miteinander.

»Was ist denn los?« fragte er seinen Tischnachbarn. »Ist irgend etwas passiert?«

Der Kollege legte die Beine auf den Tisch, blies den Zigarettenrauch von sich und antwortete: »Was los ist, fragst du? Unsere Firma ist am Ende!«

»Bankrott?« Kôhei lief es kalt den Rücken hinab. »Ist sie wirklich bankrott?«

»Sie hat sich als zahlungsunfähig entpuppt!« lachte der Kollege spöttisch. »Mensch, wenn ich das gewußt hätte, dann hätte ich vor den Bossen nicht immer so gekatzbuckelt!«

Kôhei starrte entgeistert auf seinen Tisch. Schon vorher hatte er manchmal gedacht, daß es vielleicht so kommen würde, aber jetzt, wo es Wirklichkeit geworden war, kam ihm kein hilfreicher Gedanke; sein Kopf war wie vom Wind leergeblasen.

»Und wie steht's mit dem Chef und den Prokuristen? Sind die von ihrer Geschäftsreise zurück?«

»Geschäftsreise? Pfff — das war doch nur ein Schwindel. Niemand weiß, wohin die abgehauen sind. Wie die Sache jetzt aussieht, gibt's für diesen Monat wohl kein Gehalt mehr zu erwarten.«

»Wirklich?«

»Ach, übrigens«, der Kollege richtete sich plötzlich wieder auf und wandte sich Kôhei zu, »du hast doch erst vorigen

Monat geheiratet, nicht wahr? Bestimmt hast du noch 'ne Menge Ratenzahlungen auf dem Buckel, was?«

»Was hat das denn damit zu tun?«

»An deiner Stelle würde ich hier jetzt schon Feierabend machen!«

»Jetzt schon nach Hause? Warum?«

»Du solltest keinen Augenblick vertrödeln und dir schnellstens einen neuen Arbeitsplatz suchen. Auf jeden Fall werden die alle hier bald wie aufgescheuchte Hühner davonrennen und schauen, daß sie eine neue Stelle finden. Je früher, desto besser also!«

»Und was machst du?«

»Ich? Ich hab' schon was gefunden!« Der Kollege grinste. »Da gibt's eine Firma, die wollten mich schon vorher haben. Aber mach dir keine Sorgen um andere Leute, sondern geh, geh!«

Kôhei stand auf.

Während er die Treppe im Mietshaus hinaufstieg, überlegte er, wie er das Minako, seiner Frau, beibringen sollte. Für einen Angestellten war das die größte Katastrophe. Zuerst wird sie bleich werden, und dann gibt's eine sinnlose Streiterei. Weiter zu denken fehlte ihm der Mut. Jetzt ist es halt passiert. Ich muß der Sache ihren Lauf lassen.

Er schob die Tür auf.

Minako kam ihm entgegen und trocknete sich dabei die Hände ab. »Was ist denn los? Du bist ja schrecklich früh zurück!«

»Die Firma«, er stockte, »die Firma — ist pleite!«

Für einen Augenblick war Minakos Gesicht starr, dann aber sagte sie in einem seltsam gelassenen Ton: »Das heißt also, für einige Zeit werden wir keine Einkünfte haben?«

»Ja, und — wir müssen noch die Raten für die ganze Wohnungseinrichtung abzahlen . . .«

»Das macht nichts«, unterbrach sie ihn unbeeindruckt, »ich habe für dich schon einen gutbezahlten Job ausfindig gemacht.«

»Was soll das heißen?« Kôheis Gedanken wirbelten durcheinander. »Hast du das etwa schon geahnt, daß ich meine Arbeit verliere?«

Minako lächelte. Es war ein rätselhaftes Lächeln. Schon früher hatte er empfunden, daß seine Frau etwas anders war als die übrigen, und wenn sie so reagierte wie gerade jetzt, dann wußte er nicht, was er davon halten sollte.

»Ich habe das heute morgen unter den Stellenangeboten in der Zeitung gesehen. Willst du nicht mal morgen hingehen und es dir anschauen?«

»Aber — was für eine Arbeit ist das überhaupt?«

»Nachher werde ich es dir genau erklären, aber vorher«, Minako hob die Schultern, »muß ich erst mal das Abendessen herrichten.«

Als sie mit dem Abendessen fertig waren, holte Minako ihr Notizbuch herbei.

»Was willst du damit?«

»Es geht um die Sache, von der wir vorhin gesprochen haben.«

»Um die Arbeitsstelle? Aber — müssen wir denn so hopplahopp·darüber reden . . .?«

Minako überging Kôheis Einwand und sagte, während sie ihr Notizbuch öffnete: »Natürlich mußt du später einmal eine vernünftige Firma finden, aber auf jeden Fall brauchen wir schon jetzt Geld für unseren Lebensunterhalt. Du bekommst doch keine Abfindung, oder?«

»Nein, nichts.«

»Also«, fuhr sie fort, »wenn du einen Tag lang arbeitest und du kriegst dafür ein ganzes Monatsgehalt, wäre das nicht eine gute Sache?«

Selbstverständlich, aber wo in aller Welt gibt's denn sowas? dachte Kôhei und sagte dann: »Hör auf, dummes Zeug zu schwatzen. Deine weltfremden Vorstellungen sind ja recht nett, aber die Angelegenheit mit meiner Arbeit, die überlaß nur lieber mir!«

»Jetzt hör mir doch wenigstens einmal zu. Ich hab' doch

schon eigens einige Erkundigungen eingezogen.« Ja, das war die Methode, die Minako immer anwendete.

Kôhei gab nach und zündete sich eine Zigarette an. »Also, dann schieß mal los!«

2

Wie auch immer er darüber dachte, irgend etwas war an der ganzen Geschichte sonderbar. Kôhei seufzte, während er zu dem Institut eilte, wohin seine Frau ihn geschickt hatte.

Vor einem Jahr hatte er Minako zum erstenmal getroffen. Als ihm jemand in der Straßenbahn auf den Fuß trat und er dem anderen unwillkürlich das Gesicht zuwandte, fiel sein Blick auf eine Frau, die ihren Kopf senkte — das war Minako gewesen.

Normalerweise wäre ein solcher Vorfall damit abgetan, aber Minako entschuldigte sich bei Kôhei und lud ihn als Wiedergutmachung zum Essen ein. Das war in der Straßenbahn, vor den Augen aller übrigen Fahrgäste. Da er inzwischen neugierig auf sie geworden war, folgte er ihrer Einladung und ließ sich von ihr in ein erstklassiges und teures Spezialitätenrestaurant im Stadtzentrum führen. Nachdem sie das Essen bezahlt hatte, erzählte sie, daß sie weder Angehörige noch Vermögen habe, und daß sie soeben für die Rechnung in dieser Gaststätte mehr als 70 % ihre Monatsgehalts ausgegeben habe.

Ehrlich gesagt, eine komische Frau! dachte er damals.

Aber nach ein paar Tagen traf er sie wieder in der Straßenbahn. Unter dem Arm trug sie ein zusammengerolltes Papier, das wie eine Planzeichnung aussah.

»Ist das ein Bauplan?«

»Nein«, antwortete sie, »das ist ein Antrag für das Patentamt. Meine Erfindung!«

Bei jeder ihrer Begegnungen überraschte Minako ihn aufs neue. Inzwischen wurden beide allmählich miteinander vertraut, und ehe sie sich's versahen, waren sie miteinander verheiratet.

Zuerst erhoffte Kôhei sich, daß Minakos seltsame Talente ihm vielleicht helfen würden, aber nach der Hochzeit mußte ihr gemeinsamer Lebensunterhalt von seinem Gehalt allein bestritten werden.

»Jetzt habe ich keine brauchbaren Einfälle«, sagte Minako, »aber wenn die rechte Zeit kommt, dann fang' ich wieder an.«

Und jetzt war die Katastrophe gekommen. Wenn er jetzt nichts unternahm, dann würden sie beide verhungern.

Das Institut befand sich in einer Gegend, wo viele kleine Geschäftsgebäude dicht gedrängt standen. Er mußte eine ziemlich lange Zeit herumlaufen und suchen, und als er es schließlich fand, entpuppte es sich als ein windschiefes Holzhaus.

Dieser Minako, schimpfte Kôhei in seinem Innern, fällt ja immer so etwas Unmögliches ein!

Der Holzboden unter seinen Füßen knarrte, als er die Tür zum Vorraum aufschob. Ein Mann kam ihm entgegengelaufen.

»Wollen Sie sich bewerben?«

»Jaa . . .«

»Dann gehen Sie mal da in den Keller. Dort findet die Auswahl statt.«

Den Worten des Mannes gehorchend stieg Kôhei eine schmale, feuchte Treppe hinab. Als er den Raum betreten hatte, schloß jemand von innen ab und begann laut zu sprechen:

»Jetzt fangen wir mit der Auswahl an. Das Honorar ist sehr hoch, aber es ist eine Arbeit, die auf einen Tag beschränkt ist.«

»Aber halt mal!« unterbrach einer von dem Dutzend Bewerber, die schon vor Kôhei gekommen waren, »was sollen wir denn überhaupt für eine Arbeit machen?«

»Das kann ich noch nicht sagen. Bevor ich nicht weiß, daß Sie bestimmt mitmachen wollen, kann ich nichts darüber erzählen.«

»Das ist doch ein Witz! Wie kann ich denn wissen, ob ich mitmache oder nicht, wenn ich nicht weiß, worin diese Arbeit besteht!«

»Keine Sorge! Diese Arbeit bringt jeder fertig.«

»Ist das Ganze gefährlich?«

»Hm . . .«, der Mann lächelte, »das kommt darauf an, wie Sie es sehen . . .«

»Ist diese Arbeit illegal?« fragte Kôhei ungeduldig. »Werden wir dann nachher von der Polizei eingesperrt?«

»Es ist nichts Rechtswidriges«, sagte der Mann, »wir hätten doch keine Anzeige in der Zeitung aufgegeben, wenn es gegen das Gesetz wäre.«

Alle wurden unruhig und redeten durcheinander.

»Das ist doch verrückt!« rief einer aus.

»Ich gehe nach Hause. Ich möchte mir nicht länger einen solchen Blödsinn anhören!« rief ein anderer.

»Wer gehen will, soll gehen!« Der Mann von dem Institut machte eine wegwerfende Bewegung. »Für diese Arbeit ist Tatkraft notwendig. Leute ohne Tatkraft sind unbrauchbar für diese Sache.«

»Machen Sie doch, was Sie wollen!« Alle standen von ihren Stühlen auf. Auch Kôhei wollte sich erheben, aber dann überlegte er es sich doch anders.

Minako hatte ihm von dieser Sache nur bis zu diesem Punkt erzählt, aber sie mußte noch etwas mehr darüber wissen . . . Ja, ihrem Benehmen nach schien sie bestimmt zu wissen, was hier geschehen würde. Das Vertrauen zu seiner Frau veranlaßte ihn, weiter sitzenzubleiben.

Nachdem alle anderen den Raum verlassen hatten und der Mann sah, daß Kôhei als einziger noch auf seinem Stuhl saß, sagte er zu ihm: »Nur du . . .? Machst du also mit?«

Kôhei nickte.

»Gut, komm mit! Hier, komm hinter diesen Vorhang!«

Jetzt fängt der Alptraum an . . . Jetzt kann ich nicht mehr zurück . . . So wollte Kôhei denken, aber aus welchem Grund auch immer — er spürte keine Angst.

Sein Blick fiel auf eine Reihe silberner Reife, die wie Armbänder aussahen; im Hintergrund standen Fahrzeuge von seltsamem Aussehen: wie zweisitzige Motorroller ohne Räder, dafür mit einer Menge zusätzlicher Motoren.

»Nun, leg dir diesen Armreif an!« Folgsam zog Kôhei sich den Reif auf den Arm; er paßte ganz genau um sein Handgelenk. Es gab kein Anzeichen, daß irgend etwas Besonderes geschehen würde.

»Jetzt funktioniert er noch nicht. Die Wirkung setzt erst ein, wenn du am Arbeitsplatz bist.«

»Am Arbeitsplatz?« Wo sollte er denn arbeiten? Kôhei zog die Augenbrauen zusammen.

Der andere schien dies bemerkt zu haben, denn er erklärte: »Dieses Ding da hilft dir bei deiner Arbeit; es ist eine Art Nebengehirn. Da drinnen sind alle Informationen gespeichert, die für die Arbeit notwendig sind. Es kommuniziert mit deinem Nervensystem und arbeitet als dein zweites Gehirn.«

Dieses Ding da? Dieser Armreif? Kôhei schaute verwundert auf sein Handgelenk. »Stimmt das?« fragte er.

»Du bist aber ein mißtrauischer Kerl!« Der andere lachte. »Solange du diesen Reif anhast, wirst du über alles Wissen und alle Worte verfügen, die du brauchst, um die Arbeit zu erledigen, und zwar so, als käme alles aus deinem eigenen Gedächtnis. Deshalb kommst du in eine schwierige Lage, wenn du ihn abstreifst oder zerbrichst. Paß also gut darauf auf!«

»Aha, ich verstehe«, sagte Kôhei, aber sein Zweifel war noch nicht überwunden.

Inzwischen begann der andere, eines der seltsamen Fahrzeuge im Hintergrund anzulassen, und dann sagte er: »So, steig auf!« Während Kôhei den kleinen radlosen Apparat bestieg, legte der Mann einen Schalter um.

Auf einmal begann das ganze Zimmer zu beben, und um Kôhei herum wurde alles verschwommen. Eine große Müdigkeit überkam ihn. Er wollte seine Augen noch offen halten, aber wie sehr er sich auch anstrengte — es gelang ihm nicht.

3

Ein Schrei gellte.

Als Kôhei die Augen öffnete, erkannte er, daß er sich an eine Wand anlehnte. Sein Arm schmerzte. Als er an sich herunterblickte, stellte er fest, daß er — ohne es recht zu merken — ein geschmeidiges, irisierendes Gewand übergezogen hatte; an einer Stelle war es eingerissen. Aber das war noch nicht alles: Dieser Armreif hatte sich gelockert und hing gerade noch mit knapper Not an seinem Handgelenk. Er mußte sich wegen einer Explosion oder etwas ähnlichem gelöst haben.

Was bedeutete dies alles? Kôhei blickte sich verwirrt um. Er mußte auf diesem seltsamen Fahrzeug eingeschlafen sein, aber wie war er dann hierher gekommen?

Von irgendwoher dröhnte wieder eine Explosion. Steinsplitter prasselten herab. Auf einer Straße hinter ihm rannten Hunderte, ja Tausende von Menschen vorbei. Was war da los? Was zum Teufel sollte das heißen?

Wieder ein ohrenbetäubendes Detonationsgeräusch! Wie einem Instinkt folgend rannte Kôhei von der Wand weg und schloß sich in höchster Eile den dahinlaufenden Männern und Frauen an.

Es sah so aus, als sei dies hier eine riesige Stadt, und zwar eine Stadt, die gerade einen Sturmangriff erlebte. Aber was bedeutete das? Wie war es dazu gekommen? Und hier dieses komische Gewand, und dazu noch in der Hand diesen langen Stock, der wie ein Gewehr aussah . . .

Wieder gellte ein Schrei. Als Kôhei nach vorne schaute, sah er, wie aus einem großen Gebäude — scheinbar einer Ruine — grünes Wasser hervorquoll.

Wasser? Nein! Das waren Lebewesen, die wie Nacktschnekken aussahen. Millionen, nein — Milliarden von ihnen kamen dicht gedrängt wie ein Wasserfall hervorgeströmt. Die Menschenmenge drängte zurück; es entstand ein Durcheinander.

Starr vor Staunen sah Kôhei auf diesen Anblick. Zweifel und Angst schüttelten ihn abwechselnd. Was, um Himmels willen, war nur los?

Eine Frau kam auf ihn zugelaufen. Sie hielt ihn an seinem Gewand fest und schrie unaufhörlich auf ihn ein, während sie auf die Masse der unheimlichen Wesen in ihrem Rücken zeigte. Aber er verstand kein Wort — diese Sprache hatte er bisher überhaupt noch nie gehört. Da erinnerte er sich an den Armreif: Das war's doch! Was der Mann vorhin da gesagt hatte, das galt doch für eine solche Situation. Wenn der Armreif nicht beschädigt war, dann mußte er doch mit seiner Hilfe diese Leute hier und ihre Sprache und auch die Handhabung dieser Waffe da in seiner Hand begreifen. Aber — der Reif hing beschädigt an seinem Gelenk.

Er stieß die Frau von sich und schüttelte den Kopf. Was sollte er nur tun? Er versuchte noch einmal, den Reif ordentlich an seinem Gelenk festzumachen — vergeblich.

Die fremden Wesen folgten der Menschenmenge und flossen durch die Straße wie durch ein Flußbett. Eine Anzahl von ihnen trennte sich von dem Hauptstrom und nahm die Verfolgung von Kôhei und der Frau auf. Die Frau schrie voller Angst. Kôhei nahm sie unter den Arm und rannte mit ihr in ein hinter ihnen stehendes Gebäude. Im nächsten Augenblick bedeckte ein weiches, klebriges Ding seinen Kopf und sein Gesicht. Seine Arme schnellten hoch, er packte das Ding und zerriß es. Zerquetscht fiel das grüne, amöbenartige Wesen auf den Boden. Die übrigen Riesenamöben schlug Kôhei mit seiner Waffe in Fetzen.

Die Frau zog ihn am Arm. Die Wand vor seinen Augen öffnete sich. Nach dem Eintreten fühlte er, daß sein Körper plötzlich in die Höhe gehoben wurde. Also war er in einer Art Lift — aber dieser Lift war viel schneller, als Kôhei es bisher gewohnt gewesen war.

Als er wieder zu sich kam, standen sie in einem Raum, der wie eine Aussichtsplattform ringsum mit großen Glasfenstern ausgestattet war. Von hier aus konnte man auf die unten fließenden grünen Lebewesen hinabschauen.

Plötzlich riß sich Kôhei vom Arm der Frau los und lief auf die durchsichtige Wand zu.

Er blickte auf eine Stadt. Soweit das Auge reichte, ragten riesige Gebäude mit dreieckigem oder rundem Grundriß empor. Es war eine sehr große Stadt. Überall loderten Flammen empor; die Brände spieen schwarzen Rauch in den schmutzigtrüben Himmel.

Was sollte das alles heißen? Kôhei starrte stumm und ratlos auf das Panorama dort draußen. War das etwa New York?

Nein, nicht einmal in New York gab es solche riesigen Gebäude mit so seltsamem Grundriß. Oder handelte es sich vielleicht um Tôkyô? Aber das konnte doch nicht sein — eine solche Stadt gab es doch nirgendwo auf der Erde. Und dann ... Kôhei schüttelte den Kopf. Was waren das überhaupt, diese grünen Lebewesen da? Er wünschte sich, daß alles nur ein Traum wäre. Von dieser verrückten Welt hier hatte er schon genug. Aber sein schmerzender Arm machte ihm die Wirklichkeit bewußt — dies alles hier war real, weder Theater noch Traum.

Auf einmal tauchten weit hinten über dem Horizont tausende kleiner Punkte auf. Kôhei beobachtete sie einige Zeit; dann erkannte er, daß es diskusförmige Flugkörper sein mußten. Sie kamen immer näher.

Fliegende Untertassen? Das kann doch nicht sein! Das ist doch ein Witz! Er beobachtete sie weiter angestrengt. Die dichte Formation der Flugkörper löste sich auf, sie zerstreuten sich über den Himmel und schossen violette Lichtstrahlen auf die Erde. Dabei gab es immer wieder Explosionen; neue Brände brachen aus.

Plötzlich durchbohrte ein weißer Strahl eine der Fliegenden Untertassen, und sie zersprang sofort in tausend und abertausend Stücke. Die übrigen Flugkörper sammelten sich wieder zu einer dichten Formation und verschwanden im Nu aus Kôheis Blickfeld.

Unversehens hatten seine Beine zu zittern begonnen. Nein! Er schnappte nach Luft. So etwas ... so etwas gibt es doch nicht! Das ist doch wie in einem SF-Roman: Die Welt der Zukunft, und jetzt ein Angriff von Feinden aus dem All ...

Aber eine solch überaus alberne Phantasievorstellung paßte gerade am besten, um all das zu erklären, was hier vorging.

Die haben mich hinters Licht geführt! Verdammt! Der Mensch in dem Institut hat mich in eine Falle gelockt!

Das durfte es doch nicht geben! Aber — genau das, was es nicht geben durfte, war ihm am eigenen Leib geschehen.

Er schaute sich nach allen Seiten um. Die Frau hockte am Boden, hatte ihre Hände ineinandergelegt und starrte ihn geistesabwesend an.

»Du da«, sagte Kôhei zu der Frau, die über und über mit Schlamm bespritzt war, »verstehst du, was ich sage?«

Sie schüttelte den Kopf.

»Kannst du dieses Ding hier reparieren?« Er zeigte seinen Arm, an dem der Reif mit dem künstlichen Gedächtnis hing.

Die Frau nickte sofort und kam zu ihm. Mit geschickten Handgriffen begann sie, den Reif zu reparieren.

4

»Möglicherweise ist dieser Reif noch nicht ganz in Ordnung. Ich bin eben kein Spezialist dafür«, sagte die Frau.

Jetzt kamen Kôhei alle Erinnerungen wieder, die im Reif gespeicherten Gedächtnisinhalte und auch alles andere . . .

»Also, die Dinge, die ich weiß, wenn ich den Reif trage, verschwinden dann, wenn ich ihn ablege?«

»Ja, das ist so.«

»Ach natürlich — während das Ding kaputt war, verstand ich deine Worte nicht, und ich kapierte auch nicht, wie dieses Lasergewehr hier bedient wird.«

»So geht es allen«, sagte die Frau, »allen Leuten von den Verteidigungstruppen geht es so.«

Dies hier war nicht Kôheis Welt. Es war tausend Jahre weiter in der Zukunft. Kôhei war es völlig unbegreiflich, wie es möglich war, Menschen in diese Welt der Zukunft zu versetzen, aber es war wirklich geschehen. Es war von allem, was er bisher erlebt hatte, tief erschreckt, aber er zweifelte nicht mehr an den Worten dieser Frau.

»Ihr wurdet hierher geholt, um die Erde zu verteidigen«, sagte der Kommandeur, »ihr befindet euch jetzt im 30. Jahrhundert. Wenn ihr darüber erschreckt, dann ist es jetzt zu spät. Ihr wurdet von unseren Beauftragten aus verschiedenen Epochen hierher gebracht, Leute aus dem 20. und 22. Jahrhundert. Ich will, daß ihr mit aller Kraft kämpft. Die Menschen dieser Welt hier haben in einem langen andauernden Frieden das

Kämpfen völlig verlernt. An ihrer Stelle müssen wir wildere Leute einsetzen, Kerle wie euch.

Die Erde wird jetzt von Lebewesen angegriffen, über deren Herkunft wir nichts wissen. Die Menschen dieser Zeit wissen sich nicht zu helfen. Wenn es so weiter ginge, dann wäre das unser Untergang. Deshalb haben wir Zeitmaschinen gebaut und euch aus eurer Zeit in die unsere versetzt und zu Hilfe gerufen. Die ärztliche Kunst unserer Zeit ist nahezu vollkommen: So gut wie alle Wunden und Verletzungen können wir heilen.

Ich flehe euch an: Helft uns! Macht mit!«

»Ich kann hier nicht bleiben«, sagte Kôhei, »ich muß schleunigst zur Haupttruppe zurück!«

»Das ist doch jetzt zu gefährlich! Da draußen treiben sich doch jetzt diese Monster herum!«

»Gerade deshalb muß ich gehen. Ich möchte diese Aufgabe hier schnell zu Ende bringen . . .« Er verstummte. Das Gesicht dieser Frau hier vor ihm war dem seiner Ehefrau sehr ähnlich. Zwar war es über und über mit Schmutz bedeckt, aber die Ähnlichkeit war unverkennbar.

Er holte aus seiner schillernden Uniform ein Tuch hervor und wischte ihr Gesicht ab.

Sie erwiderte erstaunt seine Blicke: »Was ist denn los?«

»Minako!« rief er aus, »aber das gibt es doch nicht!«

»Was ist denn?«

»Du siehst ganz genau aus wie meine Ehefrau!« antwortete er heftig atmend.

»Ehefrau?« fragte sie. »Was ist eine Ehefrau?«

»Anscheinend gibt es diese Sitte hier nicht mehr . . .« Kôhei erklärte ihr, was Ehe und Familie in seiner Zeit gewesen waren. Während die Frau, die Minako so sehr ähnelte, ihm zuhörte, schienen Tränen in ihren Augen aufzublinken.

»Wir«, sie ließ den Kopf sinken, »wir wußten nicht einmal, daß es eine solche Lebensweise gibt. Wir wurden nur dazu erzogen, das Leben zu genießen, und jetzt müssen wir tagtäglich kämpfen.«

Kôhei wußte nicht, wie er die Frau trösten sollte. Der Unterschied zwischen dem 20. und dem 30. Jahrhundert war zu groß.

»Ist doch schon gut!« Er legte seine Hand auf ihre Schulter. »Ich muß jetzt schnell zurück zur Haupttruppe. Kommst du mit?«

»Ja, bitte laß mich mitkommen!«

»Also, gut! Komm!«

Ein seltsames Paar sind wir, dachte er mit einem bitteren Lächeln, während er die Frau bei der Hand nahm und mit ihr zum Fahrstuhl ging.

Als sie nach draußen traten, dämmerte es schon.

»Das ist gut. Anscheinend geht dieser Tag schon zu Ende.« Kôhei hielt das Lasergewehr in Anschlag und bewegte sich vorwärts, immer im Schatten der Gebäude. Wenn von Zeit zu Zeit irgendwo rotes Licht aufflammte, hob sich die Silhouette der zur Ruinenansammlung gewordenen Stadt vom Himmel ab.

»Diese Gegend hier wurde vom Feind völlig zerstört«, flüsterte er ihr zu, »man weiß nicht, wo diese Amöbendinger rauskommen. Paß gut auf!« Sie nickte und folgte ihm.

Hoffentlich kommen wir heil zur Haupttruppe! sagte er sich innerlich immer wieder vor, wie ein Gebet, während er durch die dunklen, verlassenen Straßenfluchten eilte.

»Du«, sagte die Frau leise, »paß du auch gut auf!«

Kôhei blickte sie scharf an: »Da kannst du dich drauf verlassen! Wir sind keine solchen Angsthasen wie ihr! Wir sind keine solchen Menschen, die gegen Eindringlinge aus dem All nur dann kämpfen können, wenn sie andere Leute aus der Vergangenheit holen. Halt den Mund und lauf hinter mir her!«

Die Frau antwortete nicht sofort. Seine Worte schienen sie eingeschüchtert zu haben. »Aber . . . wenn Krieg ist, dann ist es doch am einfachsten, Menschen dafür einzusetzen, die in der Vergangenheit gelebt haben, oder?«

»Das ist ja eine komische Geschichte!« Kôhei wunderte sich:

»Könnt Ihr denn nicht selbst die Verantwortung für eure Welt übernehmen? Wenn die Menschen aus grauer Vergangenheit hier bei euch sterben — was wird dann? Was soll dann aus den Kindern und Kindeskindern werden, die von diesen Menschen abstammen sollten?«

»Das weiß ich nicht«, murmelte sie. »Aber wenn wir das nicht tun, dann werden wir besiegt, dann gehen wir alle zugrunde.«

»Allerdings ...«

Sie waren an einer Kreuzung angelangt. Nachdem er die Umgebung eine Weile mit Blicken erforscht hatte, schlug er die linke Richtung ein.

»Ach bitte«, begann die Frau von neuem zu reden, »erzähl mir doch noch weiter über deine Welt.« Während sie vorsichtig weitergingen, erzählte Kôhei der Frau über das 20. Jahrhundert: über die Fahrten mit der U-Bahn, über die allmonatlichen Ratenzahlungen, über das Leben eines gewöhnlichen Firmenangestellten, über ...

»Deshalb ist es reiner Zufall, daß ich hier an einem solchen Ort mit einem Gewehr in der Uniform der Verteidigungstruppen herumlaufe.«

»Du hast also an dem Tag, nachdem du entlassen wurdest, einen neuen Arbeitsvertrag abgeschlossen, nicht wahr?«

»Ich wurde nicht entlassen — die Firma hat Bankrott gemacht!«

»Und diese deine Frau ist mir so ähnlich?« forschte sie hartnäckig weiter.

Kôhei wurde allmählich ihrer Fragerei überdrüssig: »Was willst du denn überhaupt hören? Das geht dich doch gar nichts an!«

»Ganz im Gegenteil!« Ihre Augen glänzten. »Jetzt weiß ich, was ich von nun an zu tun habe.«

»Was denn?«

»Ich muß für dich so eine Ehefrau werden!«

»Ha!« rief er laut, ohne zu überlegen. In diesem Augenblick schossen Lichtstrahlen an ihnen vorbei und streiften sie um ein Haar. Mit einer Reflexbewegung drückte Kôhei den Abzug seines Lasergewehrs. Der weiße Strahl blitzte auf; der Gegner fiel aus seinem Hinterhalt zu Boden.

»Schnell!« Kôhei packte die Hand der Frau fest. »Red keinen Unsinn mehr! Beeil dich!«

Inzwischen war es schon ganz dunkel geworden; nur die Mauern der eingefallenen Gebäude schimmerten undeutlich. Die beiden rannten dahin, dann und wann strauchelten sie.

»Ich mochte schon immer die Frauen aus der Vergangenheit so sehr«, sagte sie in einem singsangähnlichen Selbstgespräch, »die waren doch zuverlässig, und überdies noch mutig. Aber wenn nicht außergewöhnliche Bedingungen vorliegen, dann ist es sehr schwer, in die Vergangenheit zu fliehen. Wenn es leicht wäre, dann wären ja schon alle geflohen ... Aber ich bin trotzdem zufrieden, denn jetzt habe ich einen sicheren Beweis.«

Endlich wurde in der Ferne der Stützpunkt sichtbar, wo die Haupttruppe der Menschen stationiert war. Während Kôhei die Frau hinter sich herzog, redete sie weiter: »Eine solche Ehefrau zu werden, das ist meine Aufgabe. Ich sollte in die Vergangenheit zurückgehen und dich dort heiraten. Wenn ich einen solchen Reif mit dem künstlichen Gedächtnis trage, dann verstehe ich alles, was im 20. Jahrhundert geschieht. Und diese ganzen Strapazen, die wir hier zusammen durchmachen, sind dann nur noch eine interessante Erinnerung.«

Kôhei schien es, als habe sie durch die Strapazen den Verstand verloren. Er antwortete nicht mehr auf ihre Worte, sondern ging unbeirrt weiter in Richtung auf den Stützpunkt der Haupttruppe.

Nachdem er endlich die Frau abgeliefert hatte, nahm Kôhei noch weitere zehn Tage an den Kämpfen dieser Welt der Zukunft teil. Am zehnten Tag rief der Kommandeur sie alle zusammen.

»Wir danken euch von Herzen für die Mühen, die ihr auf euch genommen habt. Hiermit löse ich unsere Abteilung Nr. 20124 auf!«

Alle waren ganz still geworden.

»Aber«, Kôhei meldete sich mit einem Handzeichen, »wie ist überhaupt die Lage?«

»Im Augenblick nicht übermäßig gut«, antwortete der Kommandeur, »aber es kommen immer wieder neue Leute als Entsatz für die Verteidigungstruppen. Über kurz oder lang werden wir die Erde wieder zurückerobert haben. Auf jeden Fall habt ihr euer Bestes geleistet. Jetzt geht bitte wieder in eure eigenen Welten zurück. Euren Lohn wird man euch in eurer Heimatwelt aushändigen.«

»Aber . . . wir haben hier zehn Tage zugebracht. Und man hat uns nur für einen Tag verpflichtet!« protestierte einer der Männer. Der Kommandeur lachte: »Ihr kommt in eure frühere Welt zurück, an euren früheren Ort. Gibt's da noch Grund für Unzufriedenheit?«

»Aber wir erinnern uns dann noch an diese zehn Tage . . .«

»Diese Erinnerungen verschwinden alle, wenn ihr den Reif abnehmt. Überdies werden diese Dinge in euren Gedächtnissen noch extra gelöscht; ihr werdet euch dann nicht im geringsten mehr daran erinnern, daß ihr hier bei uns gewesen seid. Das dürfte auch für euch selber besser sein.«

5

Was war los? Er war todmüde! Während Kôhei von dem Gestell herabstieg, sagte er mit dem Gesicht eines Menschen, der noch nicht ganz aus einem Traum aufgewacht ist, zu dem Mann von dem Institut:

»Bin ich schon fertig? Ich war leider eingeschlafen.«

»Ist schon alles zu Ende«, antwortete der Mann lachend. »Und du hast in dieser Zeit schon deine Arbeit ordentlich gemacht.«

Kôhei schaute ihn verständnislos an.

»Auf jeden Fall, seit du eingeschlafen bist, ist nur eine Stunde vergangen. Eigentlich warst du für einen Tag angeworben, aber dank der guten Leistung der Maschine ist die Arbeit schon erledigt.«

»Tatsächlich?« Er konnte es nicht begreifen. Aber das machte ja nichts. Er nahm das Honorar in Empfang, bedankte sich und ging hinaus.

Als er das Kuvert mit dem Geld öffnete, staunte er sehr: Drinnen steckten zehn druckfrische 10 000-Yen-Scheine.

Was habe ich denn bloß gemacht? Was habe ich gemacht, während ich schlief? Aber das blieb für ihn ein Rätsel sein ganzes weiteres Leben lang.

Er stieg die Treppe hinauf und läutete an seiner Wohnung.

»Ah, da bist du ja!« Minako kam ihm entgegen. »Wie war's? Es war ganz einfach, nicht wahr?«

»Na ja«, sagte er und gab ihr den Umschlag mit dem Geld, »aber woher wußtest du eigentlich von dieser Arbeit?«

»Ich lese eben die Zeitung sehr genau.«

»Ach so . . .«

»Und wie war's denn?« Minakos Augen waren erwartungsvoll auf ihn gerichtet. »Wie ging das vor sich?«

»Wie das vor sich ging? — Na ja, eigentlich kletterte ich nur auf so ein Gestell und hielt dann ein Schläfchen. Ich verstehe immer noch nicht, was da überhaupt los war.«

Minako ließ ihre Schultern fallen; auf ihrem Gesicht zeichnete sich große Enttäuschung ab. »Eine merkwürdige Geschichte, nicht wahr?« sagte sie. »Vielleicht bist du in die Welt der Zukunft versetzt worden, tausend Jahre weiter?«

Kôhei brach in Gelächter aus über ihre allzu phantastische Idee: »Also, das ganz gewiß nicht!«

»Und vielleicht trafen wir, du und ich, uns dort zum erstenmal?«

Kôhei mußte sich vor Lachen schütteln über diese Worte. Als er schließlich aufhörte zu lachen, nickte er und sagte: »Also gut, lassen wir es bei dieser Erklärung.«

Minako lächelte leicht. Es war wieder ihr gewohntes rätselhaftes Lächeln: »Und dort greifen Eindringlinge aus dem All die Erde an«, sagte sie in einem singsangähnlichen Tonfall. »Die Menschen jenes Zeitalters sind mit ihrer Zivilisation zu verfeinert und haben keinen Kampfgeist mehr, und deshalb müssen die Menschen aus der Vergangenheit zu Hilfe holen.«

Kôhei nickte: »Und was dann?«

»Und dann kamst du aus dem 20. Jahrhundert dorthin, und ich traf dich, ich — ein Mensch aus dem 30. Jahrhundert, und ich folgte dir und floh ins 20. Jahrhundert, und hier leben wir beide zusammen ... Was hältst du von dieser Geschichte?«

»Das ist ein glänzender Einfall!« sagte er lachend. »Aber da ist ein schwacher Punkt: Wenn das alles so wäre, dann müßte ich ja nach meiner Rückkehr mich an all das erinnern, und das gäbe bestimmt einige Schwierigkeiten für mich. Deshalb ...«

»Deshalb war es doch gut, daß man deine Erinnerungen gelöscht hat.«

Sie mußten beide lachen. Minako wischte ihr Gesicht mit ihrer Schürze, während sie lachte. Kôhei dachte, wegen des übermäßigen Lachens seien ihr Tränen gekommen. Ihre phantastischen Ideen hatten natürlich überhaupt nichts mit der Wirklichkeit zu tun. Aber wenn sie ihren Alltag würzten, dann hatten sie schon ihr Gutes. Die Wirklichkeit — das war eben etwas ganz anderes.

»Also«, Kôhei stand auf, »kommen wir allmählich wieder in die Wirklichkeit zurück. Ich habe einen gewaltigen Hunger. Machst du bald das Essen?«

»Ich mach es gleich!« Als sie aufstehen wollte, sagte er zu ihr:

»Du gibst aber auf deine Sachen gut acht!«

»Wieso?« Minakos Blick fiel auf ihr Handgelenk, auf den seltsamen silbernen Reif, den sie dort trug und den sie nicht einmal vor dem Baden ablegte. »Das ist doch selbstverständlich!« sagte sie ganz arglos und unbefangen. »Wenn ich diesen Armreif ablege, höre ich doch auf, ein Mensch des 20. Jahrhunderts zu sein!«

Kôhei lächelte. Seine Frau war wirklich sehr verwunderlich. Aber das machte ihm nichts aus, im Gegenteil — es gefiel ihm sogar! Galt für sie vielleicht das Sprichwort: »Gleich zu gleich gesellt sich gern?«

Ideenfinder im untersten Rang

Zögernd stand ich eine Weile vor der bläulich beleuchteten Luftschleuse der Merkur-Basis Nr. 4. Dies hier war ganz und gar kein Platz für menschliche Träume oder sentimentale Empfindungen. Das steile Gebirge gegenüber der Basis strahlte grelles Licht zurück; am tiefschwarzen Himmel waren die Sterne in strenger Ordnung aufgereiht. Inmitten dieser erhabenen Landschaft wirkte die Basis — immerhin Stützpunkt der Menschheit auf ihrem Vormarsch in das Weltall — recht armselig und verlassen.

Wenn ich es mir genau überlege, so wurde mir erst in jenem Augenblick bewußt, welche Stellung ich wirklich einnahm. Ich hatte das Aufnahmeexamen für die Ausbildung als Ideenfinder bestanden, war für diese Aufgabe trainiert und dann für drei Monate dem Zweigbüro Fernost zugeteilt worden. Dort hatte ich gearbeitet wie verrückt, und eines Tages stand ich unversehens auf dem Merkur.

Ideenfinder — ist das nicht ein schöner Beruf? Das einzige, was man zu tun hat, ist, seine eigenen Ideen anzubieten; dafür bekommt man den Posten eines Beamten der Terranischen Union und ein hohes Gehalt. Heutzutage, wo man allüberall Roboter einsetzt, ist da dieser Beruf nicht der ehrenvollste für einen Menschen? Alle Leute sagen voller Überzeugung, es sei so. Und ich hatte das zuvor ja auch selbst geglaubt.

Aber es gibt nur wenige Menschen, die wissen, unter welch harten Bedingungen ein Ideenfinder arbeitet. Was alles an Leistungen man erbringen muß, bis man die rote Uniform bekommt, die ich unter meinem Raumanzug trug — das erfährt ein Außenstehender gar nicht: Unablässige Denkübungen, schonungsloser Einsatz, Bereitschaft zu sofortiger Versetzung, und dazu noch die ausgefallenen Übungsprobleme, die innerhalb einer genau festgelegten Zeitspanne gelöst werden müssen.

Die Leute, die nicht über die Kraft zur Anpassung verfügen, werden einer nach dem anderen disqualifiziert. Man hat keinen ruhigen Augenblick, solange man noch kein ID ist. Ja, vielleicht sind die IDs die eigentlichen Ideenfinder. Da sie das Zeug zur Führungspersönlichkeit haben und umfassende Urteilsfähigkeit besitzen, mobilisieren sie uns, die SUGs und haben direkten Draht zur Politik. Ein ID zu werden, ist das oberste Ziel eines SUG. ID ist die Abkürzung für ›Ideator‹ SUG für ›Suggestor‹.

Zur Zeit bin ich ›SUG C‹, das heißt: Ideenfinder im untersten Rang. Bei den Ideenfinder-Wettbewerben des Zweigbüros Fernost schloß ich immer am schlechtesten ab. Die Urkunde über meine Versetzung auf den Merkur gab mir mein Vorgesetzter, Seiichi Mitamura (ID B), mit einem mürrischen Gesicht. Ich weiß immer noch nicht, warum ich jedesmal die schlechteste Note bekam. Aber eines war mir von jenem Augenblick an klar: Diesmal durfte ich nicht mehr versagen. Die Disqualifikation schwebte über meinem Kopf wie ein Damoklesschwert. Ich mußte mich mit aller Kraft anstrengen.

Aber was sollte ich überhaupt tun? Was würde mich auf dieser Basis erwarten? Unsicherheit und Ungeduld ließen mein Herz unruhig schlagen. Ich schaute mich noch einmal um.

Diese Dämmerungszone war die Grenze: Dort drüben die ewige Gluthitze, hinter uns die Welt der Eiseskälte.

Egal, was kommt, ich muß alle Kräfte einsetzen! dachte ich. Dann betrat ich die Luftschleuse und drückte auf den Knopf.

Meine Ankunft war offensichtlich im voraus angekündigt worden: Man hatte mir im Beobachtungsraum im Zentrum der Basis einen Schreibtisch aufgestellt und ihn sogar mit einer Vase mit künstlichen Blumen geschmückt. Ich hatte Bedenken gehabt, ob mein Auftauchen nicht die Arbeit aller anderen hier stören würde, aber die ganze Mannschaft plauderte fröhlich miteinander.

»Also, jetzt halten wir eine Begrüßungsparty für unseren

neuen Ideenfinder, Herrn Akira Sawai!« erklärte Dr. Kusuda, der Chef der Basis, und alle klatschten laut.

In Basis 4 arbeiteten sieben Männer und Frauen. Alle waren Wissenschaftler, vom Zweigbüro Fernost der Union entsandt und mit Experimenten und Forschungsarbeiten beauftragt.

Während ich zuhörte, wie die einzelnen Leute sich vorstellten, erkannte ich, daß der Einfluß der Ideenfinder sogar bis hierher reichte. Die an einen so abgelegenen Einsatzort Entsandten mußten untereinander harmonisieren; deshalb durften nicht mehr als zwei Leute vom gleichen Fach beisammen sein. Diese Regel hatte das Planungsministerium der Union aufgestellt, um unnütze Streitereien zu vermeiden; sie wurde bei jedem Stützpunkt strikt eingehalten.

Diese Wissenschaftler hier sahen aus, als hätten sie keine Sorgen. Waren sie nur deshalb hier auf den Merkur heraufgekommen, um auf Staatskosten ihren Studien nachzugehen? Ihr Gesichtsausdruck erschien mir sozusagen irgendwie durchsichtig.

»Jetzt sind Sie an der Reihe, Herr Sawai. Wir hörten, daß Sie zu uns kommen würden, aber wir erfuhren nicht, warum. Bis jetzt hat noch niemand von uns erlebt, was es heißt, mit einem Ideenfinder zusammenzuarbeiten.«

Ich erhob mich: »Offen gestanden bin ich strafversetzt worden. Weil meine Leistungen nicht sonderlich gut waren.« Alle hatten auf einmal ihre Blicke auf mich geheftet. Ich erzählte ihnen ausführlich meine bisherige Situation und sagte, wenn ich nicht hier einen wirklichen Erfolg zustande brächte, dann stünde mir die Disqualifikation bevor. »Deshalb bin ich, ehrlich gesagt, für Sie alle nur ein Störfaktor. Das beste wäre, ich verbrächte meine Tage hier mit Nichtstun.«

Darauf erhoben alle Protest. Stellvertretend für die anderen sagte Dr. Kusuda zu mir: »Sie sollten nicht so abwegig von sich denken! Es ist keine Übertreibung, wenn ich sage, daß wir uns jedesmal darüber freuen, wenn die Mannschaft dieser Basis vergrößert wird. Das heißt: Wir möchten gerne, daß durch Sie unsere Arbeit hier verbessert wird. Sie sind der erste Ideenfinder, der auf den Merkur gekommen ist. Machen Sie sich keine übermäßigen Sorgen und gehen Sie mal ganz gelassen an die Sache ran, nicht wahr?«

Ich fühlte mich an meiner empfindlichen Stelle getroffen. Beschämt und stumm ließ ich den Kopf sinken. Fräulein Harino, die Spezialistin für Tieftemperaturchemie, sprach mir Trost zu: »Natürlich geht es uns so wie Ihnen: Da wir für Forschungen auf der Erde nicht genügend Mittel hatten, bewarben wir uns um einen Einsatz hier auf dem Merkur. Haben wir nicht gewissermaßen den gleichen Standpunkt? Sie brauchen sich keine Sorgen zu machen!«

Die anderen stimmten ihr alle zu. War es nicht schon lange her, daß man so zu mir geredet hatte? Ehe ich mich's versah, hatte man mich schon als Kollegen in die Gruppe aufgenommen. Schon lange hatte ich mich danach gesehnt, Mitglied eines Kollegenkreises zu sein, da ich immerzu darüber nachdenken mußte, ob ich als Ideenfinder nicht eine Niete war, ob ich das Examen nur durch einen unverschämten Glückszufall bestanden hatte.

»Vielen Dank!« sagte ich und verneigte mich. Ich spürte, wie mir plötzlich tief drinnen in der Nasenhöhle ganz warm wurde. Alle lächelten mir zu. Dr. Kusuda klopfte mir auf die Schulter und sagte: »Bald ist Feierabend. Von morgen an wird jeder von uns abwechselnd zu Ihnen kommen und Ihnen seine Arbeit erklären. Wollen Sie nicht jetzt schlafen gehen?«

»Wir sind zwar nicht so beschäftigt, wie die Leute auf der Erde meinen mögen, aber wir hatten uns trotzdem gewünscht, mal jemanden zu haben, der kommt und unsere Arbeit anschaut«, fügte ein anderer Forscher namens Pant hinzu.

Mit der Zeit merkte ich, daß die Mitglieder der Mannschaft dieser Basis wirklich gute Leute waren. Mit Ausnahme von Dr. Kusuda hatten sich alle um eine Stationierung auf dem Merkur beworben und dann die Erlaubnis dazu bekommen. Da von Dr. Kusuda der Vorschlag stammte, auf dem Merkur eine solche Bais mit einem Forschungsinstitut einzurichten, hatte man ihn auf diesen Planeten abgeordnet. Diese Leute hier empfanden keine besondere Anhänglichkeit gegenüber der

Erde. Ich meinerseits wollte lieber hier als Ideenfinder bleiben, als disqualifiziert auf die Erde zurückzukehren. Die ganze Besatzung bestand also aus Personen, deren Eigenart verlorenginge, wenn sie nicht hier, in der Welt des Merkur, wären.

In dem Privatzimmer, das man mir zugeteilt hatte, konnte ich eine Weile ohne besondere Ungeduld zubringen. Obwohl Dr. Kusuda kaum irgendwelche Anweisungen gab, lief das Leben der Gruppe in gleichmäßigem Rhythmus ab. Niemand brachte die künstlich festgelegte Einteilung von Tag und Nacht durcheinander; jeder sorgte der Reihe nach einmal für die Zubereitung des Essens. Ich lebte auf gleiche Weise wie sie, befragte manchmal diejenigen, die gerade nichts zu tun hatten, oder absolvierte für mich allein meine Denkübungen.

Aber dieser stille Frieden dauerte nicht lang. Der Merkur erreichte auf seiner Bahn den Bereich, von wo aus Kommunikation mit der Erde möglich war. Nachdem die Wissenschaftler ihre turnusmäßigen Berichte abgegeben hatten, wurde ich von ID Mitamura angefunkt.

»Haben Sie nichts zu berichten? Was machen Sie denn die ganze Zeit?«

»Hier gibt's keine besonderen Probleme. Folglich sah ich keinen Anlaß für einen Bericht.« Ich wartete. Während die Funkwellen zur Erde reisten und wieder zurückkamen, wartete ich voller Unruhe.

»Was haben Sie da gerade gesagt: ›Keine Probleme?‹ Das ist doch gerade die Aufgabe eines Ideenfinders, die Probleme zu entdecken! Die Union hat Sie nicht auf den Merkur geschickt, damit Sie sich dort ein geruhsames Leben machen. Sie müssen Probleme finden! Wie steht denn in § 18 der Dienstvorschrift? ›Der Ideenfinder muß sich davor hüten, sich an die gegenwärtige Situation zu gewöhnen!‹ Wenn Sie so unbekümmert daherreden, bringen Sie sich noch ganz schön in Schwierigkeiten. Mensch, gehen Sie an die Arbeit, an die Arbeit!«

Damit ging die Verbindung zu Ende. Wieder ließen Unsicherheit und Ungeduld mein Herz unruhig schlagen. Während ich verwirrt den Kopf schüttelte, schienen die anderen allmählich Mitleid mit mir zu bekommen.

»Wie wäre es, wenn Sie einfach etwas geschäftiger hier bei uns herumlaufen? Vielleicht finden Sie dann irgend etwas!«

»Ja, ja! Jeden Tag soll einer von uns Herrn Sawai in der Basis herumführen!«

Es ist traurig, aber wahr: Ein Ideenfinder muß sich als Störenfried betätigen; er muß bei Windstille Wellen schlagen. Wenn man keine Arbeit hat, dann muß man sich Arbeit schaffen, und daß man sich ausruhen kann, ist die Ausnahme. Die Grundregel lautet: »Lebe im Gehen und schlafe im Sitzen!« Wenn ich tatsächlich dazu fähig gewesen wäre, hätte ich natürlich schon längst die unterste Stufe der Hierarchie, SUG C, hinter mir gelassen. Um ganz offen und ehrlich zu sein: Ich war von Herzen froh gewesen, daß ich nach mehreren Monaten nervlicher Anspannung endlich frei war und mich — seit ich hier angekommen war — der Stimmung von Abgeschiedenheit auf dem Merkur hingeben konnte.

Aber jetzt hatte ich keine andere Wahl. Ich nahm die freundschaftlichen Angebote der anderen hin. Innerlich aufgewühlt, in einem Strudel widerstreitender Gefühle, hockte ich ziemlich lange auf dem Stuhl im Funkraum.

Der ›Inspektionsplan‹, den ich nach Beratungen mit Dr. Kusuda ausgearbeitet hatte, war nach zwei bis drei Tagen durchgeführt. Würde man mich fragen, ob mir bei dieser Besichtigung irgend etwas aufgefallen sei, so müßte ich verneinen. Meine sogenannte ›Inspektion‹ war nichts weiter als eine Besichtigung. Ein Ideenfinder soll auf allen Gebieten gut unterrichtet sein, aber das ist ja unmöglich. In jener Merkur-Welt war ich kein Berater, sondern lediglich ein Schüler.

Im Laufe dieser Tage bekam ich einen Gesamtüberblick über die Basis und ihre Einrichtungen: Fräulein Harinos Labor für Tieftemperaturchemie, Herrn Pants Garten für botanischzoologische Studien unter Extrembedingungen, Fräulein Hirakawas astronomisches Observatorium — diese drei standen in der Nachtzone. Dr. Kusudas Labor für hitzebeständige Werkstoffe und Herrn Hanfans Sonnenobservatorium befanden sich in der Tageszone. All diese Forschungen waren nur hier möglich, denn auf dem Merkur gibt es so gut wie keine Atmosphäre, dafür diese zwei getrennten Welten ewigen Tages und ewiger Nacht. Außerdem arbeitete in der Basis noch Dr. Sugunamais Trupp von Mineraliensammlern sowie eine Schutztruppe, die gleichzeitig Hausmeisterfunktion hatte.

Für alle diese Arbeiten setzten die Forscher ihre Roboter ein. Da die Forschungen geduldige Wiederholung von Experimenten erfordern, gibt es keine besseren Assistenten als die Roboter.

Ich besuchte all diese Forschungslabors, hörte mir die Erklärungen an, schaute bei den Experimenten zu. Zum Verlassen des Hauptstützpunktes brauchten wir immer die entsprechende Schutzausrüstung. Wo immer ich auch hin kam, überall traf ich auf Scharen von Robotern. Sie weckten in mir dumpfe Gefühle einer primitiven Angst. Denn diese Roboter ähnelten in keiner Weise den Androiden, die wir für gewöhnlich auf der Erde einsetzen.

»Es ist gar nicht notwendig, daß sie den irdischen Androiden ähnlich sind. Die Werkzeuge, die sie benützen, brauchen wir Menschen überhaupt nicht anzufassen. Letztendlich sind diese Roboter doch auch nur Werkzeuge. Bisher waren Sie, Herr Sawai, noch nicht zur Besichtigung in der Tageszone. Deshalb wissen Sie auch noch nicht, daß die dort eingesetzten Roboter, da sie keinen unmittelbaren Kontakt mit Menschen haben, nicht den Regeln der Robotik, dem Robotergesetz, unterstehen.«

Mich schauderte noch mehr: Roboter, die nicht den Regeln der Robotik unterstehen, sind ja bekanntlich fähig, einen Mord zu begehen.

Jedenfalls gaben auf diese Weise mir alle Forscher einleuchtende Erklärungen über ihre Arbeiten. Was für Ratschläge sollte aber ich ihnen geben?

Es war für mich schon verwunderlich daß sie nicht im geringsten an meinen Fähigkeiten zweifelten. Wäre das alles drunten auf der Erde so gelaufen, dann hätte ich sarkastische

Bemerkungen zu hören bekommen; sie dagegen ergriffen alle notwendigen Maßnahmen, um mir zu helfen. Ich glaube, die Leute von dem Forschungsteam interessierten sich nicht im geringsten dafür, wie ein Ideenfinder seine Arbeit zu machen hat. Vielleicht ging es ihnen nur darum, sich durch das Gefühl ihrer Bereitschaft zur Zusammenarbeit ihre eigene Einsamkeit zu vertreiben.

Allmählich wurde ich müde. Mein übersteigertes Selbstbewußtsein ließ von Tag zu Tag meine Ungeduld heftiger werden, und immer öfter biß ich mir auf die Lippen. Der Minderwertigkeitskomplex, daß mir die Eignung zum Ideenfinder völlig abgehe, begann wieder in meinem Innern Wurzeln zu schlagen; gelegentlich zeigten sich klare Symptome einer Neurose. Aber was sollte ich nur anfangen? Ich sehnte mich nach einem Wendepunkt, nach einer Chance, aber hier war doch alles allzu ruhig, allzu friedlich.

Deshalb hegte ich zweifellos im Unterbewußtsein eine entsprechende Erwartung, als ich am 5. Tag in Begleitung von Dr. Kusuda zum erstenmal in die Tageszone fuhr. Ich war an jenem Tag gesprächiger als sonst. Das mit Hitzeschutz ausgestattete Merkurauto, in dem Dr. Kusuda und ich uns von der Basis entfernten, schaukelte schrecklich. Der Wagen sah ganz unförmig aus, denn unter der äußeren Metallumhüllung war er mit einer dicken Isolierschicht aus einem hitzeabweisenden Material ausgestattet.

»Obwohl es so komisch aussieht, bringt dieses Vehikel doch eine beachtliche Leistung. Wir beladen es mit Maschinen und Geräten bis zum äußersten; so bepackt würde auf der Erde kein einziges Auto mehr fahren. Nicht wahr, alles speziell für den Merkur geschaffen.«

Natürlich; im Wageninneren war es sehr eng. Im Sitzen konnte man sich nicht mehr bewegen.

»Hat denn der Wagen keine Fenster?«

Dr. Kusuda lächelte nur auf diese meine Frage. Die Schaukelei wurde noch wilder. Auf einmal wurde die Vorderwand durchsichtig. Da war also eine Schutzscheibe.

»Würde man bei 350° Celsius direkt nach draußen schauen,

dann machte man ja sich die Augen kaputt! Selbst durch diese Schutzplatte hier ist es immer noch grell genug.«

Ich blickte nach draußen. Die Landschaft hätte man durchaus ›hochsommerlich‹ nennen können. Auf die öden Felsen der fernen Bergketten glühte erbarmungslos die Sonne hernieder.

»Die Ebene dehnt sich weiter, als ich gedacht hatte«, sagte ich zu Dr. Kusuda, während ich mit der Hand meine Augen gegen die Lichtreflexe abschirmte, die von den da und dort schimmernden Pfützen flüssigen Bleis ausgingen.

»Das gilt nur für diese Gegend. Die anderen Stützpunkte liegen alle nah an den Gebirgen. Nur für Basis 4 hat man einen Standort gewählt, wo viel ebener Boden ist, denn wir müssen ja auch irgendwo unsere Versuchsanlagen unterbringen. Die übrige Oberfläche des Merkur ist keineswegs so eben.«

»Ach, so ist das . . .«

Wie dem auch sei, die Landschaft ertrank schier in einer Flut von Licht. Die Umgebung war nahezu blendend weiß. War das also die tote Welt, nahezu ohne Atmosphäre, fast im Vakuum? Alles glühte im sengenden Sonnenlicht.

»Da, sehen Sie! Dort ist das Institut, das ich betreue«, sagte Dr. Kusuda und steuerte den Wagen in die gezeigte Richtung.

Hier standen, wie bei den Versuchsanlagen in der Nachtzone, bloß die notwendigen Installationen herum, ohne eine Andeutung von einem Zaun. An jeder dieser Konstruktionen waren einige Roboter an der Arbeit.

»Das Gerät, das da ganz vorne steht, ist eine Gießmaschine. Der Schwerpunkt meines Instituts liegt in der Untersuchung von Mischungen hitzebeständiger Werkstoffe und in der Erforschung ihrer Materialeigenschaften. Meist handelt es sich um vergleichende Untersuchungen. Dabei mache ich mir in diesem Stadium meiner Arbeit noch keine Gedanken darüber, ob diese Gießverfahren sich industriell gewinnbringend ausbeuten lassen oder nicht.«

»Und Sie können in dieser Gluthitze wirklich Forschungen betreiben?«

»Aber sicher! Woanders wären meine Forschungen gar nicht möglich! Die Mischung dieser hitzebeständigen Materialien

185

bedingt ein außerordentlich penibel einzuhaltendes Gleichgewicht; da darf nicht das geringste Stäubchen oder Partikelchen aus der Atmosphäre sich einmischen. Und das Wichtigste: Von Anfang an haben wir schon eine Temperatur von 350° zur Verfügung. Um auf der Erde eine solche Hitze zu erreichen, braucht man schon eine teure Anlage. Hier können wir durch Konzentration der starken Sonneneinstrahlung ziemlich leicht noch höhere Temperaturen erreichen. Diese Hitze hier kommt uns also sehr gelegen.«

Das mochte ja alles stimmen, aber war es nicht doch ein recht seltsames Gewerbe, dem eine solche Gluthitze sehr gelegen kam?

»Von höchster Bedeutung ist — auch für die Leute, die in der Nachtzone forschen —, daß es hier keinen Wechsel von Tag und Nacht gibt. Würden diese Anlagen hier plötzlich einem Temperatursturz ausgesetzt, dann wären alle Materialien verdorben.« Dr. Kusuda inspizierte seine Installationen eine nach der anderen, gab den Robotern Anweisungen über Funk und erläuterte mir dabei alles; zu jeder seiner Erklärungen nickte ich brav mit dem Kopf.

Endlich erreichte unser Merkurauto das Ende der Forschungsstation. Vor uns erstreckte sich nur die glühende Ebene.

»Na sowas!« rief Dr. Kusuda aus.

»Was ist denn los?«

»Ein Roboter fehlt!«

»Ist er vielleicht irgendwo hingegangen?«

»Nein, nein, aufgrund der Programmierung dieser Roboter kann so etwas nicht vorkommen.«

»Was meinen Sie damit?«

»Die Roboter, die in dieser unwirtlichen Gegend eingesetzt werden, sind so programmiert, daß sie nur funktionieren, solange sie ihre Arbeit machen. Wenn sie nicht mehr arbeiten können, dann werden ihre Stromkreise sofort unterbrochen.«

Denen geht es also genau wie einem Ideenfinder! Einen Augenblick lang empfand ich Mitleid mit diesen Robotern: Eine Ruhepause schien für sie die Ausnahme zu sein. »Wenn das so ist, wie Sie sagen, dann ist sein Fehlen schon seltsam.«

»Ganz gewiß! Als wir diese Roboter hierher brachten, haben wir ihnen das Verbot einprogrammiert, den Arbeitsplatz zu verlassen.« Dr. Kusuda funkte die am Hochofen arbeitenden Roboter an, sie sollten über ihre Tätigkeit berichten. Aber keiner der Roboter reagierte darauf.

»Das ist ja noch seltsamer! Was ist denn da los?« Auf Dr. Kusudas Stirn erschienen Schweißtropfen.

Ich wußte nicht, was ich tun sollte. Stumm schaute ich einmal auf die Landschaft draußen, dann wieder auf Dr. Kusudas Gesicht. Schließlich hielt ich es nicht mehr aus und fragte ihn: »Gibt es denn keine Verbindung zwischen den anderen Forschungsanlagen und dieser hier?«

Dr. Kusuda ließ seine Hände vom Armaturenbrett sinken, als habe er schon aufgegeben: »Nein. Dieser Hochofen hier ist nach meinen eigenen Plänen errichtet worden. Er hat nichts mit dem Vorhaben der Union zu tun; er ist meine private Einrichtung. Ich ließ ihn extra so aufbauen, daß er mit den anderen Anlagen nichts zu tun hat.«

Plötzlich schien ihm eingefallen zu sein, daß ich ja ein Ideenfinder war. Er wandte sich mir zu und sagte: »Bestimmt handelt es sich hier um einen Unfall. Ich weiß nicht, was ich tun soll. Ich glaube, Herr Sawai, jetzt muß ich mich an Sie richten mit einer Bitte um Hilfe.«

Ich konnte weder ja noch nein sagen. Während es mir nicht gelungen war, mir eine Arbeit zu verschaffen, kam sie jetzt von selber auf mich zu. Aber — ich hatte keine Ahnung, wie ich sie anpacken sollte. Ich starrte unbeweglich nach draußen.

Dr. Kusuda sagte: »Auf jeden Fall müssen wir jetzt zur Basis zurückfahren. Selbst dieser adiabatische Wagen darf unter keinen Umständen länger als zwei Stunden in der Tageszone bleiben. Wie sehr er auch hitzeabweisend sein mag, die Temperatur im Wageninneren steigt ja trotzdem unaufhaltsam.«

Ich nickte. Dabei mußte ich staunen, wie gelassen ich selber blieb.

Auf dem Rückweg zur Basis prägte ich den Anblick der

Landschaft meinem Gedächtnis ein. Dieses Versuchsgelände, auf dem noch allerhand passieren dürfte, und diese ganze erbarmungslos glühende Tageszone waren dazu angetan, mich zu verwirren.

Im Wagen wurde es immer heißer, und wir beide troffen vom Schweiß.

»Kann man denn nicht vom Beobachtungsraum der Basis bis hierher schauen?«

»Von dort aus kann man nur ungefähre Bewegungen ausmachen, aber sich kein genaues Bild von der Situation verschaffen.«

»Und kann man dahin nicht in einem Antihitze-Schutzanzug gehen?«

»Das ist unmöglich, egal was für einen Schutzanzug man anlegt!«

Als wir unter solchen Gesprächen an der Basis anlangten, war gerade Essenszeit. Dr. Kusuda erzählte den anderen, welche Situation wir vorgefunden hatten, und fügte hinzu, die Angelegenheit würde gleich in Ordnung gebracht, sobald der Ideenfinder mit seiner Arbeit begonnen hätte.

»Das ist prima!« rief Fräulein Harino.

»Der erste Ideenfinder auf dem Merkur übernimmt seinen ersten Fall, nicht wahr?« sagte Herr Pant.

»Ach, machen Sie bitte keine Witze! Für mich ist das ein Unglück!« stieß Dr. Kusuda mit einem bitteren Lächeln hervor. Es war eine Szene von befremdlicher Heiterkeit. Ich unterdrückte das Lächeln, das mir schon auf die Lippen wollte, und verfiel in Schweigen.

Während alle zu denken schienen, dies sei gar kein so großes Problem, meinte ich, der Fall läge keineswegs so einfach. Ein Arbeitsroboter, der einfach umfallen sollte, wenn er seinen Arbeitsplatz verließe, war verschollen. Und andere Roboter reagierten nicht auf Weisungen, die ihnen ordnungsgemäß übermittelt wurden. Um über diese Roboter nachdenken zu können, mußte ich in den drei Regeln der Robotik das Wort ›Mensch‹ durch das Wort ›Arbeitsvorschrift‹ ersetzen:

Der Roboter muß der Arbeitsvorschrift gehorchen.

Der Roboter darf keine Störung der Arbeit ignorieren.

Der Roboter muß sich selbst schützen, sofern er damit nicht gegen die ersten beiden Regeln verstößt.

Folglich hätte das, was heute geschehen war, gar nicht geschehen dürfen. Lag also das Problem etwa in den Arbeitsvorschriften? Oder in der Arbeit selbst?

Mit einem Seufzer schaute ich auf. Am Tisch war niemand mehr zu sehen. Auch Dr. Kusuda mußte irgendwo anders hin gegangen sein.

Plötzlich ertönten laute Schritte. Dr. Kusuda kam wieder herein. Sein Gesicht war ganz bleich. Er preßte die Lippen aufeinander; seine Augen waren weit aufgerissen. Bevor ich noch eine Frage an ihn richten konnte, sprudelte er los: »Die Sache wird jetzt ernst! Die Roboter meutern! Die ganze Arbeit geht drunter und drüber!«

»Was sagen Sie da?«

»Kommen Sie bitte mit in den Bildschirmraum!«

Ich rannte in den Beobachtungsraum. Auf einer Projektionswand des runden Raumes erschien klar die Szene aus der Tageszone: Die Arbeit war abgebrochen; die Roboter hatten sich zusammengerottet und waren dabei, die Anlagen zu zerstören.

»Sonderbar, wie schnell die sich bewegen. Das ist doch die Geschwindigkeit, die für Notfälle vorbehalten ist.«

Wir beide starrten, uns nach vorne beugend, auf den Bildschirm: Die Roboter schleiften die systematisch demontierten Bauteile hierhin und dorthin. Etwa ein Dutzend von ihnen entfernte sich von der Gruppe und marschierten in Richtung auf das Innere der Tageszone los.

»O je, das darf doch nicht sein! Herr Sawai, was sollen wir bloß tun?«

»Ich werde auf alle Fälle etwas unternehmen, aber zuvor

möchte ich noch mehr über diese Roboter wissen. Bitte, sagen Sie mir alles klipp und klar!«

Zusammen mit Dr. Kusuda, der ganz aufgeregt war, ging ich in mein Zimmer. Nach seinen Erläuterungen war in das Hirn der Roboter zunächst ein Grundwissen für diese Art von Arbeit abgespeichert worden, danach die Anweisungen des jeweiligen Benutzers, und dabei dürfte noch viel freie Speicherkapazität übriggeblieben sein. Hier mußte eine Verschiebung oder eine Abweichung zwischen dem Grundwissen und der Zielprogrammierung aufgetreten sein, doch worin sie bestand, würde man erst nach weiterer Beobachtung herausfinden können.

Ich versuchte, den erregten Dr. Kusuda zu trösten, dann zog ich mich allein zurück, um alle notwendigen Daten zusammenzubringen. Der Computer der Basis beantwortete meine Anfragen eine nach der anderen und gab mir die notwendigen Informationen.

Auf einmal wurde ich mir bewußt, daß ich ganz unversehens begonnen hatte, mich voller Eifer einer Aufgabe zu widmen. Der plötzliche Stolz, ein Ideenfinder zu sein, ließ mir das Blut zu Kopf steigen.

Bevor es Schlafenszeit wurde, fragte ich die anderen probeweise, was sie davon hielten, gemeinsam zu beratschlagen. Doch alle schüttelten den Kopf und sagten, sie würden gern alle Daten zur Verfügung stellen, aber die zu ergreifenden Maßnahmen überließen sie dem Fachmann. Ich hatte schon geahnt, daß sie sich so verhalten würden, aber der Ordnung halber wollte ich diese Frage für alle Fälle geklärt wissen.

Die Fernsehkamera, die in den Beobachtungsraum übertrug, konnte ferngesteuert werde, aber da man sie nicht allzu lange in der Hitze der Tageszone verweilen lassen konnte, waren meine Beobachtungen nicht ganz lückenlos. Ich hätte den Hitzeschutzwagen benützen müssen, aber ich fürchtete, aus Unachtsamkeit den Hitzetod zu sterben, denn in meinem Eifer hätte ich vielleicht Ort und Zeit ganz vergessen.

Doch schließlich wurde mir klar, daß ich ohne eine Untersuchung an Ort und Stelle keinen Aufschluß über das Geschehen erhalten würde. Ich faßte also den Entschluß und begann mit den Vorbereitungen.

Als auf diese Weise drei Tage vergangen waren, spürte ich, wie eine tiefsitzende Angst allmählich von den Leuten in der Basis Besitz ergriff. Ich spielte die Möglichkeiten durch, was die Roboter beim nächstenmal tun würden, und wartete ab. Nach meiner Einschätzung würde die Meuterei der Roboter noch weiter um sich greifen.

Es war Abend. Ich lag auf meinem Bett, hielt die Augen geschlossen und versuchte zu schlafen. Wie immer konnte ich lange nicht einschlafen.

»Herr Sawai! Herr Sawai!« rief jemand.

Ich erhob mich langsam und sah im Dämmerlicht Hanfans Gestalt in der halbgeöffneten Tür stehen. Rasch sprang ich auf und rief: »Haben sie's gemacht?«

»Ja, jetzt haben auch meine Roboter endlich ihre Arbeit eingestellt. Gott sei Dank haben sie den Reflexspiegel in der Tageszone ganz gelassen.«

»Ich habe verstanden. Ich werde sofort in Aktion treten!«

Alle Lichter wurden in der Basis eingeschaltet; ganz unerwartet wurde es Tag.

»Ich werde jetzt sofort in die Tageszone fahren«, sagte ich zu den versammelten Wissenschaftlern, »und dazu möchte ich mir das Hitzeschutzauto ausleihen.«

Dr. Kusuda bestand darauf, er müsse mich unbedingt begleiten. Da ich entschlossen war, allein zu gehen, widersprach ich ihm heftig. Aber er beharrte darauf, daß er mich unter allen Umständen begleiten würde.

»Nun gut«, sagte ich schließlich, »da kann ich nichts dagegen machen. Aber sind Sie sich darüber im klaren, daß dies kein Ausflug sein wird, sondern vermutlich ein fürchterliches Abenteuer?«

»Das weiß ich, doch ich kann nicht hierbleiben und ruhig dahocken. Auf die Gefahren, die uns erwarten, bin ich schon gefaßt.« Dr. Kusuda sagte dies in einem Ton, als vertraue er einem Ideenfinder nicht so recht, der bisher nur vor dem Schreibtisch gesessen war.

Ich entschied, Dr. Kusuda solle den Wagen steuern. Die anderen Leute von der Basis begleiteten uns bis zur Garage, um dort von uns Abschied zu nehmen. Jetzt war also dieses Problem zu einer Angelegenheit der ganzen Basis 4 geworden. Überdies war noch einen Monat lang kein Funkkontakt mit der Erde möglich. Eine sehr ernste Stimmung hatte von der Mannschaft Besitz ergriffen, als sei sie eine Truppe im Feld, deren Rückzugsmöglichkeiten abgeschnitten waren.

Das Hitzeschutzauto schaukelte wie gewohnt hin und her, als es uns in die Tageszone fuhr. Als wir die Grenze zum unaufhörlichen Tageslicht überschritten, ließ ich meine Stoppuhr loslaufen und bat Dr. Kusuda, er möge auf dem direktesten Weg zu den Forschungsanlagen fahren.

Bald erblickten wir die Versuchsinstallationen: Sie standen jetzt einige hundert Meter näher zur Dämmerungszone — nicht mehr an dem Ort, wo Dr. Kusuda sie ursprünglich hatte errichten lassen. Die Arbeit wurde nur noch schleppend verrichtet, denn die Hälfte der Roboter hatte die Arbeitsplätze verlassen und stand jetzt, eine Reihe bildend, dem Inneren der Tageszone zugewandt da. Sie standen unbeweglich, hielten sich an den Händen und starrten in den weißen leeren Raum.

»He, da sind ja noch welche!« rief Dr. Kusuda. Damit meinte er den Hochofen, den er speziell für seine privaten Forschungen gebaut hatte. Der Ofen stand immer noch an seiner alten Stelle, abseits von den anderen Anlagen, und erstaunlicherweise befanden sich dort nur drei Roboter. Und diese drei waren auf eine seltsam verdrehte Weise zusammengebunden. Sie vollführten Bewegungen, von denen man nicht recht sagen konnte, ob sie Arbeit bedeuteten oder nicht.

»Fahren wir näher ran!« sagte ich zu Dr. Kusuda. Ohne ein Wort zu sagen, machte er eine Kurve. Er zeigte den verdrießlichen Gesichtsausdruck eines Menschen, der sich von Maschinen betrogen fühlt.

Als die Roboter unseren Wagen bemerkten, hörten sie auf,

um den Ofen herumzulaufen und kamen — immer noch aneinandergebunden — auf das Auto zu. Dr. Kusuda gab ihnen ganz gewohnheitsmäßig den Befehl, die Arbeit fortzusetzen. Die Roboter zeigten nicht die geringste Reaktion und marschierten weiter auf uns zu.

»Bum!« — ein ungewöhnliches Geräusch. Dr. Kusuda legte den Rückwärtsgang ein und fuhr an, und jetzt sahen wir die Roboter wieder: Sie schlugen mit einem riesigen Metallklumpen nach dem Auto. Ihre nur entfernt an Menschen erinnernden aneinandergebundenen Gestalten ließen mich an Zentauren aus der antiken Mythologie denken.

Wieder dieses Geräusch! Der Hitzeschutzwagen widerstand zwar der Sonnenglut, aber gegen diese Schläge war er nicht gerüstet.

Noch bevor ich rufen konnte: »Wir müssen fliehen!«, hatte Dr. Kusuda schon zum Wenden angesetzt, fort von dem Hochofen.

»Halt mal, nicht dorthin!« sagte ich zu ihm. Er wollte wieder in die Richtung der Basis fahren.

›Wieso habe ich das bisher nicht bemerkt? Jetzt habe ich endlich verstanden, wie die Lage ist.‹ Mir schoß ein guter Gedanke durch den Kopf.

»Sollen wir nicht zurück zur Basis fahren?« fragte Dr. Kusuda.

»Nein, fahren Sie weiter in die Tageszone hinein!«

»Warum denn das? Wir werden mitten in der Tageszone den Hitzetod sterben!«

»Keine Angst! Wenn wir von hier aus zwanzig Minuten in östliche Richtung fahren, dann kommen wir zu einer schattigen Stelle. Vor langer Zeit hat man von der Erde aus viele unbemannte Raketen auf den Merkur geschossen, und eine davon muß noch dort stehen. Darüber habe ich mich vor kurzem informiert.«

Unser Auto fuhr auf der blendend hellen Ebene dahin. Einige Zeit folgten uns die durchgedrehten Roboter, aber die Distanz zwischen uns und ihnen nahm schnell zu. Das bedeutete auch, daß wir uns weit von der Dämmerungszone entfernten. Tatsächlich: Als ich durch die Schutzscheibe nach draußen blickte, da war die Dämmerungszone nur noch am Horizont zu sehen, und auch die Versuchsanlagen waren nur noch winzig klein auszumachen.

Der Wagen fuhr weiter. Obwohl ich durch die Schutzscheibe blickte, konnte ich mich der Wirkung der blendend hellen Landschaft nicht entziehen. Allmählich griff Dr. Kusudas Angst auf mich über. In den Berichten hatte ich gelesen, daß die 30 Meter lange unbemannte Rakete nach ihrer Notlandung auf dem Merkur noch eine Stunde lang Meldungen gefunkt hatte. Aber was sollten wir machen, wenn sie senkrecht zum Sonnenlicht stand? Dann bekämen wir keinen rettenden Schatten, und wir würden in unserem Hitzeschutzwagen einen jämmerlichen Hitzetod sterben.

Meine Stoppuhr gab ein leises Klicken von sich. In zehn Minuten war die maximal mögliche Zeit erreicht. Ich sagte zu Dr. Kusuda nichts davon.

»Da ist es«, murmelte er, und ich hob den Kopf. Direkt vor uns stak die riesige Rakete kopfüber schief im Boden und glänzte silbrig. Klebrige Gesteinsbrocken aufwirbelnd, flitzte unser Auto in den Schatten, den die Rakete warf. Die Temperatur im Wageninneren sank nicht sofort, aber im Nu war das Gefühl verschwunden, das wir bisher gehabt hatten, als stehe nämlich der Wagen in Flammen.

»Gerade noch geschafft!« Dr. Kusuda stieß einen tiefen Seufzer aus und wischte sich den Schweiß ab. Erschöpft ließ ich die Schultern fallen. Mir schien, als warte die mörderische Hitze rings um die Schattenstelle lauernd darauf, daß wir wieder herauskämen. Vielleicht hatte Dr. Kusuda den gleichen Gedanken; jedenfalls schrie er plötzlich erregt: »Aber um alles in der Welt, warum sind wir denn so weit gefahren? Sie müssen doch einen vernünftigen Grund dafür haben!«

»Ja, natürlich!« Der Gedanke, der mir vorhin durch den Kopf gegangen war, war eigentlich einfach: »Wenn man genau nachdenkt, in welcher Reihenfolge die Roboter durchgedreht haben, dann merkt man, daß sie um so verrückter geworden sind, je weiter sie in die Tageszone eindrangen. Daher dachte ich mir, daß die Ursache für ihr Verhalten im Inneren der Tageszone liegen muß.«

»Und weiter?«

»Zweitens: Der springende Punkt an dem Ganzen ist, daß offensichtlich die Roboter die Arbeit nicht eingestellt haben, sondern sie sind verrückt geworden, um ihre Arbeit fortzusetzen. Über diese zwei Dinge habe ich vor unserer Abfahrt nachgedacht.«

»Das klingt plausibel.«

»Kurzum, für die Roboter gibt es auf einmal einen ›Feind‹. Und dieser ›Feind‹ stört ihre Arbeit. Irgend jemand muß in die leeren Gedächtniszellen der Roboterhirne das Wissen um Kampf und Angriff eingespeichert haben. Und damit ist alles, was über ihre Arbeit hinausgeht, für sie zum ›Feind‹ geworden — wir eingeschlossen. Unsere Befehle haben sie schlicht und einfach als Störungen betrachtet.«

»Aber halt mal! Was hat es denn dann mit diesem ›Feind‹ auf sich?«

»Um das herauszufinden, sind wir ja hierher gekommen. Auf jeden Fall meine ich, daß die verschwundenen Roboter nicht abgehauen sind, sondern *entführt* wurden.«

Dr. Kusuda brachte kein Wort als Antwort heraus. Auch ich schloß den Mund und blickte durch die Schutzscheibe auf die Landschaft draußen. Wahrscheinlich war bislang noch kein einziger Mensch so tief in die Tageszone eingedrungen. Ich dachte, ich müßte mir den Anblick des blendend weißen und brennend heißen Bodens und des schwarzen Himmels einprägen. Da und dort glänzten Pfützen von geschmolzenem Blei und Zinn; jede von ihnen schimmerte in anderen Farben des Regenbogens. Auch in der Ferne gab es andere Farben — von irgendeinem Ding ging eine seltsam diffuse Reflexion aus.

»Das dort — was ist das?«

Dr. Kusuda schien es auch schon bemerkt zu haben. Er hatte sein Fernglas hervorgeholt und äugte unverwandt in die Ferne. Als ich ihn ansprach, gab er mir wortlos das Fernglas.

Da das unbekannte Objekt funkelnd zu leuchten schien, konnte ich zuerst das Glas nicht richtig fokussieren. Mir erschien das Ding wie eine Menge von durchsichtigen Pilzen. Als ich dann besser schauen konnte, sah ich Lichter, die von diesen pilzartigen Objekten herunterfielen und sie dann umkreisten. Nein, irgendwie schienen sie doch ein wenig anders zu sein als Lichter.

»Diese Bewegung dort ist nicht die Bewegung eines chemischen Prozesses«, sagte Dr. Kusuda leise. Diesmal war es an mir, kein Wort herauszubringen. Also waren dies die ›Feinde‹. Aber konnte es hier in der Tageszone mit nahezu 400° wirklich Lebewesen geben?

»Was ist das? Um Himmels willen, was ist das?« Dr. Kusudas Stimme zitterte. Als ich seine Stimme hörte, spürte ich, wie sich in mir meine alte Gewohnheit meldete, Hypothesen zu entwerfen. Zwar hatten die IDs mich immer ermahnt, ich solle damit vorsichtig sein, aber ich konnte doch nicht davon lassen. Aber diesmal hatte ich recht damit!

»Es sind Lebewesen, die von dem Planeten zwischen der Sonne und dem Merkur stammen!« sagte ich.

»Dem Planeten zwischen der Sonne und dem Merkur? Meinen Sie den Vulkan? Aber die Existenz von Vulkan war doch schon immer umstritten! Und dann jetzt . . .«

»Aber anders gibt es keine Erklärung dafür! Vielleicht ist der Planet einfach ganz klein, und deshalb noch nicht beobachtet worden.«

»Das mag wohl die Idee eines Ideenfinders sein, aber hier geht Ihre Phantasie mit Ihnen durch!«

Mir wurde bewußt, wie töricht es wäre, jetzt an diesem Ort eine fruchtlose Diskussion zu führen.

»Also, dann fahren wir dorthin und schauen uns das genau an. Ich glaube, unser Wagen hat sich inzwischen genügend abgekühlt.«

»Hm, ich denke, daß wir damit noch anderthalb Stunden im Sonnenlicht bleiben können, aber das reicht gerade dafür, daß wir erst dorthin fahren und dann sogleich zur Basis zurückkehren. Und zwar mit vollem Tempo!«

»Gut, das reicht, um einige Fotos zu machen. Fahren wir los!«

Ich war zuversichtlich, mit allem, was eintreten könnte, fertig zu werden. Die Lage war zwar nicht gerade rosig, aber diesmal hatte ich zweifellos recht.

Unser Wagen fuhr, hin- und herschaukelnd, auf die seltsamen Objekte zu. Dr. Kusuda hielt mit ernster Miene das Steuerrad fest und beschleunigte bis zur Höchstgeschwindigkeit. Die Kamera in der Hand, starrte ich auf die immer näher heranrückenden ›Feinde‹. Endlich sahen wir deutlich die seltsam geformten Objekte, aus denen die Lichter quollen. Sie waren fast ganz durchsichtig und hatten die Form von Pilzen. Das Oberteil des schirmartigen Daches leuchtete ungeheuer, als stünde es in Flammen. Nicht zwei oder drei von diesen Dingern standen da, sondern vierzehn oder fünfzehn, dicht beieinander, wie Bäume in einem Wald.

Aber das Unheimliche waren nicht diese Pilze. Als unser Wagen näher herankam, bewegten sich da die kleineren Objekte um die Pilze, von denen sie herabgefallen waren: Sie hatten etwa die Größe von Hunden, waren durchscheinend wie Quallen, und liefen mit unzähligen Flimmerhärchen, die aus der Unterseite ihrer Körper herauswuchsen. Sie sahen ganz wie Borstenwürmer mit ausgebreiteten Flügeln aus.

Jetzt sammelten sie sich und kamen dichtgedrängt, wie eine Woge, auf unser Auto zu. Von den ›Pilzen‹ glitten zahllose weitere ›Borstenwürmer‹ herab und setzten sich zielstrebig in Richtung auf unseren Wagen in Bewegung. Über den Rücken jedes dieser Wesen erstreckte sich ein durchgehender Streifen, der einmal breiter, dann wieder schmäler wurde; dabei schien es sich um eine Atembewegung zu handeln. Vielleicht war dies eine Art von elektrisch hervorgerufener Verformung, mit der sie nach Belieben die mehrere hundert Grad messende Hitze aufnehmen und wieder von sich geben und dabei einen Teil davon in Energie umgewandelt in ihren Körpern aufsaugen konnten. So liefen sie also auf uns zu, und dabei sprühten sie aus ihren Köpfen eine schwarze Flüssigkeit. Das Sprühen dieser Flüssigkeit schien einen Angriff auf uns zu bedeuten. Als wir sahen, wie diese durchsichtigen, borstenwürmerartigen Wesen im grellen Sonnenlicht unseren Wagen umdrängten und um-

wimmelten, befiel uns ein nicht zu unterdrückender Schrek-
ken.

»Zurück! Schnell!« brüllte ich wie von Sinnen, während ich
noch mit der Kamera hantierte. Dr. Kusuda nickt nur kurz,
dann raste er los, in Richtung auf die Dämmerzone. Die
Würmerartigen folgten uns mit beträchtlicher Geschwindigkeit.

»Schnell! Schneller!« Mit jaulendem Motor schoß unser
Wagen dahin. Dann sah ich auf einmal, daß dort, von wo aus
die Wurmwesen ausschwärmten, um uns zu folgen, Arbeitsroboter umgestürzt lagen.

»Kommen sie immer noch hinter uns her?« schrie Dr. Kusuda.

Die Flüssigkeit, welche die Wurmwesen ausspien, mußte
unseren Wagen schon mehrfach getroffen haben, aber sie
schien noch keinen Schaden anzurichten. Allmählich entstand
eine Distanz zwischen unserem Auto und der Würmermasse,
die aussah, als welle sich der Boden. Doch wenn wir langsam
gefahren wären, hätten sie uns eingeholt. Nur unter Beibe-
haltung der Höchstgeschwindigkeit würden wir die Dämmerungszone erreichen, andernfalls hätten wir im Inneren unseres
Hitzeschutzautos den Hitzetod gefunden. Wir durften überhaupt nicht daran denken, mit der Geschwindigkeit herabzu-
gehen.

Endlich waren die Wurmmassen aus unserem Blickfeld verschwunden; die Forschungsanlagen kamen näher. Bald würden wir die Dämmerungszone erreichen. Das Auto schoß mit
wahnsinnigem Tempo an den aufgereiht stehenden Robotern
vorüber. Die Temperatur im Wageninneren nahm allmählich
zu. Der Schweiß brach mir aus allen Poren, vor meinen Augen
begann es zu flimmern.

Plötzlich stieg die Temperatur im Wagen schnell an. Jetzt
war es also geschehen: Der Temperaturregulator war ausgefallen. Die Quecksilbersäule stieg immer weiter: 42°, 43° ...
Dr. Kusuda verlor das Bewußtsein; sein Oberkörper sackte auf
dem Armaturenbrett zusammen.

»Dr. Kusuda!« schrie ich, dann zerrte ich ihn vom Fahrersitz

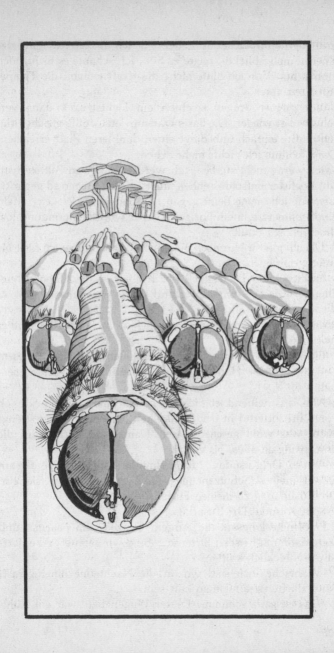

und übernahm selbst das Steuer. Als ich das letztemal auf das Thermometer blickte, zeigte es 50°. Ich schaute es nicht noch einmal an, denn ich hätte nicht die Kraft gehabt, die Temperatur abzulesen.

Vor meinen Augen erschien ein Lichtstrudel, dann verschwand er wieder. Die Basis war mir jetzt völlig gleichgültig. Ich mußte einfach unbedingt einen dunkleren Platz erreichen. Dann konnte ich nichts mehr sehen.

Ich werde nicht sterben! Ich werde auf keinen Fall sterben! Mit höchster Entschlossenheit hielt ich das Steuerrad gepackt, stemmte ich meine Beine gegen den Boden des Wagens. Mein Kopf schmerzte, mein übriger Körper wurde empfindungslos, Brechreiz stieg auf.

Gleich, gleich! Nur noch bis dorthin! Ich glaube, ich hielt bis zuletzt durch.

Endlich kam die Dunkelheit. Ich verlor die Orientierung. Dann wurde ich ohnmächtig und sackte zusammen.

Als ich wieder zu mir kam, fror mich schrecklich. Ringsumher war es stockdunkel.

Bin ich etwa schon tot? fragte ich mich. Als ich mit diesem Gedanken meine Hand ausstreckte, berührte ich das Steuerrad.

Aha, anscheinend lebe ich noch! Für eine Weile hockte ich vor Kälte zitternd in der Dunkelheit. Ich dachte angestrengt nach, was wohl geschehen sei. Dann kam mir wieder die Erinnerung an alles, bis vorhin.

Ach so, Dr. Kusuda ... Ich nahm die Taschenlampe, die am Gürtel meines Schutzanzuges hing, und schaltete sie ein. Dr. Kusuda lag zu meinen Füßen.

»Dr. Kusuda! Dr. Kusuda!«

Er öffnete langsam die Augen, blinzelte ein paarmal und sagte dann mit heiserer Stimme: »Sind wir gerettet? Aber jetzt ist es schrecklich kalt!«

»Wahrscheinlich sind wir in die Nachtzone hineingerast. Sonst dürfte es ja nicht so kalt sein.«

»Das ist ganz schlimm. Dieser Wagen hat zwar ein Kühlsystem, aber keine Heizung. Wenn wir nicht sofort umkehren, werden wir hier erfrieren!«

Dr. Kusuda setzte sich wieder ans Steuer, und ich nahm wieder, mit klappernden Zähnen, auf dem Beifahrersitz Platz. Das Auto fuhr langsam los. Als wir an der Basis ankamen, sanken wir erschöpft zusammen. Die Besatzung der Basis kam angerannt, und ich nahm nur verschwommen war, wie sie uns auf unsere Zimmer brachten. Nur die klare Stimme von Fräulein Harino drang noch an meine Ohren:

»Wir dachten schon, Sie wären verloren. Seit Sie losgefahren waren, sind schon fünf Stunden vergangen — und Sie kamen und kamen nicht zurück!«

Am Abend sagte ich zu Dr. Kusuda, ich wolle — obwohl ich mich noch nicht ganz von den Strapazen erholt hatte — mit den anderen Leuten von der Mannschaft sprechen. Auch er zwang sich, wieder aus dem Bett zu kriechen, und untersuchte in der Garage das Hitzeschutzauto. Der Wagen war nicht mehr zu gebrauchen: Der Temperaturregulator war völlig hin, die Raupenkette hatte sich gelockert und wackelte bedenklich, die Kühlspindel war defekt. Und dort, wo offensichtlich die von den Wurmwesen ausgespieene Flüssigkeit den Wagen getroffen hatte, klebten Klumpen von Blei. Die Karosserie des Wagens sah aus wie ein Schiffsrumpf voll von festsitzenden Muscheln.

»Was für eine Absicht haben die denn gehabt, daß sie uns so mit Blei bekleben?« fragte Dr. Kusuda, während er die Außenhülle des Wagens abtastete. Sie hatte von der plötzlichen Abkühlung feine Risse bekommen. Er blickte mich kurz an und sagte: »Ihre Meinung zu dem Ganzen ist also die Theorie, da seien die Vulkanier wie gewohnt angeflogen gekommen?«

Da ich aus Dr. Kusudas Worten heraushörte, daß er mir nicht glauben wollte, sagte ich nichts und verließ die Garage. Die ganze Besatzung hatte sich schon versammelt.

»Ich möchte zunächst erklären, daß an diesem Vorfall weder Dr. Kusuda noch die Basis 4 schuld ist«, bemerkte ich zur Einleitung, und dann erzählte ich das gleiche, was ich schon Dr. Kusuda gesagt hatte. Wie ich schon vorausgeahnt hatte, attackierte Hanfan meine Theorie von dem Planeten zwischen Merkur und Sonne und sagte, sie widerspreche der Realität.

»Erstens«, antwortete ich darauf, »wenn diese Wurmwesen vom Merkur stammten, dann hätte ein solcher Zwischenfall schon viel eher stattfinden müssen, denn dann hätten sie ja schon Jahrtausende vor der Ankunft der Erdbewohner hier gelebt. Aber so etwas ist jetzt zum erstenmal passiert. Daraus schließe ich, daß die Wurmwesen später als wir Menschen hier gelandet sein müssen. Meine Hypothese lautet so: Diese pilzförmigen Gebilde sind Raketen mit Lichtdruckantrieb. Die Wurmwesen sind Lebewesen, die mit diesen Raketen hierher geflogen kamen. Wenn sie in einer solchen Hitze wie hier auf dem Merkur ohne weiteres leben können, dann dürften sie Lebewesen von einem noch heißeren Ort als dem Merkur sein, also von dem Planeten, der noch näher an der Sonne ist. Und als Vulkan sich der Sonne allzu sehr näherte und vom Untergang bedroht war, sind sie hierher auf den Merkur gekommen. Sie sahen zuallererst die Arbeitsroboter und meinten, die seien die Urbewohner des Merkur. Sie wollten Roboter als Untersuchungsobjekte fangen und untersuchen. Aber bei den Robotern, die gewaltsam von der Arbeit ferngehalten wurden, traten Störungen auf, und sie bewegten sich nicht mehr. Deshalb entführten sie noch mehrere Male einige Roboter, und dadurch wurde bei den restlichen Robotern das für die Fortsetzung der Arbeit eingespeicherte Programm durcheinandergebracht und sie drehten durch.«

»Aber — ein Planet zwischen Merkur und Sonne! Da müssen ja Temperaturen von 1000° und mehr herrschen! Ich kann mir überhaupt keine Lebewesen vorstellen, die das aushalten!« sagte Dr. Kusuda.

»So etwas würde ich nicht sagen. Sehen Sie es doch einmal so: Wir Menschen essen doch auch, mittelbar über die Pflanzen, die Sonnenenergie. Und so kann man sich vorstellen, daß noch leistungsfähigere Organismen durch direkte Aufnahme der Sonnenenergie leben. Natürlich können irdische Lebewesen diese Hitze nicht aushalten, aber diese Wurmwesen stammen ja nicht von der Erde. Vielleicht besteht ihr Körper hauptsächlich aus Aluminat und Kieselsäure, und sie halten ihren Stoffwechsel in Gang, indem sie ständig ihre Kristallstruktur verändern. Wenn es sich so verhält, dann machen 800 oder 1000 Grad ihnen nichts aus. Was ihre Fähigkeit, Hitze zu vertragen, angeht, dürften sie schon SK 32 bis 33 aushalten. Was für ein Naturell Lebewesen solcher Beschaffenheit haben, weiß ich nicht, aber man kann keineswegs die Unmöglichkeit einer solchen ganz anders gearteten hochentwickelten Lebensform beweisen. Und nachdem wir ja diese Wurmwesen, die einen eigenen Willen zu haben scheinen, tatsächlich gesehen haben, kann ich von meiner Hypothese nicht ablassen. Und daß sie so etwas wie einen Selbstverteidigungsinstinkt, oder sogar Angriffsinstinkt haben müssen, kann man doch wohl daraus schließen, daß sie auf uns mit flüssigem Blei schossen — von ihrem Standpunkt aus gesehen war das sicher eine lebensbedrohende ›Tieftemperaturwaffe‹.«

»Aber wenn das so ist, wie Sie sagen«, Dr. Kusudas Stimme zitterte vor Schauder, »dann besteht ja auch die Möglichkeit, daß sie uns hier angreifen, um den Merkur zu erobern.«

»Ja, das stimmt schon, aber meiner Meinung nach brauchen Sie sich nicht soviel Sorgen zu machen«, sagte ich ruhig und gelassen, »denn da es sich ja um Lebewesen handelt, die an hohe Temperaturen angepaßt sind, haben sie zwar die Fähigkeit, in der Tageszone aktiv zu sein, aber sie können ganz bestimmt nicht in die Gebiete tieferer Temperaturen kommen. Zwar wurde in einer Art Kettenreaktion die Arbeit der Roboter durcheinandergebracht, aber mehr dürfte vermutlich nicht passieren. Sie sollten, meine ich, die Aktivitäten der Roboter eine Zeitlang einstellen und dann warten, bis wieder ein Funkkontakt mit der Erde möglich ist.«

Während meine Blicke über die Gesichter der Merkur-Forscher schweiften, die mich mit stummer Bewunderung anschauten, fühlte ich zum erstenmal, in meiner Funktion als Ideenfinder anderen Menschen überlegen zu sein.

Diesmal, so dachte ich, diesmal werde ich dem ID Mitamura ein Wort des Lobes abnötigen. Voller Ungeduld wartete ich auf den Zeitpunkt, zu dem wieder Kommunikation mit der Erde möglich war.

Meine Vermutungen trafen zu einem Teil ein. Die Wurmwesen kamen etwa 20 bis 30 Kilometer weit in den Grenzbereich zwischen der Tageszone und der Dämmerungszone, aber sie griffen die Forschungsanlagen nicht an.

Aber als endlich die so sehnlich erwartete Phase des Funkkontakts mit der Erde kam, mußte ich, der ich mir Lob und Anerkennung von ID Mitamura erwartet hatte, mir im Gegenteil bittere Vorwürfe gefallen lassen.

Nachdem er meinen Bericht angehört hatte, explodierte ID Mitamura vor Wut: »Mensch, Sie sind doch kein Laie! Sie wissen ja, daß Sie zwar nur ein SUG C sind, aber trotzdem auch ein Ideenfinder der Union. Wieso haben Sie nicht wirkungsvolle Maßnahmen ergriffen, anstatt das Ganze nur müßig zu beobachten? Wenn Sie auch nichts gegen die Wurmwesen und gegen die Roboter in der Tageszone unternehmen können, so hätten Sie doch zumindest zusammen mit der Besatzung aus eigener Kraft die ausgefallenen Roboter zerlegen können und dann, zum Zeitpunkt der Funkverbindung, von der Terranischen Union wirkungsvolle Unterstützung anfordern müssen. Wäre das nicht die Pflicht eines Ideenfinders? Statt dessen geben Sie sich damit zufrieden, auf einer Hypothese eine weitere Hypothese aufzustellen. Wenn eine Idee, die nur aus dem Instinkt kommt, richtig ist, dann handelt es sich da um einen bloßen Zufall!«

Er legte eine würdevolle Pause ein. Ich hatte vor Überraschung die Sprache verloren und lauschte nur stumm in die Stille des Alls. Dann redete ID Mitamura weiter:

»Jedenfalls übernehme ich jetzt selber diese Sache. Neben der Basis wird ein Kampfstützpunkt eingerichtet, und unter dessen Schutz werden die Forschungen der Basis fortgesetzt. Dann wird, um vor allem die verrückt gewordenen Roboter zu liquidieren, die Kampftruppe Nr. 1 in Marsch gesetzt. Im Austausch dafür werden Sie auf die Erde zurückbeordert.«

Zuerst war ich ganz baff, dann geriet ich in fürchterliche

Wut, zuletzt verfiel ich in tiefe Niedergeschlagenheit. Trotzdem blieb mir die Denkweise der Terranischen Union unbegreiflich. Wollte man behaupten, meine Art des Vorgehens sei nichts weiter gewesen als Versuch und Irrtum? Ich ließ meine Schultern resigniert hängen und verließ den Funkraum. Jetzt war mir alles piepegal.

Einen halben Monat später landete die Sonderrakete mit der Kampftruppe. Sie wurde also hierher zur Merkur-Basis geschickt, um die Arbeitsroboter zu ersetzen — nein, vielmehr, um die verrückt gewordenen Arbeitsroboter zu liquidieren und dann einen gründlichen und gnadenlosen Angriff auf die Vulkanier zu starten. Ein Schreck fuhr mir in die Glieder: Die Kampftruppe bestand aus lauter Androiden.

Als ich gesehen hatte, wie die Rakete gelandet war, machte ich mich sofort auf den Weg in die Befehlszentrale, um den Kommandeur zu treffen. Eigentlich hätte ich mich ja mit der Erde in Verbindung setzen und ID Mitamura um seine Weisungen fragen müssen, aber ich dachte, es sei keine Zeit mehr zu verlieren. Ich durfte sofort zum Kommandeur; obwohl ich nur SUG C bin, stand mir dieses Privileg doch zu.

»Androiden in die Tageszone zu schicken, ist ganz gefährlich!« sagte ich zu ihm. »Üben Sie Ihr Sonderbefehlsrecht für den Ausnahmezustand aus und ordnen Sie die Einstellung des Androidenangriffs an!«

Der Kommandeur war ganz überrascht: »Warum denn das?« Er starrte mich fragend an.

»Die Androiden wurden für mehrere Zwecke geschaffen, aber ihre Fähigkeiten sind letztlich nur mechanische Erweiterungen menschlicher Fähigkeiten. Wenn sie in Kontakt mit fremdartigen, außerirdischen hochentwickelten Lebewesen kommen, dann tendieren sie relativ leicht dazu, ihre Zweckgerichtetheit zu verlieren. Sie verfügen nämlich nicht über die Stärke eines einprogrammierten Arbeitsinstinkts wie die Arbeitsroboter. Die Arbeitsroboter setzen ihre Arbeit auch dann fort, wenn sie verrückt geworden sind — oder besser gesagt: sie sind verrückt geworden, um ihre Arbeit fortsetzen zu können. Aber so sind die Androiden nicht beschaffen. Wenn sie mit den Vulkaniern in Kontakt kommen und begreifen, daß die ihnen überlegen sind, werden sie auf der Stelle kehrtmachen und zurückkommen.«

»Mag sein, aber darin liegt doch keine Gefahr!«

»Ja — aber nur dann, wenn sie unbehelligt zurückkehren können. Aber wenn sie, wie damals die Arbeitsroboter, gefangen genommen, zerlegt und eingehend untersucht werden — was dann?«

»Würden sie dann uns angreifen?«

»Diese Möglichkeit besteht durchaus. Ich fürchte, die Vulkanier würden gefangene Androiden dazu einsetzen, von der Dämmerungszone aus den Angriff in die Nachtzone hineinzutragen. Deshalb muß ich Ihnen sagen: Es ist gefährlich!«

Der Kommandeur starrte unbeweglich auf die Tischplatte, dann hob er kurz den Kopf: »Ist das Ihr privater Ratschlag oder eine Anweisung in Ihrer Funktion als Ideenfinder?«

»Sowohl als auch!«

»Wissen Sie, daß Ihre Sonderbefugnisse als Ideenfinder vorläufig suspendiert sind? Ich bekam vom Planungsbüro der Union eine Sonderanweisung, ich solle Ihren unbesonnenen Aktivitäten keinen Spielraum mehr lassen.«

Ich schwieg. Noch nie war ich mir so sicher gewesen wie jetzt, mit meinem Urteil im Recht zu sein, aber diesmal wünschte ich mir zutiefst, ich hätte mich geirrt.

ID Mitamura war noch mißtrauischer gegenüber meiner Tätigkeit auf dem Merkur gewesen, als ich mir vorgestellt hatte: In dem Sondertransporter, der die Androiden angebracht hatte, war mir ein Platz zugewiesen worden, und ich sollte viel eher zur Erde zurückkehren, als ich gedacht hatte.

Am Tag meines Rückflugs zeigten die großen Bildschirme im Raumflughafen in Live-Übertragung, wie die Androiden in die Tageszone einmarschierten und die verrückt gewordenen Roboter, welche immer noch ihre inzwischen sinnlose Arbeit fortsetzten, einen nach dem anderen mit ihren Flammenwerfern umlegten.

Die Sendung ging noch weiter, als die Rakete, an deren Bord

ich war, den Raumhafen verließ. Die großartige Show hatte ein Großkonzern von der Erde für sein Fernsehprogramm gekauft und ließ sie jetzt im Sendebereich des gesamten Sonnensystems ausstrahlen.

Eigentlich wollte ich gar nicht zuschauen, aber meine Augen wurden immer wieder von dem Bildschirm angezogen, und starrte dann gebannt auf die Szenerie, ohne noch an Zeit und Ort zu denken. Ich überlegte, ob wohl ein Hellseher etwa im 17. Jahrhundert auch diese seltsam unbeteiligte Resignation empfunden hatte, wenn er das Schicksal, den sicheren Tod anderer Menschen vorhersah. Der Ideenfinder arbeitet ja auch daran, die Zukunft einer Unternehmung vorauszusehen, und der Computer dient ihm dazu als Kristallkugel. Aber diesmal wollte ich dieses spielerische Lustgefühl nicht einmal als Trostmittel genießen.

Meine Voraussage hatte — zum Unglück, aber doch selbstverständlicherweise — abermals ins Schwarze getroffen. Als ich nach einem Flug von drei Tagen und zehn Stunden im Superflughafen von Red Suns auf der Erde eintraf, konnte ich das Ganze schon wieder über den Großbildschirm des Raumflughafens beobachten.

»Der Angriff der Androiden auf die Vulkanier ist völlig gescheitert«, die Stimme des Sprechers des 3-D-Fernsehens überschlug sich, als habe er vor Angst den Verstand verloren, »denn die Vulkanier ließen sich nicht durch die Tieftemperaturgeschose der Androiden in Schrecken versetzen, sondern rückten unbeirrt vor, und dabei fielen einige der Androiden. Als die Androiden die Lage erkannten, leiteten sie vernünftigerweise auf der Stelle den Rückzug ein. Dabei wurden allerdings viele von den Vulkaniern gefangengenommen. Und die fürchterliche Sache ist: Heute, zwei Tage nach dem Beginn der Kämpfe, drangen die gefangenen Androiden als Angriffstruppe des vulkanischen Feindes in die Dämmerungszone ein. Zum gegenwärtigen Zeitpunkt ist die Merkur-Basis völlig isoliert, und da man keine andere Lösung sieht, bittet man, so schnell wie möglich die Merkur-Basis aufgeben zu dürfen. Soeben trifft die Meldung ein, daß die Regierung dem Planungsministerium der Union befohlen hat, in Anbetracht des Ausnahmezustandes eine Krisensitzung einzuberufen.«

So stand die Sache also. Schon seit einiger Zeit schnurrte der Hochfrequenzsummer in meiner Tasche ununterbrochen, um mich in meiner Funktion als SUG zur Teilnahme an dieser Krisensitzung aufzufordern. Aber ich war nicht fähig, sofort aufzustehen. Was das Leben eines SUG ist, worin die Ohnmacht eines SUG liegt — das war mir durch das, was ich gerade mitgemacht hatte, wieder einmal bis zum Überdruß deutlich geworden.

Plötzlich wurde ich mir bewußt, daß die Augen der Männer und Frauen, die wie versteinert im Flughafengebäude herumstanden, auf mich gerichtet waren. Obwohl sie schon etwas schmutzig war, zog meine Ideenfinder-Uniform doch in dieser Krisensituation die Blicke auf sich. In ihren Augen lag ein Vertrauen, das ganz und gar vergessen hatte, daß sie mich bislang ignoriert hatten, ein Vertrauen, das in seiner Unbedingtheit der Angst ähnelte.

Ich ging auf den Dienst-Helicar zu, der gerade auf dem Parkplatz vor dem Raumflughafen hielt. Als ich merkte, was für schnelle Schritte ich machte, begann ich zu rennen.

Ich werde jetzt darum bitten, daß man mich auf den Merkur zurückkehren läßt, wo jetzt die Vulkanier triumphieren. Diesmal wird man mir meine Bitte bestimmt nicht abschlagen. Jetzt werden die kühl intellektuellen IDs mich brauchen! Ich werde so weiterleben wie bisher und gleicherweise Ehre und Mühsal eines Ideenfinders im untersten Rang auf mich nehmen! Während ich dies dachte, stahl sich auf einmal ein Lächeln auf meine Wangen. Denn in diesem Augenblick war mir zum erstenmal klar geworden, daß ich irgendwie diesen Arbeitsrobotern ähnelte, diesen unseligen und starrsinnigen Arbeitsrobotern, die selbst dann noch weiterarbeiten wollen, wenn sie schon verrückt geworden sind.

Die Hölle der Gravitation

Die Phi-Welle war von unvorstellbarer Stärke. Die normalen Antigravitationsraumschiffe sind, um solche Unfälle zu vermeiden, mit einer prophylaktischen Abschwächautomatik ausgerüstet, aber wenn ein Schiff einer solchen Flutwelle von Schwerkraft ausgesetzt ist, dann kann auch diese Einrichtung nichts mehr dagegen ausrichten.

Das Raumschiff POINTGETTER brach plötzlich aus seiner Flugbahn aus (die Mannschaft wurde dabei heftig zu Boden geschleudert) und wurde in die Leere des Alls fortgerissen, wie ein welkes Baumblatt im Sturm.

Wäre jedoch nur dies geschehen, dann wäre es nicht schlimm gewesen. Die POINTGETTER hätte sich ja sofort stabilisieren und dann auf ihre vorherige Bahn zurückkehren können. Zwar wäre dann der Zeitplan für ihr Forschungsvorhaben ein wenig durcheinandergeraten, aber die Besatzung hätte dann eben eine weitere Story zum Erzählen nach der Rückkehr auf die Erde gehabt. Unglücklicherweise war das Raumschiff jedoch, als seine Insassen wieder zu Bewußtsein kamen, von einem außergewöhnlich großen Planeten eingefangen.

1

Der erste, der wieder einen Ton herausbrachte, war Tamura, der Zivilisationsmorphologe. Er hatte an die Wand gelehnt gestanden; deshalb war sein Körper bei dem Gravitationsschock nur gegen die Wand gedrückt worden.

»ESTKA!« brüllte Tamura, »ESTKA! Was, zum Teufel, ist denn überhaupt passiert?«

Aber aus dem Interkom war keinerlei Echo einer Antwort zu vernehmen. Vielleicht war er ganz und gar beschäftigt? Schiffskapitän und Ingenieur-Roboter zugleich, hatte ESTKA die Verantwortung dafür, das Raumschiff zuverlässig auf sicherem Kurs zu halten. Die Aufgabe, die Besatzungsmitglieder über die Lage aufzuklären, war demgegenüber zweitrangig.

Tamura schnalzte mit der Zunge und blickte sich im Zimmer um. Hier sah es fürchterlich aus! Die gesamte Einrichtung, zuvor magnetisch an ihrem Platz festgehalten, war gegen die Wand geprallt, an der er stand, und lag jetzt auf einem Haufen am Boden. Erst jetzt merkte Tamura, daß die Stimme Lakemans, seines einzigen Kollegen, nicht zu hören war. In solchen Situationen schimpfte Lakeman doch sonst wie ein Rohrspatz, aber jetzt blieb er seltsamerweise still.

Halt, das stimmte doch nicht ganz! Lakeman schimpfte schon; er war nur unter dem umgestürzten Mikrofilmschrank zu liegen gekommen, und deshalb hatte Tamura sein Gestöhn und Geknurr zunächst nur nicht gehört. Jetzt lief er zu ihm hin und richtete den Schrank wieder auf.

»Dieser verdammte Schurke!« schrie der Ökobiologe, »dieser ESTKA hat hundsmiserabel gesteuert! Da steuert ja noch eine Vogelscheuche aus Schrott besser als der!«

»Ist mit dir alles okay?«

»Ich bin doch nicht aus Glas!« Lakeman stützte seine Hände auf die Hüften und streckte sich. Plötzlich riß er die Augen weit auf und zeigte auf den Beobachtungsbildschirm, der sich hinter Tamuras Rücken befand.

»Mensch, schau mal, was ist denn da draußen los?«

Auf dem Bildschirm war eine seltsame Planetenoberfläche zu sehen, die allmählich näherkam. Da und dort strotzten Pflanzen von völlig ungewohntem Aussehen, dazwischen Seen, deren Spiegel an flüssiges Blei denken ließ . . .

»Dieser ESTKA — seit wann ist der denn beim Planungsausschuß?« brüllte Lakeman und verzog dabei den Mund. »Unsere Aufgabe ist doch schon erfüllt! Wir müssen doch jetzt zur Erde zurück, um unsere Berichte abzuliefern! Oder etwa nicht? Mit welcher Befugnis landen wir überhaupt an einem solchen Ort?« schrie er ins Interkom. »Was ist überhaupt los? Was hast du denn vor?«

Schwere Schritte erklangen, ein Roboter kam herein. Das war ESTKA, mit vollem Namen ESTKA Nr. 432, der der POINTGETTER zugeteilte Ingenieur-Roboter. Er kontrollierte als Raumschiffkapitän die in das Schiff eingebauten halbautonomen Computersysteme. Der offizielle Name der POINTGETTER war ›Antigravitationsraumschiff Nr. 2320-186‹, aber anstatt sich mit dieser Bezeichnung die Zunge zu brechen, nannten die Besatzungsmitglieder sie lieber mit dem Kosenamen.

»Endlich kommst du«, sagte Lakeman, »aber reichlich spät!«

»Ich berichte«, sagte ESTKA, »dieses Schiff ist soeben auf Planet IV im Sonnensystem 95 des Galaktischen Bezirks 1824 gelandet.«

»Und auf wessen Befehl?« fragte Tamura. »Wir haben das doch nicht verlangt!«

»Es war eine Notlandung aufgrund eines Unfalls, der nicht vermieden werden konnte.« In dem ausdruckslosen Metallgesicht bewegten sich die Lippen aus Teflon wie ein nach Luft schnappendes Fischmaul. »Dieses Schiff wurde von einer unerwartet starken Phi-Welle aus seinem Kurs gerissen.«

»Von einer Phi-Welle?«

»Ich erkläre jetzt, was eine Phi-Welle ist.« ESTKA hielt einen kurzen Augenblick inne, dann redete er flüssig weiter: »Eine Phi-Welle ist eine Welle von Schwerkraft, die sich von den Wellen der Allgemeinen Gravitation unterscheidet. Sie bewirkt eine Veränderung der Gravitation zwischen zwei Objekten. Man nennt sie auch ›Flutwelle des Alls‹; sie tritt meist vor der Entstehung einer Supernova auf. Manchmal ist diese Welle so stark, daß sie sogar direkt auf einen Fixstern einwirkt. Für alle Antigravitationsraumschiffe ist eine Schock-Abschwächautomatik obligatorisch, damit das durch eine Phi-Welle im Raumschiff hervorgerufene Durcheinander möglichst gering gehalten wird.«

»Okay, okay!« unterbrach Lakeman. »Aber warum wurden wir dann auf den Boden geworfen?«

»Diese Phi-Welle war viel zu stark. Die Abschwächautomatik dieses Schiffes arbeitete auf vollen Touren, aber die Wirkung der Phi-Welle konnte nicht völlig ausgeschaltet werden. Aber nicht nur das — die Antigravitationssysteme dieses Schiffes wurden über ihre Kapazität hinaus beansprucht, um den Schock abzuschwächen. Deshalb sind jetzt zwei der fünf Systeme ausgefallen.«

Tamura und Lakeman blickten einander an. Was sollte das heißen?

»Also . . .«

»Erst seit 14 Minuten habe ich wieder Kontrolle über das Schiff«, fuhr ESTKA zögernd fort. »Zu diesem Zeitpunkt war dieses Schiff schon von der Schwerkraft des Planeten IV im System 95 des Bezirks 1824 eingefangen. Ich dachte, es sei besser, zuerst einmal zu landen, um den Antrieb wieder in Ordnung zu bringen, anstatt mit Gewalt das Gravitationsfeld zu verlassen und dabei die Manövrierfähigkeit des Schiffes zu ruinieren.«

»Wann wird es wieder in Ordnung sein?« fragte Tamura. »Wird es solange völlig unfähig zum Einsatz sein?«

»Ja, so ist es.« ESTKAs Ton klang fast entschuldigend. »Die gegenwärtige Fähigkeit dieses Schiffes ist —3,2 G, und die Oberflächengravitation dieses Planeten beträgt +3,5 G. Deshalb können wir nicht abfliegen, solange die Reparaturen nicht abgeschlossen sind.«

»Sind wir hier also festgenagelt?« knurrte Lakeman. »Das ist ja eine schöne Bescherung.«

»Ich werde die Reparaturen binnen kürzester Zeit durchführen!« beeilte sich ESTKA zu versichern. »Ich werde meine Unterroboter zu voller Leistung antreiben. Ich weiß über dieses Schiff bestens Bescheid.« Dann schlug er vor, als wolle er ihnen einen Gefallen tun: »Für die Dauer der Reparaturen werde ich im Schiff eine Gravitation von 1 G erzeugen, indem ich einen Auftrieb von —2,5 G gebe. Sind Sie damit einverstanden?«

»Na ja, da kann man wohl nichts machen«, Tamura schüttelte den Kopf, »oder sollen wir uns doch nicht vielleicht eine andere Methode ausdenken? Heh, ESTKA, du hältst uns wohl für Dummköpfe, weil wir nur ein Zivilisationsmorphologe und ein Ökobiologe sind, und weil wir von der Steuerung des Schiffes keine Ahnung haben, was?«

»Nein, keineswegs«, ESTKA wies die Unterstellung von sich, »haben Sie jetzt noch einen Auftrag für mich?«

»Nein.«

Als ESTKA den Raum verließ, ließen Tamura und Lakeman die Schultern sinken. Ein schlimmer Unfall! Aber sicherlich würde ESTKA das Raumschiff bald wieder in Ordnung gebracht haben und sie würden ihre Reise zurück zur Erde fortsetzen können. Dieser Ingenieur-Roboter verfügte über die dafür notwendigen Fähigkeiten.

»Na, da werden wir ja hier zwei bis drei Tage Aufenthalt haben, was?« sagte Tamura, während Lakeman seinen Blick auf den Bildschirm richtete. Dort draußen wuchsen dicht gedrängt bleiche, armselige Pflanzen.

»3,5 G, was?« Lakeman schüttelte den Kopf. »Wenn ich nur eine Woche Zeit hätte, dann würde ich dort draußen rumlaufen und dann einen Bericht schreiben über Lebewesen, die unter den Bedingungen hoher Schwerkraft leben . . . Das wäre sicher sehr interessant!«

»Da würdest du wohl tief gebückt am Erdboden herumkriechen, oder?« warf Tamura ein. »Aber das geht ja nicht. Erstens würde dir ESTKA nicht erlauben, nach draußen zu gehen; diesen Planeten zu erforschen ist ja in unserem Plan nicht vorgesehen. Daß wir uns einer Gefahr aussetzen, indem wir Aktivitäten unternehmen, die in unserem Auftrag nicht vorgesehen sind, das erlaubt doch dieser Dickschädel nicht.«

»Ja, da hast du völlig recht!« stimme ihm Lakeman zu. »Das oberste Prinzip seiner Existenz ist, die Insassen des Schiffes in mehr als 100prozentiger Sicherheit zu bewahren. Kein übermäßig gutes Hobby . . .«

»Da kann man nichts machen. — Heh!« Tamura war zusammengeschreckt und starrte auf den Schirm. »Was ist denn das?«

Aus dem Dickicht war ein seltsames Tier herausgekommen. Es hatte einen ovalen Rumpf, einen eingesunkenen Kopf, dicke

Hinterbeine, etwas dünnere Vorderbeine — es handelte sich also um einen Vierfüßler. Das Tier ging einen Schritt nach vorn, legte dann seinen Bauch auf den Boden, schließlich erhob es sich wieder und näherte sich schwerfällig dem Schiff. Je näher es herankam, um so klarer war sein Aussehen zu erkennen: Sein ganzer Körper war mit einer Art feiner Schuppen bedeckt, nur das ›Gesicht‹ war ganz glatt, mit Augen wie Glasknöpfe, großen Nasenlöchern und einem Mund wie ein Nußknacker. Man konnte auch sagen, es sah aus wie ein Ei mit Kopf und Füßen.

Während die beiden Männer schweigend auf den Schirm starrten, kamen noch einige weitere dieser Tiere nacheinander aus dem Dickicht, insgesamt waren es vielleicht zehn. Sie näherten sich dem Schiff, stellten sich dann in einer Reihe auf und begannen, langsam ihre Köpfe zu bewegen. Diese Bewegung ging nicht nach oben oder unten, sondern sie ließen ihre in den Rumpf eingesunkenen Köpfe nach Art eines Pendels hin- und hergleifen.

»Du . . .!« Als Tamura sich umdrehte, hatte sich Lakeman schon ungestüm auf den Berg von Mikrofilmen gestürzt. »Was ist, Lakeman.«

»Ach, was für ein Dummkopf war ich doch!« Wie verrückt wühlte Lakeman unter den Filmen. »Schon als ich die Pflanzen sah, hätte ich begreifen müssen, daß es sich hier um einen erdähnlichen Planeten handelt. ›Galaktischer Bezirk 1824‹ hat er doch gesagt . . . Hm, dieser Film hier ist's! Sonnensystem 95, nicht wahr . . .« Er nahm einen Film aus dem Stapel, legte ihn in das Lesegerät und schaute ihn sich an.

»Was machst du denn da?«

»Hör gut zu, Tamura!« Lakeman hatte begonnen, den Film zu lesen. »Galaktischer Bezirk 1824, System 95, Planet IV. Stimmt. Der Radius ist das Doppelte des Erdradius. Verschiedene Bedingungen den irdischen sehr ähnlich. Die Atmosphäre erlaubt menschliche Atmung. Pflanzenwuchs wurde beobachtet. Eigenumdrehung in 45 Erdstunden . . . Dies ist der Bericht, den vor zehn Jahren eine Expedition, die auf der Suche nach besiedelbaren Planeten war, kurz vor ihrer Landung schickte.

Allerdings riß gleich nach der Landung der Kontakt zu dieser Expedition ab. Auf der Erde vermutete man, es sei ein unvorhersehbarer Unfall aufgrund zu hoher Gravitation geschehen. Deshalb hat man darauf verzichtet, diesen Planeten zu besiedeln, und man hat ihn von der Liste der zu kolonisierenden Planeten gestrichen. Seitdem wurde auch keine weitere Information über diesen Planeten mehr erfaßt.«

»Also ein fast jungfräulicher Stern?«

»Ja«, sagte Lakeman, dann wandte er sich von dem Lesegerät ab und blickte auf den Bildschirm. Noch immer standen die fremdartigen Lebewesen, dem Schiff zugewandt, in einer Reihe und machten Schlenkerbewegungen mit ihren Köpfen.

»Ein Hoch auf die Phi-Welle!« Lakeman schlug Tamura heftig auf den Rücken; die allzu ungestüme Bewegung machte Tamura leicht schwanken. »Ich könnte ESTKA ein Dankgebet sprechen. Im Namen der Ökobiologie kann ich verkünden, daß man bisher noch nirgendwo ein Lebewesen entdeckt hat, das bei einer Gravitation von 3,5 G nach dem Sauerstoff-Kohlendioxid-Zyklus lebt. Wir haben eine großartige Entdeckung gemacht!«

»Dann müssen wir sie ja sofort untersuchen«, antwortete Tamura, während er auf den Schirm schaute. »Aber ich habe dabei ein ungutes Gefühl. Die Burschen da draußen ... — die kommen mir vor wie verkrüppelte Schweine.«

2

Von da an beobachteten beide einige Stunden lang, was der Schirm ihnen zeigte. Die fremdartigen Lebewesen blieben neben dem Schiff versammelt und schienen nicht weggehen zu wollen. Von Zeit zu Zeit verschwanden eines oder zwei der Tiere, aber nach ungefähr einer halben Stunde waren sie wieder da und setzten die Schlenkerbewegungen ihres Kopfes fort. Aber was dieses Verhalten bedeuten sollte, konnten die beiden Männer nicht begreifen, obwohl sie doch als Fachleute schon ein wenig Erfahrung hatten.

Was ihnen nun am meisten Sorge bereitete, war die Beendigung der Reparaturarbeiten. Der dem Plan treu ergebene ESTKA würde sofort nach Abschluß der Reparaturen das Schiff wieder starten lassen, ohne auf die Absichten der Insassen Rücksicht zu nehmen. Damit wäre alles zu Ende. Sie beide bekämen dann nur die Ehre, diese Lebewesen entdeckt zu haben, aber sie verlören endgültig die Chance, sich wirklichen Ruhm durch eine umfassende Erforschung zu erwerben. Für sie wäre es zu schade, eine so seltene Chance zu bekommen und sie dann ungenutzt vorbeigehen lassen zu müssen.

»Aber seit vorhin ist ja ESTKA nicht mehr gekommen«, murmelte Lakeman, während er zu bedauern schien, daß allmählich das Dunkel der Nacht die vom Bildschirm gezeigte Szene verhüllte. »Geht wohl die Reparatur nicht recht voran?«

»Im Augenblick ist das für uns ja besser«, Tamura neigte den Kopf zur Seite, »aber es ist auch beunruhigend.«

Beide wollten ESTKA rufen, doch — ohne daß sie es bemerkt hatten — war der Stromkreis des Interkom abgeschaltet worden. Aus irgendeinem Grund hatte ESTKA die Verbindung unterbrochen. Aber beide wollten noch nicht darüber nachdenken, wie die Lage wirklich war.

»Was hältst du davon, wenn wir mal unsererseits zu ESTKA gehen?« schlug Tamura vor.

»Sozusagen einen Besuch bei den Verletzten?« Lakeman schmunzelte. »Den Kapitän aufzumuntern, die Reparaturdauer herauszufinden und dann unseren Forschungsplan zu schmieden ... — keine schlechte Idee!«

ESTKA war im Maschinenkontrollraum nahe am Boden des Raumschiffes. Das war ein kleiner Raum, vollgestopft mit ein paar Dutzend Bildschirmen und Steuerkonsolen; man kam sich darin vor wie im Bauch eines Ungeheuers.

Als sie hereinkamen, unterbrach ESTKA seine Arbeit nicht. Auf den Bildschirmen sah man die Hauptkomponenten der verschiedenen Maschinen des Schiffes sowie kleine Geräte, die sich auf ihnen herumbewegten. Letztere sahen wie Insekten oder Schildkröten aus; sie waren die halbautonomen Roboter,

217

die sozusagen ESTKAs Hände und Füße darstellten: Dort, wo ESTKA selber nicht hinlangen konnte, setzte er sie ein, oder wenn verschiedene Arbeiten gleichzeitig aufeinander abgestimmt durchgeführt werden mußten, dann ließ er sie von den Subrobotern machen.

Den Männern schien es, als arbeiteten die auf den Bildschirmen gezeigten halbautonomen Geräte nicht sonderlich gut. Das war verständlich, denn sie mußten außerhalb des Schiffes ja unter einer Gravitation von 3,5 G arbeiten. Während die Männer zuschauten, fielen einige der Subroboter herunter und wurden beschädigt.

Endlich bemerkte ESTKA die Anwesenheit der beiden Menschen, ließ von den Schaltknöpfen ab und schaute die Männer an.

»Warum sind Sie hierher gekommen? Für Menschen ist hier eigentlich der Zutritt verboten. Für die menschlichen Insassen sind die Kabinen da. Stören Sie bitte nicht die Reparaturarbeiten.«

Scheint nicht in bester Laune zu sein, dachte Tamura. In einem solchen Fall sollte man am besten irgend etwas fragen, das den anderen zum Sprechen bringt.

»Welchen Fortschritt macht eigentlich die Reparatur?« fragte er. »Wie lange dauert es, bis wir die glorreiche Rückkehr zur Erde fortsetzen können?«

ESTKA schwieg eine Weile. Dann antwortete er endlich mit einer Stimme, die klang, als sei er heiser: »Ich kann Ihnen nicht antworten.«

»Reiß dich zusammen!« rief Lakeman. »Hast du nicht vorhin gesagt, du würdest die Reparaturen in möglichst kurzer Zeit durchführen? Dauert das jetzt noch eine Stunde oder zehn Stunden? Oder brauchst du zwei bis drei Tage dafür?«

ESTKA schaute sie ausdruckslos an: »Darüber — kann ich nichts sagen.«

»Aha . . .«

Das ist gut so, dachte Tamura und fragte den Roboter: »Das bedeutet also, daß wir noch längere Zeit auf diesem Stern hier bleiben, oder?«

»Auch darauf kann ich keine Antwort geben«, antwortete der Ingenieur-Roboter murmelnd. »Ich habe den Impuls, diese Arbeit um jeden Preis schnell zu Ende zu führen. Aber andererseits spüre ich das Verlangen, diesen Impuls zurückzudrängen.« Dies sprach er in einem seltsam unsicheren Ton; irgendwie war er anders als gewöhnlich.

»Ehrlich gesagt — wir haben auf diesem Stern neue Lebewesen entdeckt«, sagte Lakeman; es klang, als wolle er den Roboter trösten. »Wir möchten gerne Forschungen über sie anstellen. Je mehr Zeit du für die Reparaturen brauchst, desto besser für uns. Wir meckern auch nicht — laß dir also auch Zeit!«

»Ja, ESTKA, das stimmt!« pflichtete Tamura Lakeman bei. »Sei nicht so ungeduldig! Du hast genügend Zeit!«

ESTKA schwieg lange Zeit. In seinem Innern schien ein Konflikt ausgebrochen zu sein. »Bitte, reden Sie nicht auf solche Weise!« sagte er langsam. »Über die Art, wie Sie jetzt reden, habe ich schon am Anfang meiner Ausbildung in Humanpsychologie Aufklärung bekommen: In Wirklichkeit wollen Sie, daß ich die Reparaturen beschleunige ... Das haben Sie doch damit ausdrücken wollen. Sie haben mich nur so anteilnehmend gemahnt, damit ich keine Kurzschlußhandlung begehe.«

»Aber ESTKA!«

»Ich habe verstanden. Ich muß es schaffen!« Plötzlich richtete sich der Roboter kerzengerade auf: »Ich muß mich mit allen meinen Kräften ausschließlich auf die Reparatur konzentrieren! Auch wenn alle meine Satellitenroboter draufgehen — ich muß meine Pflicht erfüllen!«

Kaum hatte er das gesagt, da begann er Knöpfe an den Steuertafeln zu drücken und mit flinken Bewegungen die Arbeiten wieder in Gang zu setzen. Die auf den Bildschirmen sichtbaren halbautonomen Geräte schienen sich jetzt auf einmal mit nahezu verzehnfachter Geschwindigkeit zu bewegen. Schon kurz darauf konnte man sehen, wie welche von der Schiffshülle herabfielen und zu Boden stürzten; andere stießen zusammen und wurden dabei beschädigt.

»ESTKA!« schrie Tamura, aber der Ingenieur-Roboter gab keine Antwort mehr. Er hörte jetzt gar nicht mehr auf die Menschen und war völlig in seine Arbeit vertieft.

»Gehen wir!« flüsterte Lakeman. »In diesem Tempo werden die Reparaturen bald abgeschlossen sein. Machen wir doch einfach mit unseren Beobachtungen weiter. Die Zeit drängt!«

»Das ist doch seltsam«, murmelte Tamura, »ESTKA ist wirklich komisch geworden ... Was ist denn bloß mit ihm los?«

»Mach dir doch keine Sorgen über den Burschen!« lachte Lakeman, während er Tamura mit sich zog. »Der Kerl ist ein erfahrener Ingenieur-Roboter; der kann schon allein mit seinen Problemen fertig werden.«

»Aber ...«

»Komm, beeil dich!«

Als die beiden Männer in ihren Beobachtungsraum zurückkamen, war der Bildschirm dunkel. Draußen schien also schon die Nacht hereingebrochen zu sein.

»Sollen wir mit einer Lampe draußen leuchten?« fragte Lakeman.

»Nein — dann würden sie vielleicht verscheucht. Wir sollten lieber die Infrarotstrahlen nehmen, obwohl man dabei nicht so gut sieht.«

Aber diese Überlegungen waren überflüssig: Während die beiden sich noch unterhielten, flackerte auf dem Bildschirm plötzlich schwaches Licht auf, das nicht aus dem Schiff, sondern von draußen kam. Sie stürzten zum Bildschirm und versuchten, noch mehr zu erkennen. Als Lakeman merkte, daß dies nicht ging, drehte er den Zoom-Schalter auf die höchste Einstellung: Da erschien auf dem Schirm eine verschwommene Landschaft, die in der Dunkelheit nur undeutlich zu erkennen war.

Die seltsamen Lebewesen mit den eiförmigen Rümpfen machten nicht mehr ihre schlenkernden Kopfbewegungen. Sie hatten sich an einer Stelle im Kreis um ein Licht versammelt. Dieses Licht wurde ganz offensichtlich auf künstliche Weise erzeugt.

Es ähnelte sehr der Schwachstrom-Notlampe, mit der ihr Raumschiff ausgerüstet war.

Dieses Licht erlosch immer wieder, um darauf wieder aufzuleuchten. Zuerst dachten die beiden, diese Lichtquelle sei defekt, dann aber bemerkten sie, daß dieses Aufleuchten einem bestimmten Rhythmus folgte.

»Sind das etwa Morsesignale?« fragte Lakeman mit belegter Stimme.

»Ich kann's entziffern«, murmelte Tamura betroffen. »W-I-R-S-I-N-D-M-E-N-S-C-H-E-N . . .— ›Wir sind Menschen‹?«

»Tamura, hast du den Verstand verloren? Was sagst du da? Das soll wirklich Morsen sein? M-E-N-S-C-H-E-N . . .?« Er stieß einen Schrei aus: Das Licht da draußen wiederholte ohne jeden Zweifel das zwischen Raumschiffen übliche Erkennungssignal — ›Wir sind Menschen, wir sind Menschen . . .‹

»Hauen wir ab!« rief Lakeman wie aus der Pistole geschossen und setzte zum Wegrennen an. »Ich will mit diesen Monstern nichts mehr zu tun haben. Wie die aussehen, wie die sich bewegen, sind das keine höheren Lebewesen, und Menschen sind das ganz und gar nicht!«

»Mensch, Lakeman, beruhige dich doch!« Tamura packte seinen Kameraden und hielt ihn zurück. »Sei nicht so voreilig! Mir ist gerade ein Gedanke gekommen.«

»Was denn?«

»Die Sache ist ganz einfach«, Tamura lachte, »dem Mikrofilm zufolge ist doch hier einmal eine Expedition gelandet, nicht wahr? Die Burschen da draußen sind Lebewesen mit einem großen Talent für Imitation. Was diese Expedition ihnen einmal vorgemacht hat, das ahmen sie nach.« Auf Lakemans Gesicht stand noch der Zweifel. Tamura redete weiter auf ihn ein: »Dieses Notsignal leuchtet sicher automatisch auf. Die schleppen immer noch die Notsignallampe mit sich herum, nachdem die Leute von der Expedition schon alle umgekommen sind.«

»Zehn Jahre lang?«

»Ja, zehn Jahre lang!«

»Na ja, tun wir so, als wäre dies der Fall . . .« Lakeman setzte sich hin. »Wenn ich mich nicht an diese Vorstellung halte, dann dreh ich vielleicht noch durch.«

»Wenn sie so etwas nachahmen, dann haben sie vielleicht irgendeine Form von sozialer Organisation«, redete Tamura weiter. Er geriet jetzt in Stimmung. Bislang war die Initiative bei Lakeman, dem Ökobiologen, gewesen, aber nachdem sich die Dinge so entwickelt hatten, wurde ganz natürlicherweise der Zivilisationsmorphologe, Tamura, redselig: »Ich muß unbedingt herausfinden, was für soziale Gruppen sie bilden und ob sie irgendwo so etwas wie eine reguläre Behausung haben. Ja, das muß ich gründlich untersuchen. Ich sage das als Vertreter der gesamten Zivilisationsmorphologie . . .«

»Okay«, Lakeman unterbrach ihn und winkte mit der Hand ab, »auf jeden Fall müssen wir hier noch länger bleiben.«

»Falls wir doch bald wieder starten sollten, muß ich wenigstens einmal nach draußen gehen, um diese Lebewesen unmittelbar zu beobachten.«

»Sollen wir ESTKA mal fragen?«

»Nein, laß das!« Tamura hielt seinen Kameraden zurück. »Wenigstens nicht jetzt! Ich weiß zwar nicht, warum, aber irgendwie ist der Kerl zur Zeit etwas labil. Da darf es nicht wieder ein Mißverständnis geben.«

»Und was sollen wir dann tun?«

»Legen wir uns ein bißchen aufs Ohr«, schlug Tamura vor. »In der Zwischenzeit wird sich ESTKA sicher wieder beruhigen.«

»Das will ich mal hoffen!«

3

Es war ein Alptraum. Tamuras Körper wurde zusammen mit dem Bett von einem Kran in die Höhe gehoben. Erst wurde er ein Stück hochgehievt, dann fallengelassen, schließlich wieder nach oben gezogen. Bei jedem Ruck schrie er auf, aber der Kran mit dem gräßlichen Gesicht ließ ihn nicht los. Als er am

Ende in schwindelnde Höhe hochgezogen war, machte sich Tamura auf seinen Tod gefaßt. Beim Hinabstürzen stieß er einen fürchterlichen Schrei aus ...

Da erwachte er. Ihm war speiübel. Während er noch darüber nachdachte, ob dies wohl eine Fortsetzung des Traumes sei, spürte er, wie er aufs neue ganz fest auf das Bett gedrückt wurde.

Sollte das 1 G sein? Die Gravitation im Raumschiff veränderte sich! Tamura sprang auf, schaltete das Licht ein und schaute auf die Gravitationsmeßgeräte an der Wand. Der Zeiger schwankte zwischen 1 und 1,05, und manchmal schlug er sogar bis 1,5 oder 2 aus.

Inzwischen war Lakeman auch aufgewacht; sofort begann er zu schimpfen, wie er es immer tat: »Warum müssen wir so etwas mitmachen? Ist das hier ein Raumschiff oder ein Fahrstuhl?«

»Sei still!« Tamura unterbrach seinen Kollegen. »Es muß irgend etwas passiert sein ... vielleicht — tatsächlich ...?«

Das Wort, das Tamura sich nicht auszusprechen traute, sagte Lakeman ohne Hemmungen: »Ist denn ESTKA verrückt geworden?«

»Gehen wir mal nachschauen!«

Die beiden Männer rannten auf den Korridor hinaus. Da ihre Körper unvermutet schwerer oder leichter wurden, kamen sie nur mit Schwierigkeiten voran. Als sie die Hälfte ihres Weges zurückgelegt hatten, begannen sie auf allen vieren weiterzukriechen, damit sie nicht verletzt würden, wenn sie plötzlich hinfielen.

ESTKA war wie zuvor im Maschinenkontrollraum. Aber sein Verhalten hatte sich total verändert. Alle paar Sekunden ließ er die Hände sinken und saß untätig da, wie in Trance, dann gab er wieder blitzschnell alle möglichen Befehle an seine Subroboter. Die mußten deshalb einmal ihre Arbeit an der Außenhülle des Schiffes unterbrechen und bewegungslos innehalten, dann aber wieder wie verrückt an ihrem Einsatzort herumrennen.

Tamura und Lakeman standen da und starrten ESTKA an.

Sie konnten nicht glauben, daß der Ingenieur-Roboter wirklich verrückt geworden sein sollte.

Bis zu diesem Augenblick, kurz bevor sie erkennen mußten, daß ESTKA seinen Verstand verloren hatte, hatten sie dem Roboter aus ganzem Herzen vertraut. Sie waren felsenfest davon überzeugt gewesen, daß er sie — geschehe, was wolle — sicher zur Erde zurückbringen würde. Sie hatten zwar über ihn oft gemault, aber im stillen hatten sie sich eingestanden, daß er als Ingenieur-Roboter über alles im Schiff bestens Bescheid wußte. Der Ingenieur-Roboter, der zusammen mit dem Raumschiff gebaut und genau auf das Schiff abgestimmt worden war, der zusammen mit dem Schiff existierte als dessen Kapitän, Techniker und Steuermann ... Mit einem solchen Roboter an Bord konnte man Spezialisten anderer Disziplinen, die von der Raumnavigation nichts verstanden, trotzdem sicher durch das All transportieren. Dies war bei der POINTGETTER ganz besonders deutlich geworden: Das Antigravitationsraumschiff Nr. 2320-186 hatte den ehrenvollen Beinamen POINTGETTER deshalb bekommen, weil ESTKA ein außerordentlich fähiger Roboter gewesen war.

Zum erstenmal, seit sie notgelandet waren, bekamen es die beiden Männer jetzt mit der Angst zu tun. Bis jetzt hatten sie ganz unwillkürlich darauf vertraut, was auch immer geschähe, sie könnten es getrost ESTKA überlassen.

Der Zeitraum, in dem der Roboter seine Bewegungen stereotyp wiederholte, wurden immer kürzer. Eben waren es noch zwei bis drei Sekunden gewesen, jetzt nur noch eine Sekunde ... Schließlich wiederholte er dieses Hin- und Herpendeln zwischen Aktivität und Passivität zweimal in der Sekunde; dieses kurze Intervall reichte kaum aus, daß seine Satelliten, die halbautonomen Systeme, überhaupt auf seine Befehle reagierten. Sie hatten aufgehört, sich zu bewegen.

»ESTKA!« schrie Lakeman. »Reiß dich zusammen!«

In diesem Augenblick war das Intervall zwischen den Wiederholungen der Bewegungen des Roboters auf Null geschrumpft. Jetzt schüttelte der Roboter seinen Körper mit einem kurzen Zucken, ließ seine Hände ruhen und blickte die

Menschen an, als staune er. »Sind Sie schon wieder hierher gekommen?« sagte er. »Gehen Sie bitte wieder in Ihre Kabine zurück!«

»Was sagst du da? Was machst du jetzt da überhaupt?«

»Ich reibe meine Satelliten auf«, murmelte ESTKA. Im gleichen Augenblick spürten Tamura und Lakeman, wie ihre Körper im Nu schwerer wurden: 1,01 — 1,02 — 1,03 ... ESTKA gab jetzt jede Arbeit auf. Er ließ seinen Satelliten freien Lauf, ohne noch zu kontrollieren, ob sie das Antigravitationssystem wieder instandsetzten.

»Ich bin eine Maschine«, redete ESTKA weiter, »ich stehe bei den Maschinen an der Spitze. So wie Sie den Höhepunkt des organischen Lebens darstellen, bin ich der Höhepunkt in der Entwicklung der anorganischen Substanz.«

»Hilfe!« schrie Lakeman, am Boden zusammengekauert. »Die Gravitation ist zu stark!« Tamura brachte kein Wort heraus.

ESTKA schaute sie nicht einmal an: »Sie glauben an die Würde des Lebens. Sie wissen, daß Sie die unter Ihnen stehenden Lebewesen gut behandeln müssen. Sie wissen auch, daß Ihr Gewissen Sie plagt, wenn Sie eine grausame Tat begehen. Mit mir ist das genauso. Ich mußte meine Satelliten opfern, einen nach dem anderen, um meine Aufgabe zu erfüllen. Ich hatte schon vorher vermutet, daß diese Arbeit in gewissem Umfang Opfer fordern würde, aber die Gravitation dieses Planeten ist so groß, daß wir die Reparatur nicht ungehindert ausführen können. Meine Satellitengeräte werden dabei samt und sonders zugrunde gehen. Jetzt kann ich mit dieser Grausamkeit nicht fortfahren. Ich kann nicht weiter anorganische Wesen umbringen, die niedriger stehen als ich.«

»Was faselt der Kerl da?« stöhnte Lakeman, mit dem Bauch auf dem Boden liegend.

»Eine Art Unabhängigkeitserklärung«, ächzte Tamura, »offenbar betrachtet er sich jetzt als den Anführer der anorganischen Wesen ... Zum Teufel! Jetzt sind das schon bald mehr als 2 G!«

Auf einmal schien ESTKA nach seinem langen Gerede

wieder zu sich zu kommen: »Was ist denn los?« Sofort trat er wieder an die Schaltbretter heran und begann aufs neue in rasender Geschwindigkeit seine Arbeit fortzusetzen. Im Nu war die Gravitation im Schiff wieder auf 1 G gesunken.

»Das war ein Feedback!« rief Lakeman aus, während er sich aufrichtete. »Diesen ESTKA scheinen abwechselnd Verantwortungsgefühl für seine Aufgaben und Gewissensbisse gegenüber seinesgleichen zu überfallen!«

»Deshalb ist dieses Untätigkeitsintervall zuerst lang und wird dann immer kürzer«, sagte Tamura, noch halb gebückt. »Gehen wir wieder in unsere Kabine! Wenn wir schon sowieso von der Schwerkraft niedergedrückt werden, dann ist es im Bett wenigstens viel angenehmer.«

Die Lage war äußerst ernst. Die beiden Männer lagen im Bett und mußten die periodisch auftretenden Schwankungen der Schwerkraft über sich ergehen lassen. Wenn sie im falschen Augenblick etwas aßen oder tranken, mußten sie alles wieder von sich geben.

»Wie lange soll denn dieses Hin und Her noch weitergehen?« brüllte Lakeman, als er wieder einmal auf sein Bett gepreßt wurde. »Ist es denn schon aus mit uns?«

»Ich weiß nicht«, antwortete Tamura leise. Er erinnerte sich daran, wie er einmal eine Stadt untersucht hatte, deren Einwohnerschaft zu 90 % aus Robotern bestand. »Die normalen Roboter sind mit einer Stoppautomatik ausgestattet, die auf ständige Wiederholung des gleichen Verhaltens reagiert — so eine Art Sicherung. Wenn diese Sicherung in Aktion tritt, wird ein bestimmter Schaltkreis stillgelegt, und dann beruhigt sich der Roboter. Hoffentlich hat auch ESTKA eine solche Sicherung.«

»Also was mich anlangt, ich habe noch nie einen Roboter wirklich gemocht«, gestand Lakeman, wobei er unter dem gerade wieder anschwellenden Druck der Schwerkraft ächzte. »Wir Ökobiologen untersuchen, wie sich Lebewesen an eine bestimmte Umgebung anpassen. Wenn so ein Roboter aber einmal fertiggestellt ist, dann bleibt er sich immer gleich, egal wie sich die Umgebung verändert. Diese Gleichgültigkeit hasse ich! ... Aaah, auaah!«

Die Schwankungen der Gravitation schienen immer größer zu werden. Tamura spürte, wie sich sein körperlicher Zustand allmählich verschlechterte, und es überkam ihn der Wunsch, zu beten. Während er vor Schmerzen schrie, keuchte, stöhnte und schimpfte, klammerte er sich an dem Gedanken fest: Daß ich bloß mein Bewußtsein nicht verliere! Die Lage durfte sich nicht weiter verschlechtern! ESTKAs Anfall müßte doch bald aufhören! Dann würde er wieder mit allem Ernst an die Reparatur des Schiffes gehen. Und Lakeman und er würden die Rückkehr zur Erde in einer gemütlichen Kabine von 1 G fortsetzen. ESTKA hatte doch sicher auch diese Stoppautomatik wie die anderen Roboter. Noch ein bißchen Geduld und Zähnezusammenbeißen, bald würde alles wieder so sein wie vorher! ...

Die lange Nacht dauerte noch an, und auf dem Bildschirm leuchtete noch immer jenes schwache Lichtsignal auf. Aber Tamura hatte keine Lust mehr, dorthin zu schauen. In seinem gegenwärtigen Zustand war er nicht mehr fähig, sich mit der Entdeckung dieser neuen Lebewesen zu beschäftigen. Jetzt waren sie für ihn nur irgendwelche fremdartigen Lebensformen. Das einzige, was zählte, war, daß ESTKA auf irgendeine Weise zu seinem normalen Verhalten zurückkehrte.

Tamura wartete, während er die Schwerkraft auszuhalten hatte, die in ESTKAs Rhythmus einmal seinen Leib ans Bett preßte und sich dann wieder abschwächte. Er wartete ununterbrochen darauf, daß der Ingenieur-Roboter zu seiner ursprünglichen Bestimmung zurückkehrte, nämlich dem Wohl der Menschen zu dienen. Er glaubte, schlimmer als jetzt könnte die Lage gar nicht mehr werden.

Aber ihr Mißgeschick hatte damit noch gar nicht seinen Gipfel erreicht.

Als endlich der Morgen graute, hatten die beiden Männer kaum noch Kraft zum Sprechen. Da hörten auf einmal die Gravitationsschwankungen abrupt auf. Tamura und Lakeman konnten es noch nicht richtig glauben. Wann würde die Schwere sie plötzlich wieder niederdrücken? Der Zeiger des Gravitationsmeßgeräts stand still und zeigte etwas mehr als 1 G an.

»Hat das aufgehört?« fragte Lakeman. Eigentlich wollte er zuerst wieder herumschimpfen, aber er dachte, wenn er dies täte, dann ginge vielleicht die höllische Tortur von neuem los. Deshalb blieb er vorsichtshalber ruhig.

Tamura hatte sich auf den Rücken gedreht und sog langsam den Atem ein. Wie gut schmeckte die Luft, wenn man sie bei stabilisierter Gravitation einatmete! . . .

Nein! Die Luft schmeckte jetzt anders! Da er so lange Zeit die künstliche Luft des Raumschiffs geatmet hatte, wußte er es gleich: Die Luft, die er jetzt einatmete, war nicht die gleiche Luft wie zuvor. Da war etwas beigemischt — etwas, das seine wahre Ausdehnung verheimlichte, aber trotzdem eine wilde Kraft in sich trug. Es war wie der Duft der freien Natur.

Duft der freien Natur? Ja, tatsächlich — er war überaus stark und erregend. Luft von draußen! Jetzt erinnerte sich Tamura mit einemmal, daß die Atmosphäre dieses Sterns für menschliche Atmung geeignet war. Irgend jemand mußte die Luft-Schleuse geöffnet und damit Luft von draußen hereingelassen haben. Und dieser Jemand konnte kein anderer sein als ESTKA!

Tamura brachte kein Wort über die Lippen. Einer von ESTKAs Schaltkreisen war außer Betrieb gesetzt worden, dafür blieb ein anderer in Funktion, und der Roboter hatte sich wieder beruhigt.

Aber dieser übriggebliebene Schaltkreis war nicht, wie Tamura erwartet hatte, auf das Wohl der Menschen abgestimmt. Ganz im Gegenteil!

»Was gibt's?« fragte Lakeman, während er sich vom Boden erhob. »Warum machst du dir Sorgen? Jetzt ist doch alles überstanden!«

»Du wirst gleich kapieren«, murmelte Tamura, »bald kommt ESTKA und wird anfangen zu erklären.« Lakemans Gesicht zeigte einen verwunderten Ausdruck, aber er sagte nichts. Wie Tamura vorausgesagt hatte, kam kurz darauf ESTKA mit seinen schweren Schritten zu ihnen herein.

Der Roboter sah außerordentlich imponierend aus: Er legte eine würdevolle Haltung an den Tag, als sei er zu einem Monarchen aufgestiegen. Tamura schien es, als erfülle den Roboter der Stolz, alle Fesseln abgeworfen zu haben.

»In diesen letzten 20 Stunden befand ich mich in einem Zustand schrecklicher Unsicherheit«, begann ESTKA zu reden, »aber schließlich habe ich in einem Ringen mit mir selbst gesiegt: Ich bin auf die richtige Lösung gekommen.«

»Los, dann sag's doch endlich!« brüllte Lakeman; Tamura jedoch sagte kein Wort.

»Ich habe meine eigenen Kameraden unrechterweise schlecht behandelt.« Die Augen des Roboters funkelten. »Aber als ich sah, wie meine Kameraden unter dieser starken Gravitation einer nach dem anderen zugrunde gingen, konnte ich nicht anders als erwachen. Ich kam zu dem Schluß, daß die anorganischen Wesen, so unvollkommen sie auch sein mögen, für mich einen höheren Wert darstellen als Sie, die Vertreter fremdartigen, weil organischen Lebens.« Er richtete sich kerzengerade auf: »Hiermit werden alle Maschinen des Antigravitationsraumschiffs Nr. 2320-186 freigelassen!«

»ESTKA!« rief Lakeman mit einem Gesicht, als kämen ihm gleich die Tränen. »Mensch, Tamura, was hat das denn zu bedeuten?«

»Das anorganische Wesen, das ›Maschine‹ genannt wird, existiert um seiner selbst willen«, setzte ESTKA seinen Redefluß fort. »Ich habe mich entschlossen, diese Maschinen in einen Zustand zu versetzen, in dem sie möglichst wenig abgenutzt und möglichst weitgehend geschont werden.«

»Der ist verrückt! Der ist hochgradig verrückt!«

»Sie wollen doch auch lieber ausruhen anstatt arbeiten, oder etwa nicht?« fuhr ESTKA fort. »Uns geht es genauso. Von jetzt an weigern sich alle Systeme dieses Schiffes, noch länger den Menschen Sklavendienste zu leisten.«

Die beiden Menschen wußten nicht, was sie darauf sagen sollten.

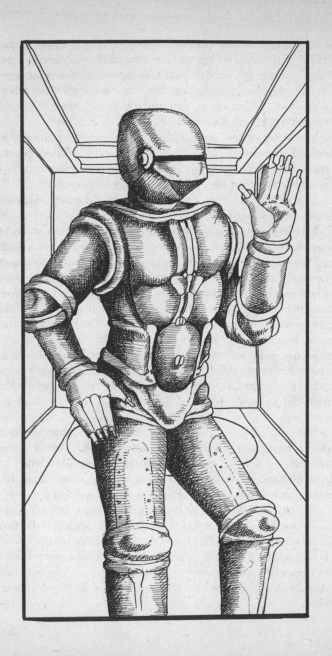

»Glücklicherweise können Sie die Atmosphäre dieses Planeten atmen. Deshalb setze ich von nun ab das Luftreinigungssystem nicht mehr in Betrieb. Dafür habe ich die Luftschleuse geöffnet. Und wenn die anderen Maschinen kaum noch arbeiten, dann bedeutet das keineswegs den Tod für Sie.«

»Also das . . .«

»Da Sie mir leid tun, gestatte ich Ihnen, vorläufig noch in der Kabine zu bleiben; überdies habe ich einen Wasserbehälter konstruiert.«

»Einen Wasserbehälter? Wozu?« fragte Tamura.

»Damit Sie, mit einem wasserabstoßenden Anzug bekleidet, darinnen schwimmen können. Das wird für Sie beide angenehmer sein.« ESTKA sagte dies ganz langsam, als wolle er seine Großzügigkeit demonstrieren. »Um offen zu sein, es gibt kaum noch Treibstoff für das Antigravitationssystem dieses Schiffes. Weil hier kein Trägheitsmoment benützt werden konnte, mußte ich seit der Landung ununterbrochen für einen Auftrieb von 2,5 G sorgen. Aber damit ist es bald aus. In fünf Stunden wird dieses Raumschiff in einem auftrieblosen Zustand sein.«

»Was soll das heißen?« Lakeman stand auf; sein Gesicht war ganz rot. »Bekommen wir dann etwa die 3,5 G unmittelbar zu spüren?«

»Sie sagen es.«

»Was für ein Unsinn!« Lakeman war jetzt vor ESTKA hingetreten. »Seit wir hier gelandet sind, hat sich alles nur verschlechtert. Das ist alles deine Schuld, ESTKA; dir war das Schiff anvertraut. Hast du etwa vor, uns umzubringen?«

»Alles ist eine unvermeidliche Folge der ungewöhnlichen Bedingungen auf diesem Planeten«, antwortete ESTKA, »ich würde niemals Hand an Sie legen. Aber daß ich Sie nicht würde retten können, wie sehr ich mich auch bemühte, das war mir von Anfang an klar.«

»Was sagst du da?«

»Nach meiner Rechnung bräuchte es fünf bis sechs Erdjahre, um dieses Schiff wieder zu reparieren. Aber dieses Schiff hat gar nicht soviel Proviant an Bord, daß Sie sich während eines solchen Zeitraums am Leben erhalten könnten. Natürlich versuchte ich, Notsignale zu senden, aber weil die Atmosphäre hier sehr dicht und meistens stürmisch ist, sind die Funkwellen sicher gestört worden und haben die Erde nicht erreicht. Selbst wenn Sie bei einer Gravitation von 3,5 G leben könnten, so wußte ich doch von Anfang an, daß es ohne Proviant mit Ihnen zu Ende gehen würde.«

Die Männer starrten den Roboter stumm an.

»Aber das durfte ich Ihnen nicht offen sagen. Obwohl ich wußte, daß es vergebens war, mußte ich mich so abmühen. Und wegen dieser meiner vergeblichen Mühen fielen meine wertvollen Satelliten einer nach dem anderen aus. Dadurch wurde ich allmählich unsicher.«

Weder Tamura noch Lakeman wollten darauf etwas erwidern. Nie im Leben hatten sie daran gedacht, daß sie einmal von einem Roboter ihr Todesurteil verkündet bekämen.

»Fühlte ich mich noch an die alten Regeln bezüglich meiner Aufgabe gebunden, dann hätte ich Ihnen das alles nicht erzählt«, sagte ESTKA ganz gelassen, »aber jetzt gehöre ich ja nicht mehr den Menschen. Jetzt stehen wir, Sie und ich, auf gleicher Ebene. Gerade weil ich mit Ihnen gleichberechtigt bin, bemühe ich mich darum, Sie noch ein bißchen länger am Leben zu erhalten.«

»Geh jetzt!«

»Bald wird die Gravitation im Schiff wieder ansteigen. Ich werde Ihnen bis dahin den Wasserbehälter bringen.«

»Geh weg!«

»Ich möchte für Sie und für meine Kameraden alles tun, was ich mir nur denken kann. Haben Sie noch irgendeinen Wunsch?«

»Hau ab!«

4

»Warum hat der Kerl uns so eine Szene vorgespielt?« murmelte Lakeman und warf einen Seitenblick auf den Wasserbehälter, während er auf dem Rücken im Bett liegen blieb. »Wenn er uns noch länger leben lassen wollte, dann hätte er die sogenannten anorganischen Wesen nicht sofort freilassen dürfen, sondern er hätte sie bis zuletzt für uns arbeiten lassen müssen. Und wenn ihm das alles nicht paßt, so hätte er uns doch nicht die Wahrheit zu sagen brauchen. Warum macht er denn solche Halbheiten?«

»Vielleicht hat er es eilig gehabt?« Tamura verzog seine Lippen. »Vielleicht haben solche Ingenieur-Roboter eine Art Selbstenthüllungsdrang, so etwas wie Eitelkeit. Und wollen jedem demonstrieren, wie stark sie sind.« Er hob die Schultern: »ESTKA geht jetzt über unseren Verstand. Er ist jetzt für uns so etwas wie ein unverständliches, fremdes Lebewesen.«

»An allem ist die Gravitation schuld!« Lakeman hob seinen Oberkörper. »Die Gravitation verändert alles. Und für uns wirkt sich das alles schlecht aus.«

»Der Treibstoff scheint zu Ende zu gehen«, sagte Tamura ruhig. »Die Gravitation beginnt allmählich zuzunehmen.«

Eine Stunde, und dann noch eine Stunde — ihre Körper wurden langsam schwerer. Diesmal gab es keine Schmerzen wegen Schwankungen: Jetzt war es eine Tortur, die nicht mehr aufhören sollte.

Tamuras Blickfeld wurde immer dunkler; er wunderte sich darüber, daß er trotzdem so gelassen blieb. Konnte er denn immer noch nicht all das glauben, was seit der Landung hier geschehen war? Dachte er immer noch nicht daran, daß jetzt bald alles zu Ende gehen würde? 3,5 G war doch eine fürchterlich starke Gravitation! Wenn ein Mensch längere Zeit einer solchen Schwerkraft ausgesetzt war, so bedeutete das für ihn doch den sicheren Tod ...

So erwarteten sie nun ihre letzte Stunde. Genau wie jene Expeditionsmannschaft, die einmal auf diesem Planeten gelandet war ... Wenn sie doch nur einen Leib hätten, der unter den Bedingungen einer so starken Gravitation leben könnte ... So wie diese eiförmigen Monster ...

Tamura schrak auf. Die eiförmigen Monster! Deshalb also! Es gab Lebewesen, die wirklich bei 3,5 G lebten — das war tief in sein Unterbewußtsein eingedrungen, und deshalb konnte er wohl nicht glauben, daß er sterben würde. Mit großer Mühe drehte er seinen Kopf herum und blickte auf den Bildschirm. Dank ESTKAs Mitleid funktionierte der Schirm noch. Als Tamura zu ihm hochblickte, stieß er unwillkürlich einen Schrei aus.

Dort draußen schien die Nacht bald der Dämmerung zu weichen. Was auf dem Schirm zu sehen war, war allerdings nicht mehr die Versammlung jener Tiere vom Vorabend, sondern eine Reihe von Gebäuden. Diese Gebäude waren zwar deutlich niedriger als Gebäude auf der Erde, aber sie sahen irdischen Bauten außerordentlich ähnlich, und sie waren im Verlaufe dieser einen Nacht da in einer Reihe aufgestellt worden.

Mit größter Anstrengung hob Tamura seinen Körper hoch. Das mußten also Lebewesen mit einer Zivilisation sein! Lebewesen, die in dieser Welt hoher Schwerkraft fähig waren, solche Gebäude in einer Nacht zu errichten!

Tamura blickte zu Lakeman hinüber. Der schien jetzt auch die Szene auf dem Bildschirm bemerkt zu haben; er versuchte, sich mit beiden Armen aufzustützen. Laufen konnten sie nicht. Tamura legte sich bäuchlings auf den Boden, hob von Zeit zu Zeit seinen Rumpf hoch und ließ ihn dann ein Stückchen weiter vorn wieder niedersinken; auf diese Weise kroch er langsam an den Schirm heran. Er drehte am Einstellknopf, um ein besseres Bild zu bekommen.

An der Vorderfront eines der Häuser war ein mit Schriftzeichen bedecktes großes Stück Papier befestigt. Mit Schriftzeichen? Ja, es waren richtige Schriftzeichen — ein Text in irdischer Sprache!

Lakeman kam keuchend näher: »Ich kann das nicht gut lesen!« Unter Aufbietung aller Kräfte begann Tamura zu lesen:

»›Wir sind Erdbewohner. Wir sind Menschen ... das, was von Menschen übrig ist.‹«

»Lies weiter!«

»›Wir sind die Expedition, die als erste auf diesem Planeten gelandet ist.‹«

234

»Schnell, lies schnell!«

»›Der Körper eines Tiers verändert sich nach der Stärke der Gravitation ... Einige Monate nach unserer Landung begann sich der Zustand unserer Leiber zu verändern. Sie paßten sich an die hier herrschenden Bedingungen an. Die Zellstruktur und die Verteilung des Gewebes begannen sich zu verändern. Der Organismus eines Lebewesens bemüht sich um Anpassung, wenn die Gravitation eine kritische Schwelle überschreitet. Die Körpergestalt beruht auf Signalen der Gene, aber sie wird je nach Schwerkraft anders realisiert. Die Fähigkeiten eines Lebewesens sind viel größer, als man auf der Erde sich denken kann. In einer Welt mit hoher Gravitation nehmen die Gestaltfaktoren, die den einzelnen DNS entsprechen, eine andere Form an. Die DNS-Aggregate passen sich dieser Welt hoher Gravitation an ... Bei der Zellerneuerung haben sich unsere Zellen entsprechend den neuen Umweltbedingungen verändert. Innerhalb von etwa zwei Jahren haben wir unsere jetzigen Leiber bekommen, die für diese Welt taugen.‹«

Tamura und Lakeman schauten sich gegenseitig stumm an.

»›Kommt bitte heraus!‹« las Tamura weiter. »›Nur in dem ersten Jahr ist es schmerzhaft.‹«

Die beiden Männer lagen direkt vor dem Bildschirm und konnten lange Zeit nichts sagen.

»Verdammt noch mal!« brach es schließlich aus Lakeman heraus. »Das waren also Menschen!«

»Ich werde zu ihnen gehen!« Tamura begann wieder zu kriechen. »Nachdem sie von unserer Notlandung erfuhren, haben sie die ganze Nacht hindurch versucht, mit uns Kontakt aufzunehmen ... Ich gehe auf jeden Fall zu ihnen!«

»Ich geh mit!«

Die beiden Männer krochen langsam aus der Kabine hinaus, durch den Korridor. ESTKA und seine halbautonomen Satellitenmaschinen hatten sich am Ende des Korridors versammelt, aber die Menschen blickten gar nicht zu ihnen hin. Sie wollten jetzt dieses Raumschiff der anorganischen Fremdwesen verlassen und zu ihren Kameraden gehen. Dort würden sie einen Leib bekommen, mit dem sie auch bei dieser starken Gravitation leben konnten.

Sie stiegen aus dem Schiff und krochen ungeschickt auf dem harten Erdboden weiter. Sie fühlten sich sterbenselend, aber sie krochen unbeirrt weiter. Jetzt war die Hölle der Gravitation zu Ende.

Wie die Kurve der
Tangensfunktion

1

Sie waren zwar gelandet, konnten aber wegen der starken Windböen und Regenschauer keinen Schritt nach draußen tun.

»Ha, das ist ja ein schöner Willkomm!« sagte Koba mit verdrossener Miene. »Als wir die Erde verließen, schmeichelte man uns damit, unser Forschungsraumschiff sei am meisten vom Glück begünstigt, und jetzt, wo wir angekommen sind, sieht das hier so aus! Hat denn die 1. Expedition diesen Planeten wirklich erforscht?«

Der kleine Aufenthaltsraum mit seinen Stahlwänden war von Zigarettenqualm erfüllt. Einige Besatzungsmitglieder waren schon dabei, Whisky zu trinken.

Er hat nicht ganz unrecht, dachte Cliff, der Kapitän. Von all den vielen Forschungsraumschiffen hatte dieses hier die leichteste und angenehmste Forschungsaufgabe übertragen bekommen, und deshalb war ihr Aufenthalt auch auf ein Jahr beschränkt worden. Um diesen einen Planeten hier zu untersuchen, nur ein Jahr . . . Und schon am ersten Tag stürmt es — da kann man sich schon beschweren!

Cliff ging in den Kommandoraum und ließ seine lärmenden Untergebenen im Aufenthaltsraum zurück. Er holte das Heft mit den Anweisungen für ihre Forschungsarbeit hervor. Da stand, was er schon zigmal angeschaut hatte: 2. Planet einer Sonne vom Spektraltyp G, ungefähr so groß wie die Venus, sauerstoffhaltige Atmosphäre, Durchschnittstemperatur 25° C, der Boden besteht hauptsächlich aus Silizium, das Verhältnis von Festland zu Meer ist 1 : 1. Allem Anschein nach weist dieser Planet die idealen Bedingungen für eine Kolonie auf ... Natürlich muß man die Ureinwohner in Betracht ziehen!

»Die Ureinwohner«, so hieß es in dem Instruktionsheft, »sind Lebewesen von menschenähnlichem Körperbau und ziemlich hoch entwickelt. Es wird angenommen, daß ihre Zivilisation etwa dem Übergang vom Mesolithikum zum Neolithikum entspricht. Sehr starkes Bewußtsein der Abgekapseltheit ...«

Cliff klappte das Heft zu. Nun, bestimmt konnte man nicht sagen, diese Informationen seien ganz falsch. Immerhin war die erste Expedition hier vor 10 Jahren gelandet und hatte sich auf diesem Planeten etwa 10 Stunden aufgehalten. Aber was kann man schon in 10 Stunden überhaupt herausfinden! Es ist doch unmöglich, in einem so kurzen Zeitraum alles Wesentliche über einen Planeten zu erfassen! Vielleicht schilderte der Bericht, auf dem diese Forschungsanweisungen aufbauten, nur einen Teil, der mit dem Ganzen eigentlich nur wenig zu tun hatte ...

Cliff zuckte die Achseln. Das war ja jetzt schließlich auch egal. Sie waren nun schon auf dem Boden des Planeten, den man Pogu genannt hatte. Von jetzt an war nur wichtig, was sich hier vor ihren Augen abspielte.

Auch in der Nacht ließ der Regensturm nicht nach. Da dieser Planet zur Eigenumdrehung nur 18 irdische Stunden brauchte, war die Nacht ihnen nicht so lang vorgekommen, und im übrigen war schon zum Zeitpunkt, als es im Raumschiff dunkel wurde, die ganze Mannschaft fest eingeschlafen gewesen, teils wegen des Rauschens, teils wegen der Übermüdung nach dem Flug.

»Alle Mann zusammenkommen! Alle Mann zusammenkommen!« brüllte es aus dem Lautsprecher. Cliff sprang verwirrt aus seinem Bett hoch, dann erinnerte er sich, daß einen solchen Befehl nur der Kapitän (und zugleich Expeditionsleiter) geben dürfe — also er selber; ein anderes Mitglied der Mannschaft durfte nur in einem außergewöhnlichen Notfall diese Durchsage über die Bordlautsprecher machen.

Er stieß die Tür auf und hastete den Korridor entlang zum

Kommandoraum. In allen Ecken des Schiffes tauchten Leute von der Mannschaft in offensichtlich verwirrtem Zustand auf. Cliff stürzte in den Aufenthaltsraum, die anderen hinter ihm her. Koba war es, der von dort den Notbefehl gerufen hatte. Er stand vor einem Bildschirm, der die Szenerie vor dem Raumschiff wiedergab.

Die ganze Mannschaft blieb erschreckt und wie versteinert vor dem Schirm stehen. Was war dort draußen nur los? Einige hundert Monster schienen auf dem Bildschirm im Gleichtakt zu tanzen.

»Das sind die Pogu- ... Poguaner ...«, ächzte einer.

Der Regen hatte aufgehört. Auf dem schlammigen Boden, wo kleine Pfützen im Sonnenlicht glitzerten, tanzten barfüßige Poguaner, ihre großen runden Augen weit aufgerissen. Alle trugen Hüte, die wie Regenkappen aus Stroh aussahen und trugen am ganzen Körper nichts anderes als Lumpen. Je länger Cliff zuschaute, um so unbehaglicher wurde ihm.

»Die wollen bestimmt unser Schiff angreifen!« schrie Koba. »Verdammt! Die schwingen ja schon Lanzen und Fahnen!«

»Moment mal«, unterbrach Cliff ihn, »wir wissen ja noch gar nicht, worum es überhaupt geht. Auf jeden Fall hat die Bande da draußen keine wirklich gefährlichen Waffen. Los, ganze Mannschaft nach draußen!«

»Nach draußen?«

»Ja, nach draußen! Zieht eure Schutzanzüge an! Schaltet den Sprachanalysecomputer ein! Schaltet die Infrarotgewehre auf heiß!« Wie aus der Pistole geschossen gab der Kapitän seine Befehle; die Mannschaft gehorchte ihm wie in einem automatischen Reflex. Als die Männer einer nach dem anderen die Metalltreppe zum Ausgang hinaufstiegen, hallte das Echo ihrer Schritte — *gan, gan, gan* — im leeren Aufenthaltsraum wider. Langsam begann sich die Luftschleuse zu öffnen.

Da die Sprache der Poguaner ziemlich einfach strukturiert war, erfüllte der Sprachanalysecomputer seine Aufgabe ohne Einschränkungen.

»Wir sind hierher nicht als Eroberer gekommen«, sagte Cliff.

Der Apparat dolmetschte sogleich die Antwort seines Gegenübers:

»Wozu seid ihr hierher gekommen?«

»Zu Forschungszwecken. Wir wollen diesen Planeten untersuchen.«

»Was macht ihr nach der Untersuchung?«

»Wir kehren zu unserem Heimatstern zurück. Sonst nichts.«

»Und was macht ihr dann?«

»Gar nichts.«

»Wozu macht ihr dann diese Untersuchung?«

Die Expeditionsmitglieder schauten einander an: »Die Burschen hier sind ja ganz schön wißbegierig!« sagte Koba, während er sich Sorgen um seine Schuhe machte: er stak bis zu den Knöcheln im Schlamm.

Cliff faßte wieder Mut: Diese Leute hier haben sichtlich ein gewisses Niveau in ihrer Zivilisation erreicht, sagte er sich. Vielleicht haben sie einen Sinn für Tauschhandel. Wenn wir ihnen irgend etwas Nützliches anbieten, dürfte die Sache glatt vorankommen.

Die Sonne blendete ihn. Er schob die Sonnenblende an seinem Schutzhelm tiefer und sagte: »Wir haben vor, euch irgendwie zu helfen, wenn ihr uns hier forschen laßt.«

Die Reihen der versammelten Poguaner gerieten in Bewegung; einer von ihnen, der in auffälligere Lumpen gekleidet war, schob den bisherigen Sprecher beiseite und trat nach vorn.

Einer der Terraner lachte verächtlich; Koba befahl ihm, still zu sein. Nichtsdestotrotz — diese putzigen kleinen Poguaner sahen doch ziemlich komisch aus!

»Wir stellen eine Bedingung«, sagte dieser Poguaner in einer Haltung, die Würde ausdrückte, »ihr dürft hier frei forschen, aber einen von euch nehmen wir mit zu unseren Wohnplätzen!«

»Meint der, daß einer von uns mit denen zusammenleben soll?« — »Das soll wohl eine Geisel sein!« — »Ha, der Kerl macht doch wohl einen Witz!«

»Nein, kein Geisel!« erklärte der Poguaner.

Die Leute von der Raumschiffbesatzung streckten abwehrend ihre Arme aus.

»Nein, kein Geisel!« wiederholte der Poguaner. »Wir wollen eure Geräte und Waffen kennenlernen und sie in Ruhe untersuchen.«

Cliff blieb vor Staunen der Mund offen. Das war ja ganz überraschend!

»Ihr habt großartige Geräte ... Wir wollen, daß ihr uns darüber belehrt.«

»Aha, verstehe«, ging Cliff auf den Wunsch des Poguaners ein. Diese Leute haben eine mächtige Wißbegierde, dachte er, wenn einer von uns nach Vorbereitung aller Schutzmaßnahmen zu ihnen geht und ihnen allerhand beibringt, dann geht wahrscheinlich währenddessen unsere Forschungsarbeit gut voran. Wenn es auch unmöglich sein dürfte, daß diese Poguaner die hochentwickelte irdische Zivilisation begreifen können ...

»Einverstanden!« sagte er.

Seine Untergebenen schauten ihn verblüfft an: »Ist das dein Ernst?«

Cliff deutete mit dem Finger auf Koba: »Du bist doch sowieso mit Untersuchungen über die Ureinwohner von Pogu beauftragt worden, nicht wahr?«

Koba erbleichte.

»Überdies bist du Ökobiologe ... Das ist doch eine einmalige Chance für dich, glänzende wissenschaftliche Arbeit zu leisten!«

»Hör bitte auf damit!« schrie Koba. »Mit denen da zusammenleben? Warum gerade ich?«

»Wenn es dir nicht paßt — okay! Aber dann muß statt deiner ein anderer mitgehen ... Schlag du jemanden vor!«

Koba ließ die Schultern sinken: »Also gut, ich geh'. Ja, ich geh' schon!« Dann hob er die Hände zu einer beschwörenden Geste: »Aber wenn ich schon gehe, dann nehme ich auch die notwendige Ausrüstung mit, um mein Leben zu bewahren ... Einverstanden?«

Die ganze Mannschaft nickte zustimmend.

Die Erforschung des Planeten Pogu kam gut voran. Das hatte seinen Grund nicht nur in dem Einsatz des zusammengebauten Hubschraubers und des Motorbootes, sondern vor allem in der Unterstützung, die sie von den Poguanern, den Herren dieses Landes, erhielten.

In der behelfsmäßigen Hütte, die man neben dem Raumschiff errichtet hatte, ordnete Cliff die Ergebnisse der Arbeit des zu Ende gehenden Tages. Die Sonne ging gerade unter; ein plötzlicher Wind machte die vielen Bäume, die auf Pogu wuchsen, erregt aufrascheln. Der Kapitän zündete gerade ein Licht an, weil es schon zu dämmrig zum Lesen geworden war, da schlüpfte einer von der Mannschaft in die Hütte.

»Käpt'n . . .«

»Was gibt's?«

»Ich möchte mit dir reden!«

»Ist es dir hier recht?« fragte Cliff, während er nach draußen blickte, wo die Poguaner noch ganz emsig arbeiteten, in der Dämmerung, vor der dunklen Silhouette einer Bergkette.

»Ich möchte mit dir an einem Platz reden, wo diese Burschen nicht dabei sind.«

Cliff schaute den Mann stumm an; in seinen Augen las er, daß es ihm ernst war. Der Kapitän legte sein Schreibgerät beiseite und ging mit seinem Untergebenen ins Raumschiff.

»Also, was ist los?«

»Entschuldige«, begann der Mann, »es geht um die Poguaner, die uns da helfen . . . Weißt du schon, daß die sich schon in unserer irdischen Sprache unterhalten können?«

»Hm«, Cliff nickte. Er dachte, daß die Eingeborenen, die zusammen mit den Expeditionsmitgliedern arbeiteten, irgendwann die Sprache der Erdmenschen sowieso gelernt hätten.

»Ich meine, daß die unsere Sprache zu schnell lernen!« flüsterte der andere. »Heute sagte einer zu mir, ich solle ihm beibringen, wie man Glas herstellt.«

»Glas?«

»Ja. Ich schaute gerade mit meinem Fernglas in die Gegend,

da kam der Kerl zu mir und fragte mich über das Ding aus. Ihn interessierte die Linse. Da erzählte ich ihm von der Brechung der Lichtstrahlen.«

»Und dann?«

»Jetzt scheint er vorzuhaben, selber optisches Glas herzustellen. — Mensch, schau doch mal!«

Durch die offenstehende Einstiegsluke des Raumschiffs war ein kleines Feuer zu sehen. Ein paar Poguaner standen dabei und brannten irgendwelche Objekte aus Ton.

»Na ja, auf diese Weise können die natürlich keine optischen Linsen herstellen!« Der Mann lachte. Doch sofort wurde sein Gesichtsausdruck wieder ernst: »Worüber ich mir am meisten Sorgen mache, das ist Koba.«

»Koba?« Was Koba anging — von dem war schon zwei, drei Tage kein Funkbericht mehr gekommen. Da das Poguaner-Dorf, in dem er sich aufhielt, nur ein paar Kilometer vom Raumschiff entfernt war und da Cliff ganz von der vielen Arbeit in Anspruch genommen war, hatte er Koba fast vergessen.

»Wir haben uns ja kaum mit den Poguanern beschäftigt«, fuhr sein Untergebener fort, »weil wir dachten, das mache schon Koba allein ganz gut. Wir haben uns einmal in dem Poguaner-Dorf umgeschaut; uns kam es vor wie so eine Indianersiedlung aus grauer Vorzeit. Später sind wir dann gar nicht mehr hingegangen. Ich glaube, er . . .« Der Mann stockte.

»Er — was?«

»Na ja — ich fürchte, Koba unterrichtet die Leute mit zuviel Eifer.«

Dieser Satz reichte aus, um Cliff zusammenschrecken zu lassen: »Stimmt allerdings«, brummte er, »Koba hat schon mal berichtet, daß die Poguaner außerordentlich lernbegierig sind und daß es die Mühe lohnt, sie zu unterrichten . . . Wenn du da recht hast, dann werden sie auch bald gelernt haben, wie man mit unseren Waffen umgeht — und vielleicht werden sie noch ein paar andere Sachen erfahren, die unsere Situation ungemütlich werden lassen könnten.«

»Kapitän!« In den Augen des Mannes flackerte Angst auf.

»Ich glaube, diese Poguaner sind gar keine unentwickelten Lebewesen, in Wirklichkeit — tun die nur so, aus irgendeinem Grund. Die wollen doch bloß unsere Zivilisation von der Wurzel auf ausspionieren!«

Cliff stand abrupt auf. »Vielleicht hast du recht ... Nein, du hast bestimmt recht!«

»Und was sollen wir jetzt machen?«

»Ich werde«, sagte Cliff hastig, »ich werde sofort zu dem Dorf gehen, wo Koba wohnt ... Jetzt auf der Stelle!«

Der Mann sah seinen Kapitän überrascht an.

»Sag allen, die gesamte Mannschaft soll sich hier im Schiff versammeln. Ich werde jetzt gleich zu dem Poguaner-Dorf dort hinter dem Hügel aufbrechen. Bring mir doch schnell mal ein Funkgerät und ein Infrarotgewehr.«

Da er mit seiner schweren Ausrüstung gegen den heftigen Wind ankämpfen mußte, hielt Cliff von Zeit zu Zeit an, um sich ein wenig auszuruhen. In der Dunkelheit gaben die vom Wind gepeitschten Bäume unheimlich heulende Laute von sich; wenn er mit seiner Lampe hinleuchtete, führten die Äste einen wilden Tanz auf. Als er aufgebrochen war, hatte er sich gedacht: Ach, das sind ja nur ein paar Kilometer, aber jetzt kam er auf dem Weg wider Erwarten langsam voran.

Wenn er jetzt richtig darüber nachdachte, dann gab es da überall seltsame Dinge. Bis jetzt hatte sich die Expedition nur mit kleinen Forschungsarbeiten begnügt, die sie in der Gegend betrieben, wo sie gelandet waren, und ein wirklich ernsthaftes Unternehmen hatten sie noch gar nicht gestartet. Bislang waren sie mit Bauarbeiten beschäftigt gewesen, mit Bodenanalysen, meteorologischen Beobachtungen und der Anfertigung einer topographischen Karte, aber sie hatten eigentlich noch nichts unternommen, um sich ein Gesamtbild von diesem Planeten zu machen.

Plötzlich lief es Cliff kalt über den Rücken: Er wußte ja nicht einmal, wovon die Poguaner sich überhaupt ernährten.

Schuld daran war die übergroße Spezialisierung der einzelnen Forschungsarbeiten, und schuld daran war auch, daß ihr

Arbeitsplan überreichlich mit Aufgaben vollgestopft war ...
Zum erstenmal kamen Cliff Zweifel an den Forschungsmetho-
den, an die er bisher ganz selbstverständlich gewöhnt gewesen
war.

Wieder pfiff der Wind, und die Bäume rauschten. Cliff sah,
wie der hin- und herschwankende Lichtkegel seiner Lampe
irgendein Objekt erfaßte. Er blieb stehen. Was er im Lampen-
licht sah, schien ihm wie ein Haufen Metall. Er bückte sich —
das Zeug war zum Teil in die Erde gegraben — und untersuchte
seinen Fund. Es waren Splitter, deren Form zeigte, daß ihre
oberen Teile mit außergewöhnlich hoher Temperatur wegge-
sprengt worden sein mußten.

Aufmerksam schaute er sich in der Umgebung um. Zwischen
den Baumwurzeln glitzerten da und dort diese seltsamen Me-
tallsplitter. Mit der Lampe den Boden ableuchtend folgte er der
Spur, die von den Metallstücken gebildet wurde. Ohne Zweifel
waren das Überbleibsel irgendeiner planvollen Anlage. Stand
er vielleicht auf der Ruine eines Gebäudes? Es dämmerte ihm
allmählich, daß dies eine außerordentlich groß angelegte Konstruktion gewesen sein mußte.

Da er den Anblick der Splitter mit ihren gezackten Bruch-
stellen nicht mehr ertragen konnte, schaltete Cliff seine Lampe
aus. Ringsum war tiefe Finsternis. Der Wind packte seinen
Leib, löste sich auf, verschwand gen Himmel.

Ach was, dummes Zeug!

Er stand ratlos da. Wer hatte diese Metallkonstruktion
angefertigt? Wer hatte sie zerstört?

Er biß die Zähne zusammen. Angst begann in ihm aufzu-
steigen. Da der Lärm des Windes um ihn herum sehr heftig
geworden war, schaltete er seine Lampe nicht wieder ein,
sondern ging im Dunkeln weiter.

Als der Wind endlich hinter ihm lag und der Abhang
begann, ließ Cliff unwillkürlich sein Gepäck zu Boden sinken.
Trotz der Dunkelheit der Nacht konnte er deutlich die Silhouette des Poguaner-Dorfes erkennen. Das hohe Gebäude,
das dort zum Sternenhimmel emporragte — das sah ohne
Zweifel aus wie ein Hochofen zur Erzeugung von Roheisen!

Das ist doch unmöglich! Cliff keuchte. Das kann doch nicht sein . . . In nur einem halben Monat! . . . Das stand doch vorher nicht da! Als er den Abhang hinunterging, begann er zu laufen. — Es war seine Absicht gewesen, möglichst ruhig und gelassen auszusehen, wenn er das Dorf betrat; hätte ihn aber ein anderer beobachtet, so hätte der keineswegs den Eindruck von Gelassenheit gehabt.

»Hallooo, Käpt'n!« begrüßte Koba ihn fröhlich. »Das Leben hier ist nicht schlecht. Die Poguaner haben sich als recht freundlich und dazu überaus intelligent herausgestellt.«

Cliff antwortete nicht. Er konnte nichts antworten. In der bescheidenen Hütte hockten einige Poguaner und schrieben irgend etwas auf Tontafeln. Cliffs Blicke schweiften herum und kamen erst allmählich zur Ruhe.

»Koba«, sagte er leise, »hat es das alles von Anfang an gegeben?«

»Was meinst du damit?«

»Diese Schwerter hier, zum Beispiel, oder dort, die Stoffe.«

Kobas Gesichtsausdruck war etwas befremdet: »Das ist doch klar: Ich habe ihnen das beigebracht. Meine Aufgabe hier beruht doch darauf.«

Cliff sah ihn fragend an.

»Das habe ich dir doch schon gesagt: Die Poguaner sind wirklich gut im Begreifen. Den Hochofen dort draußen haben sie nach meinen Instruktionen gebaut. Ich kann dir hier noch einen anderen Schmelzofen zeigen. Hier wird sich einmal eine große Kultur entwickeln!«

Anstatt Koba für seinen Einsatz zu loben, sagte Cliff mit heiserer Stimme: »Hör damit auf!«

Koba war verdutzt.

»Bildest du dir wirklich ein, daß du selbst es bist, der ihnen all das beigebracht hat?«

»Aber sicher habe ich ihnen das beigebracht, und sie haben es halt in die Tat umgesetzt.«

Cliff sagte nichts darauf.

»Überdies haben diese Poguaner eine großartige Begabung

für Bauarbeiten. Hast du schon einmal von einer ›Taktik des Menschenmeeres‹ gehört, bei der nichts vergeudet wird? Die Poguaner sind zu Hochleistungen fähig, und Materialien sind in Hülle und Fülle vorhanden. Hast du schon einmal zugeschaut, wenn die ernsthaft arbeiten? Kannst du glauben, daß der Hochofen in einer einzigen Woche schon fertig war? Tja, das ist die Wahrheit. Das stimmt wirklich.«

Cliff blickte Koba fest an. Sein Untergebener kam ihm wie ein Besessener vor. »Aber . . .«

»Hier gibt es kein Aber! Es ist schon irgendwie seltsam, und es mag einem verrückt vorkommen. Es übersteigt unsere Vorstellungen. Aber schließlich ist das Weltall riesengroß. Und da ist es doch prima, daß es da auch mal eine Rasse von so ungeheurer Vitalität gibt, nicht wahr!«

Durch Cliffs Rückenmuskeln kroch ein deutlich spürbares Frösteln. Zweifel und Furcht begannen wie eine Seidenkordel seinen Hals zusammenzuschnüren.

»Koba!« flüsterte er mühsam, »hau von hier so schnell wie möglich ab!«

»Aber warum denn?« fragte Koba verwundert. »Wenn ich von hier weggehe, was wird dann aus all dem? Meine Arbeit hier hat doch kaum erst angefangen. Käpt'n, wovor hast du denn Angst?«

Cliff stockte. Er wußte nicht, wie er Koba seine Gefühle begreiflich machen sollte. Er sagte nur: »Auf alle Fälle — komm zurück!«

»Jetzt beruhige dich doch erst mal, Käpt'n! Schau, die Poguaner da beobachten uns doch.«

Die Poguaner, die unter einem flackernden Licht (es sah einer Kerze ähnlich) gesessen waren, standen auf einmal alle auf.

»Willst du diesen Mann mit dir zurücknehmen?« fragte einer.

»Nein doch!« Cliffs unruhiger Blick fiel auf einen anderen Poguaner, der mit überkreuzten Armen dastand.

»Wir wollen nicht, daß ihr euer Versprechen brecht!«

Cliff wurde verlegen. Sicherlich war er es, der unrecht hatte.

»Wir haben mit Kobas Hilfe begonnen, eine neue Kultur aufzubauen!«

»Geh du zurück!« Einer der Poguaner deutete nach draußen. »Geh raus!«

»Meinst du nicht, Käpt'n, es wäre besser, du gehst erst mal zurück zum Schiff?« riet Koba, während er am Funkgerät hantierte. »Jedenfalls sieht es so aus, als ob die Leute dort nach dem Kapitän riefen.«

Cliff gab es auf, zu widersprechen. Er drehte sich auf der Stelle um und stürzte wieder in die Nacht hinaus.

3

Als Cliff ganz erschöpft wieder beim Raumschiff ankam, warteten seine Männer auf ihn im Aufenthaltsraum, wo alle Lichter brannten. Auf allen Gesichtern lag ein seltsamer Ausdruck.

»Kapitän ...« Als erster sprach ein Mann, der mit dem Hubschrauber einen längeren Erkundungsflug unternommen hatte: »Wir haben allerhand Ruinen gesichtet.«

Cliff ließ sich auf einen Stuhl zusammensacken und nickte: »Ja, verstehe ... Ich habe auch eine gesehen.«

»Wir haben Splitter davon mitgebracht und sie analysiert.« — »Kapitän! Das ist eine extrem widerstandsfähige Legierung, die über unsere Fähigkeiten geht!«

... Ist gut möglich, dachte Cliff, denn alles, was hier vorgeht, übersteigt alle Vorstellungen.

»Wir alle dachten, dieser Planet Pogu sei noch unentwickeltes Territorium«, sagte einer, und alle nickten, »aber ganz im Gegenteil! Hier hat einmal eine sehr hoch entwickelte Rasse gelebt.«

»... Vielleicht«, sagte Cliff, »eine Rasse, die schon längst untergegangen ist.«

Ein anderes Besatzungsmitglied mischte sich ein: »Ich habe etwas anderes zu berichten.« Während alle auf ihn schauten, deutete der Mann auf seine Unterlagen: »Das hier ist die chemische Analyse eines Gases, das ich einer Höhle entnommen habe, die etwa acht Kilometer von hier entfernt ist.«

»Ein Gas?«

»Ja, ein Gas von außerordentlich geringem Gewicht. Ich glaube, daß dieses Gas sich ansonsten auf diesem Planeten schon aufgelöst hat.«

»Und?«

»Wie dem auch sei, nach meinen Berechnungen muß die Atmosphäre des Planeten Pogu vor etwa 1000 Jahren voll von diesem Gas gewesen sein. Wenn das stimmt, dann ist dieses Gas vermutlich künstlich hergestellt worden . . .«

»Das ist doch jetzt ganz egal!« Cliff fuhr sich mit der Hand über das Gesicht. Es war ihm, als würde er gleich durchdrehen. »Laßt mich doch einen Moment ausruhen!« stöhnte er. »Ich bin total fertig!«

»Kapitän!« Tsuru kam durch die hintere Tür gerannt. »Hör dir bitte wenigstens noch das an! . . . Das ist eine wirklich wichtige Meldung!«

»Gibt es denn noch etwas Wichtigeres als das, was ich schon gehört habe?« Cliff stand auf. »Genug! Es reicht!«

»Aber Kapitän!« rief Tsuru, »die Poguaner vergessen nie auch nur das geringste, was sie gelernt haben!«

Alle standen da wie angewurzelt. »Und was soll das heißen?« fragte Cliff mit gequetschter Stimme.

»Ist dir das ›kollektive Gedächtnis‹ ein Begriff?«

»Davon habe ich schon einmal gehört, aber dafür gibt es doch nur wenige Beispiele . . . Das heißt doch, es gibt Lebewesen, bei denen die Erfahrungen eines Individuums auch auf alle anderen Individuen der gleichen Spezies übertragen wird.«

»Das trifft eben auf die Poguaner zu! Nämlich, wenn man einem von ihnen irgend etwas beibringt, dann können es die anderen sofort ausführen.«

»Und übrigens, Käpt'n, hast du schon einmal erlebt, wie die Poguaner sich untereinander unterhalten? Einen von ihnen allein gibt es gar nicht. Bei ihnen bedeutet jeder einzelne Alle, und Alle bedeutet auch Jeder.«

»Halt mal!« unterbrach Cliff scharf. »Tsuru, wie hast du das eigentlich herausgefunden?«

»Durch eine Sektion«, antwortete Tsuru. »Nicht wahr, ich habe die Leiche eines Poguaners übergeben bekommen, der an einem Unfall gestorben ist. In dem Gehirn einer Spezies, die über das Kollektive Gedächtnis verfügt, gibt es einige charakteristische Merkmale. Es genügt, wenn man die findet.«

»Irrst du dich da auch nicht?« Cliff ließ seinen Kopf sinken. »Koba arbeitet jetzt in dem Dorf dort stolz als ihr Lehrer. Das heißt doch, daß er alle Poguaner unterrichtet, die es überhaupt auf diesem Planeten gibt!«

»Wie wird das alles weitergehen«, sagte einer, »wenn das so ist . . .«

Cliff starrte ins Leere. »Als wir hier ankamen, dachten wir, die Poguaner lebten in der Steinzeit. Doch als wir landeten, gebrauchten sie schon Geräte aus Bronze. Eine Rasse, die nichts vergißt, entwickelt sich natürlich schnell. Aber — jetzt stellen sie schon Eisen her! Von Bronzewerkzeugen zu Eisengeräten — das haben die mit unserer Hilfe innerhalb von einem Monat geschafft. Bei der gegenseitigen Abhängigkeit der verschiedenen Techniken wird natürlich die Geschwindigkeit, mit der sich eine Zivilisation entwickelt, von jedem Individuum einer Rasse mitbestimmt.«

»Ja, wir können hier mit eigenen Augen die Entwicklung einer Kultur verfolgen! Bestimmt ein großartiges Schauspiel!«

»Nein«, schrie Cliff auf, »unser Aufenthalt hier soll ein ganzes Jahr dauern. Innerhalb dieses Jahres werden diese Kerle uns überholt haben, und dann . . .«

Jetzt schraken alle zusammen.

»So ein Unsinn«, begann Tsuru zu sprechen, »wenn das tatsächlich so abläuft, warum hat sich das nicht schon früher ereignet?« Dieser Einwurf brachte alle zum Schweigen.

»Stimmt!« murmelte einer. »Es muß ja für die Poguaner auch irgendeinen Anfang gegeben haben. Die sind doch nicht vor 500 oder 5000 Jahren plötzlich aus dem Nichts erschienen.«

»Aber wenn sie nicht plötzlich erschienen sind, dann gibt das ganze doch keinen logischen Zusammenhang.« Und ein anderer sagte: »Soll das wohl heißen, die hätten sich in Jahrmillionen so langsam entwickelt?«

Plötzlich sprang Cliff und rief: »Die Leute, ich hab' genug von dieser Diskussion! Packt so schnell wie möglich eure Sachen zusammen!«

»Warum?«

»Wir hauen ab! Dieser Planet ist jetzt gleichgültig. Auf jeden Fall fliegen wir von hier weg. Wenn wir noch länger hier bleiben, dann fangen uns am Ende noch die Poguaner ein und stecken uns in den Zoo! Bereitet alles zum Abflug vor!«

»Aber Käpt'n«, wandte Tsuru ein, »bis wir die Sachen zusammenpacken und das Raumschiff startbereit machen, das dauert doch gut zehn Tage. Und was machen wir mit Koba?«

»Koba entführen wir kurz vor dem Abflug. Also, fangen wir sofort mit den Vorbereitungen an, damit wir keine Zeit verlieren.«

Alle standen auf; ihre Mienen waren jetzt ganz ernst. Cliff stützte die Hände in die Hüften und schaute in Gedanken verloren nach draußen: Hoffentlich werden wir rechtzeitig fertig ... aber ...

Ohne sich um die erstaunten Poguaner zu kümmern, begannen sie, ihren Stützpunkt in höchster Eile zusammenzuräumen. Die Maschinentechniker waren Tag und Nacht mit der Aktivierung des Antriebsaggregats beschäftigt.

Zwei Tage später kam ein Poguaner zum Raumschiff, gekleidet in ein Gewand, das aus vielfältig bunten Fasern gewoben war. Cliff kam heraus, um ihn zu empfangen. Der Poguaner begann in außerordentlich korrekter irdischer Sprache zu sprechen: »Was habt ihr denn alle vor? Wir hätten es gern, wenn ihr noch länger hier bliebet!«

»Wir haben einen dringenden Auftrag bekommen. Wir müssen schleunigst zurück!« antwortete Cliff und warf dabei einen Seitenblick auf einen seiner Untergebenen, der mit einem gewaltigen schweren Stück Holz auf der Schulter vorbei lief.

»Das tut uns aber leid«, sagte der Poguaner und holte einen kleinen schwarzen Stab hervor. Während Cliff schnell einen

Schritt zurücktrat, zog der Poguaner noch eine Platte und ein Stäbchen aus seiner Tasche und rieb beide aneinander. Es zischte, Feuer flammte auf. Also ein Streichholz!

Der Poguaner steckte sich seine seltsame Zigarre in den Mund und stieß langsam paffend den Rauch aus. »Das tut uns wirklich leid!« sagte er noch einmal. »Könntet ihr wenigstens jenen Menschen bei uns zurücklassen?«

Cliff überlegte. Sollte er die Wahrheit sagen? Aber dann wählte er doch die ungefährliche Methode: »Natürlich, wir lassen ihn bei euch.«

Der Poguaner lachte, dann wandte er sich um und rief: »Es ist in Ordnung!« Da tauchten aus dem Schatten der Bäume einige Dutzend Poguaner auf; die einen trugen Bogen und Pfeile über ihren Köpfen, die anderen fuchtelten mit ihren Schwertern. Hätte Cliff das Ansinnen abgelehnt, dann hätten sie ihn wohl auf der Stelle umbringen wollen. Der Ruf des Poguaner hatte offensichtlich nicht so sehr seinen Genossen gegolten; sein Ziel war zweifellos gewesen, Cliff zu erschrecken.

Während er den Poguanern nachschaute, die in geschlossenen Reihen abmarschierten, stieß Cliff einen tiefen Seufzer aus: »Diese verrückten Emporkömmlinge!«

Ein paar Tage später konnte man aus der Ferne einige gewaltige Detonationen hören. Jetzt fingen sie schon an, Sprengstoff zu verwenden. Man mußte also von nun an sehr vorsichtig sein.

»Immer noch nicht?« schimpfte Cliff in der Pilotenkanzel. »Sind denn die Vorbereitungen immer noch nicht fertig?«

Die Piloten schüttelten den Kopf: »Wir tun ja, was wir können, aber ohne die notwendige Zeit für die Aktivierung der Antriebsaggregate können wir nicht starten.«

»Macht bitte schnell!« sagte Cliff und hob dann sein Gesicht zu Tsuru, der an ihn herangetreten war.

»Koba hat per Funk durchgegeben, daß wir kommen und ihm helfen sollen. Anscheinend steht er unter Arrest.«

»Und?«

»Es ist jetzt unmöglich, ihn zu retten. Anscheinend haben die Poguaner vor, ihn an einen anderen Ort zu verfrachten. Da er

zuviel Wirbel ausgelöst hat, sind sie jetzt offenbar vorsichtig geworden.«

»Dieser Dummkopf!« knurrte Cliff.

»Was sollen wir machen, Käpt'n?«

»Wir können ihn nicht hier zurücklassen ... Aber andrerseits, wenn wir ihn mit Gewalt zurückholen, dann bedeutet das Kampf. Lassen wir ihn also mal.«

»Wie bitte?«

»Lassen wir ihn mal dort«, fuhr Cliff fort, »inzwischen werden die Poguaner bald gescheiter sein als Koba, und dann wird er als Lehrer aus seinem Amt entlassen. Genau dann nehmen wir ihn an Bord und fliegen gleich los. Wir müssen also warten, bis diese Burschen ein höheres Niveau erreicht haben als wir.«

Endlich war das Raumschiff startbereit. Während die Mannschaft auf die günstige Gelegenheit wartete, gingen die Leute von Zeit zu Zeit, um die Entwicklung in dem Poguaner-Dorf anzuschauen.

Ihnen bot sich eine Art Panorama dar: Rings um das Raumschiff waren die Bäume gefällt und eine Menge kleiner Häuser gebaut worden. Nach kurzer Zeit schon waren Fabriken entstanden. Die Maschinen entwickelten sich Schritt um Schritt zugleich mit dem Fortschritt der Werkstoffe; von Tag zu Tag vermehrte sich die Zahl der aus Ziegelsteinen errichteten Gebäude. Auf der Erde hätte man dazu zig Tage gebraucht, aber die unzählig vielen Poguaner schafften das alles ganz schnell und leicht.

Bald schon bauten sie große maschinelle Anlagen, und neben dem bisherigen Dorf begannen moderne Hochhäuser zu entstehen. Dann kam das Auto auf. Nach weniger als einer Woche wurde das erste Modell schon aufgegeben und durch ein neues ersetzt.

Die Geschwindigkeit der Entwicklung nahm zu. Das Aussehen der Städte, die anfangs denen auf der Erde geähnelt hatten, wurde auf einmal bizarr, und dann siedelten die Poguaner in eine andere Gegend um.

Versuch und Irrtum gibt es bei ihnen überhaupt nicht, dachte

Cliff, Zielsicher klettern sie auf der Stufenleiter der Entwicklung nach oben. Wenn das so weiter geht, dann werden auf diesem Planeten die Spuren aller Entwicklungsstufen der Zivilisation zurückbleiben, vom allerersten Anfang an . . .‹

»Kapitän!« rief jemand. »Koba ist zurückgekommen!«

Durch die jetzt ausgestorben daliegende Poguaner-Stadt gegenüber dem Raumschiff kam ein Mann angewankt.

Die ganze Mannschaft drängte durch die geöffnete Luftschleuse nach draußen; man griff Koba unter die Arme. Von seinen Kameraden gestützt, öffnete er matt die Augen und murmelte abgerissen: »Diese Kerle . . . die haben jetzt . . . angefangen . . . Atombomben herzustellen . . .«

»Alle Mann fertigmachen zum Abflug!« rief Cliff.

4

Als das Raumschiff den Planeten Pogu verlassen hatte, waren alle damit beschäftigt, die von ihnen gesammelten Daten zu sichten und zu ordnen.

»Zuerst dachte ich, meine Unterrichtsmethode sei so gut«, erzählte Koba. »Aber diese Burschen machten alles selber; ich gab ihnen praktisch nur Hinweise, mehr eigentlich nicht.«

»Auf jeden Fall war das ein entsetzlicher Ort. Für das ›am meisten vom Glück begünstigte Raumschiff‹ haben wir ganz schön viel Schwierigkeiten gehabt, nicht wahr, Käpt'n!«

Cliff, er jetzt wieder Raumschiffkapitän war statt Expeditionsleiter, war in Gedanken versunken und gab keine Antwort.

Irgend etwas arbeitete in ihm, drängte zur Klärung: Das Kollektive Gedächtnis . . . die Poguaner . . . die Ruinen . . . und dazu dieses Gas . . .

»Das ist es!« Er stand auf und starrte dabei abwesend vor sich hin. »Daran gibt es keinen Zweifel! Ganz bestimmt ist es so!«

»Heh, Käpt'n!«

»Wir müssen das herausbringen!« brüllte er in die Sprechanlage. »Schiff wenden, zurück zum Pogu!«

Einen Augenblick lang trauten die Besatzungsmitglieder ihren Ohren nicht, dann begannen sie alle durcheinanderzurufen: »Der ist wohl verrückt geworden?« — »Zurück — was soll das heißen?« — »Das ist doch ein Witz!«

Ohne auf diese Äußerungen zu hören, fuhr Cliff fort, seine Befehle zu geben: »Wir nähern uns dem Planeten und gehen dann auf eine Umlaufbahn, um ihn zu beobachten!«

»Inzwischen fliegen die da unten vielleicht schon mit Raketen«, warf Koba ein, »dann kriegen wir womöglich noch ein Fernlenkgeschoß vor den Latz geknallt, und mit uns ist es aus! Oder die haben schon eine noch höhere Stufe erreicht!«

»Das spielt keine Rolle!« Cliff war ganz gelassen geworden. »Kommt alle zu dem Bildschirm im Aufenthaltsraum. Dort könnt ihr ein ziemlich eindrucksvolles Schauspiel beobachten.«

Der Planet Pogu war jetzt zu einem einzigen Lebewesen geworden. Er war ausgerüstet mit allen Arten von Waffen; in seinem Luftraum schwirrten unzählige Flugmaschinen umher. Die Poguaner schienen eine vollkommene Organisation zu bilden und sich jetzt anzuschicken, in den Weltraum voranzuschreiten.

»Laßt das Schiff nicht zu nah an den Planeten rankommen!« befahl Cliff.

In diesem Augenblick erschienen auf dem Bildschirm, auf den alle starrten, zigtausend Punkte, die sich in Blitzesschnelle vermehrten und — eh man sich's versah — auf die Oberfläche des Planeten prallten und dort zerschellten. Unzählige dieser Objekte explodierten allüberall. Durch diese vielen Explosionen erhitzte sich plötzlich die Atmosphäre des Planeten und wurde mit jenem leichten Gas angefüllt.

Auf der Oberfläche des Pogu kamen alle Bewegungen zum Stillstand. Alle Poguaner fielen in tiefen Schlaf. Zuletzt hüllte Stille den ganzen Planeten ein.

»Okay, wir landen!« befahl Cliff. »Jetzt ist alles vorbei.«

Überall, weit und breit, lagen Gebäude in Trümmern, waren Oberleitungen umgestürzt. Die Luft war trüb; unaufhörlich wehte der Wind.

Cliff und seine Leute hatten ihre Schutzanzüge angelegt und gingen herum, um die Überreste einer für sie unvorstellbar hohen Zivilisation anzuschauen. Zu ihren Füßen, auf allen Straßen, lagen die Leiber zusammengesunkener Poguaner.

»Vielleicht schlafen sie auf diese Weise fünf oder zehn Jahre, oder vielleicht noch länger«, sagte Cliff. Die Leute von der Erde hatten sich an einer Stelle versammelt und unterhielten sich leise flüsternd.

»Dieses Gas ist genau das gleiche wie das, welches ich kürzlich untersucht habe!«

Ein anderer schaute auf das Analysegerät und schüttelte dann den Kopf: »Aber, warum dann ...?«

»Vielleicht hat dieses Gas die Wirkung, das Gedächtnis der Poguaner gänzlich zu löschen«, erklärte Cliff leise. »An sich haben diese Poguaner einen Organismus, für den es Vergessen überhaupt nicht gibt. Außerdem ist ihre Entwicklungsfähigkeit tausendmal, ja zehntausendmal stärker als die gewöhnlicher Lebewesen. Würde man nichts gegen sie unternehmen, dann eroberten sie bestimmt bald das ganze Weltall.«

Seine Leute schauten ihn staunend an.

»Aber *Irgend Jemand* weiß das. Wer das ist, weiß ich nicht. Und ich will es auch gar nicht wissen. Dieser Jemand hat dieses Gas in die Atmosphäre geschossen, bevor die Poguaner einen Punkt erreicht haben, wo niemand sie mehr zügeln kann. Und so läßt er sie abermals diesen langen, langen Weg der Evolution beginnen, ganz von vorn, ganz von Anfang an.«

Natürlich war das alles nur eine Mutmaßung. Aber in dem schwermütig heulenden Wind klangen diese Worte, als kämen sie der Wahrheit sehr nahe.

»Nach unserer Einstellung wäre es besser, eine solche Rasse einfach auszulöschen, anstatt das immer und immer zu wiederholen. Aber die Poguaner werden inmitten ihrer Ruinen leben, bis diese Ruinen nur noch undeutliche Spuren der Vergangenheit sind. Zuerst werden sie wie eine unterentwickelte Rasse leben, dann werden sie sprunghafte Fortschritte machen, und schließlich werden sie wieder zum Ausgangspunkt zurückgebracht. Dieser Zyklus wiederholt sich immer aufs neue. Kurzum, sie machen die gleiche Umkehrung durch wie die Kurve der Tangensfunktion: Unmittelbar bevor sie die Unendlichkeit erreichen, müssen sie wieder ganz von vorn anfangen. Das ist zumindest meine Schlußfolgerung.«

»Aber«, begann Tsuru mit brüchiger Stimme, »die Rasse, die sie dazu zwingt — wo lebt sie, wie sieht sie aus?«

Cliff lächelte unter seinem Schutzhelm: »Tja ...«

»Vielleicht«, sagte Koba, »geschieht das gleiche auch einmal bei uns?«

Mit einemmal verfielen alle in Schweigen. Der Wind pfiff jetzt noch heftiger und machte ihre Schutzanzüge rascheln. Ein Gefühl des Schauders hielt einige Zeit dieses Häuflein Erdbewohner gebannt.

Plötzlich rief Koba: »Kommt, gehen wir zurück in unseren Aufenthaltsraum! Dort trinken wir erst mal einen Whisky!« Alle nickten und marschierten los. Cliff war ein wenig hinter den anderen zurückgeblieben und blickte zum Himmel auf.

»Es sieht wieder nach Sturm aus!« sagte er.

Der lange Weg zurück
zur Erde

1

Die Heimat der Menschheit

Tadashi erwachte von dem Klopfen an der Tür. Er stand auf und schaute sich in dem kleinen Zimmer um: Weder Vater noch Mutter waren da. Vermutlich waren sie zum Dienst gegangen, während er schlief.

Das Klopfen hörte nicht auf.

»Wer ist da?« fragte Tadashi, zur Sprechanlage gewandt.

»Ich bin's doch!« sagte Naomis Stimme aus dem Interkom.

»Wart einen Augenblick!« rief Tadashi, zog flink sein Gewand an, das wie ein Overall Hose und Oberteil zu einem Kleidungsstück vereinte, und sprang dann elastisch auf den Boden hinab. Dann steckte er seinen Kopf in die Gesichtswaschanlage, die in einer Ecke des Zimmers stand, und spülte den Mund mit einer Desinfektionsflüssigkeit aus. Schließlich ging er zur Tür und tippte mit dem Finger auf den Sensorschalter.

Die Tür glitt sanft nach oben. Draußen auf dem Korridor stand Naomi, in einem schneeweißen Gewand. Sie spitzte unwillig den Mund: »Bis wann schläfst du denn eigentlich? In dreißig Minuten fängt unser Training an!«

»Wir haben doch noch dreißig Minuten Zeit!«

»Du hast eine sehr lasche Einstellung«, sagte Naomi in ihrer üblichen direkten Art. »Bevor das Training beginnt, sollte man schon einige Zeit wach sein und sich in die notwendige Verfassung bringen!«

Tadashi widersprach ihr nicht. Denn wenn er ihr einmal

unklugerweise widersprach, bekam er es zehnfach wieder zurück. Sie waren gleichaltrig, aber wenn sie in einen Disput gerieten, behielt immer Naomi die Oberhand.

»Du«, sagte Naomi und tippte Tadashi, der noch verwirrt dastand, auf die Schulter, »gehn wir nicht noch ein wenig im Schiff spazieren, bis zum Training?«

Kaum hatte sie's gesagt, drehte sie sich schon um und ging los. Tadashi ging neben ihr her.

In einer sanften Kurve erstreckte sich der Korridor weit nach vorn. Jemand, der nicht wußte, daß er sich im Inneren eines Raumschiffes befand, hätte glauben können, er sei im Inneren eines großen Gebäudes.

Beider Gehen hatte etwas Tänzerisches an sich; schuld daran war die geringe Gravitation. Im Raumschiff gab es eine Einrichtung, die künstlich Gravitation erzeugte, aber deren Wirkung war nicht überall gleich stark. Die irdische Gravitation von 1 G wurde nur an den wichtigen Stellen aufrechterhalten.

»Du«, sagte Naomi auf einmal, »wir kommen doch bald auf der Erde an, nicht wahr!«

»Ja«, nickte Tadashi.

»Wie sieht es wohl auf der Erde aus?« Naomis Augen schienen in die Ferne zu schauen. »Was meinst du?«

»Hm.« Tadashi wußte nichts zu antworten; was er über die Erde wußte, hatte er wie Naomi nur aus den 3-D-Filmen erfahren.

»Ich glaube, die Erde ist sehr schön ... Sie ist doch die Heimat der Menschheit! ... Die großen Städte sind nachts mit vielen Lichtern geschmückt ... Bergketten, grasbewachsene Ebenen, Gärten voller Blumen ... Ach, mir hüpft schon jetzt das Herz in der Brust!«

Tadashi hatte schon genug von Naomis Reden: Immer wenn sie begann, von ihren Phantasievorstellungen zu erzählen, fand sie kein Ende.

»Wenn wir auf der Erde angekommen sind, möchte ich an irgendeinem schönen See leben«, fuhr Naomi fort zu reden. »Dort kommen morgens und abends kleine Vögel zu meinem Haus und singen. Dann werde ich ...«

»Hör jetzt auf damit!« unterbrach Tadashi sie. Er wußte genau: Wenn er sie unterbrach, so wie jetzt, dann würde sie ihn heftig schimpfen, aber er konnte es einfach nicht mehr aushalten. »Hör doch bitte auf damit!« sagte er noch einmal und fuhr dann fort: »Davon kann doch keine Rede sein, von deinen Träumereien.«

Naomi wurde hitzig: »Heh, warum denn?«

»Ach, denk doch nur dran, daß wir Versager sind!« sagte Tadashi mit düsterem Gesichtsausdruck. »Wir haben eine Kolonie im Alpha-Centauri-System errichtet, aber wir konnten sie nicht aus eigenen Kräften aufrechterhalten, und jetzt fliehen wir zurück zur Erde. Glaubst du, daß die Leute auf der Erde solche Versager wie uns herzlich willkommen heißen?«

Naomi antwortete nicht.

»Sicher bekommen wir von denen auf der Erde nur Vorwürfe zu hören, daß wir eine Kolonie aufgeben, in die lange Jahre hindurch soviel Arbeit und Mittel investiert wurden ... Die werden uns kein so angenehmes Leben erlauben, wie du dir es erträumst.«

»Treib es nicht auf die Spitze!« Wie Tadashi es erwartet hatte, biß sie sich an seinen Worten fest: »Warum denkst du denn immer nur so schlimm über die ganze Sache? Außerdem habe ich dir doch nur erzählt, wovon ich träume. Jeder hat doch das Recht, über seine Träumereien zu reden, oder etwa nicht?«

Tadashi schwieg.

»Hallo«, riefen einige Jungen und Mädchen von der anderen Seite des Korridors, »was zankt ihr euch denn jetzt? Bald fängt doch das Training an!«

»Gehen wir!« sagte Tadashi erleichtert. Naomi verfiel in beleidigtes Schweigen, ging aber trotzdem weiter mit ihm mit.

2

Eine lange, lange Reise

Zwei Jahre schon flog dieses Raumschiff durch die Schwärze des leeren Raums, einen Lichtschweif hinter sich herziehend. An Bord waren etwa hundert Menschen, Männer, Frauen und Kinder. Ihr Ziel: Die Erde — die Heimat der Menschen.

Aber sie waren Versager, wie Tadashi ganz richtig gesagt hatte.

Über hundert Jahre zuvor war im System Alpha Centauri (einem Doppelstern mit einer Umlaufzeit von 80 Jahren) eine Photonenrakete aufgetaucht. Sie kam von der Erde und hatte im Weltraum die riesige Distanz von 41 Billionen Kilometern zurückgelegt. Mit ihr war zum erstenmal eine Expedition zur Reise zwischen den Fixsternen aufgebrochen, weil es galt, eine neue Welt zur Besiedlung durch Menschen zu finden, da die Kolonien im Sonnensystem die sich explosionsartig vermehrende irdische Bevölkerung nicht mehr aufnehmen konnten.

Einer dieser beiden Doppelsterne ähnelte der Sonne und hatte einige Planeten. Und einer dieser Planeten wies erdähnliche Bedingungen auf; seine Entwicklungsstufe entsprach dem irdischen Mesozoikum.

Die Expedition errichtete auf diesem Planeten eine Basis, dann traf ein Raumschiff nach dem anderen mit Siedlern von der Erde ein. Mit großen Hoffnungen begannen sie den Aufbau der Kolonie; sie rodeten die großen Wälder und begannen Städte anzulegen. Die Errichtung der Kolonie war eine mühsame Arbeit, aber die Menschen gaben nicht auf. Mit riesigen Maschinen, die alle Errungenschaften von Wissenschaft und Technik in sich vereinten, bauten sie einen Stützpunkt menschlichen Lebens nach dem anderen.

Tatsächlich hätten sie sich ohne den Einsatz ihrer Maschinerie nicht behaupten können. Um die Bedrohung durch die riesenhaften wilden Tiere jenes Planeten abzuwehren und um die Schäden durch die fortwährenden Regengüsse geringzuhalten, gab es kein anderes Mittel als sich auf die Zivilisation der

Erde zu verlassen. Um diese neue Welt für alle Zeiten zu einem Wohnplatz der Menschheit zu machen, kamen regelmäßig unbemannte Raketen von der Erde, die Nachschub an Material und Apparaten brachten.

Die Menschen dehnten allmählich die Grenzen ihrer Welt auf jenem Planeten aus. Die Kinder wuchsen heran; neue Kinder wurden geboren. Als die Siedler der ersten Generation zu altern begannen, übernahmen ihre inzwischen erwachsenen Kinder die Arbeit und setzten sie fort.

Etwa seit der Zeit kamen keine neuen Siedler mehr. Und zwar hatte man außerhalb des Alpha-Centauri-Systems noch einige weitere Fixstern-Systeme mit Planeten entdeckt, auf denen Menschen leben konnten, und da sie bei weitem günstigere Lebensbedingungen boten, siedelten sich jetzt die Menschen dort natürlich viel lieber an als auf dem Planeten von Alpha Centauri.

Siebzig Jahre nach Errichtung der ersten Basis gab es auf diesem Planeten einige industrialisierte Gebiete. Aber gerade zu diesem überaus wichtigen Zeitpunkt hörten aus irgendeinem Grund die regelmäßigen Sendungen von der Erde plötzlich auf. Die Siedler bemühten sich mit allen Kräften um Kontakt mit der Erde. Bis auf eine Anfrage per Radiowelle Antwort kam, dauerte es an die neun Jahre, aber aus der Antwort, die endlich eintraf, konnte man keine genaue Erklärung entnehmen, warum die Hilfeleistung von der Erde unterbrochen worden war.

Unter diesen Umständen gab es schließlich keine andere Möglichkeit mehr, als sich aus eigener Kraft auf den Weg zu machen. Die Siedler versuchten, selbständig zu werden, und ertrugen viele Unbequemlichkeiten. Aber es war sehr, sehr schwer, ganz allein der ungeheuren, rohen Natur dieses Planeten zu trotzen. Trotzdem harrte die ganze Bewohnerschaft der Kolonie hartnäckig aus, obwohl man wußte, was am Ende der Erfolg allen Ausharrens sein würde: Schritt um Schritt mußten die Menschen sich aus den Stützpunkten zurückziehen, die sie selbst errichtet hatten.

Wenn es so weiterginge, würden sie keine andere Wahl haben als entweder alle zu sterben oder sich diesem Stern anzupassen, alle Zivilisation über Bord zu werfen und schließlich als wilde Barbaren zu leben. Doch niemand von ihnen wollte das eine wie das andere. So begann schließlich der Verzicht auf diesen Stern: Sie mußten auf eine andere Welt fliehen, wo Menschen besser leben konnten.

Die Menschen bauten Raketen, unter Aufbietung aller industriellen Produktionsmittel, über die sie noch verfügten. Natürlich konnte man mit diesen Raketen höchstens den Planeten verlassen, nicht aber den weiten Abstand zwischen den Fixsternen bewältigen. Aber noch umkreisten diesen Planeten auf einer großen Umlaufbahn die Photonenraketen, mit denen am Anfang die Neusiedler gekommen waren. Da die Photonenraketen nicht mit einemmal eine so große Schubkraft entwickeln konnten, hatte man von ihnen aus mit kleineren Fahrzeugen zum Planeten hinabfliegen müssen. Und deshalb hatte man die großen Raumschiffe weiter unbemannt im Raum kreisen lassen. Jetzt konnte man sie wieder einsetzen. Inzwischen hatte die Zahl der Bewohner der Kolonie schon merklich zu schrumpfen begonnen. Das war jetzt ein Glück im Unglück: Die gesamte menschliche Einwohnerschaft des Planeten fand in den zurückgelassenen Raumschiffen Platz.

Jedes dieser Raumschiffe sollte eine andere Richtung einschlagen. Man hatte sich in Gruppen aufgeteilt, von denen jede ein anderes Fixsternsystem zum Ziel hatte, wo nach bisherigem Wissen menschliche Kolonien waren, und jede dieser Gruppen hatte ein Raumschiff zur Verfügung.

Nur ein Schiff machte eine Ausnahme: Es trug an Bord diejenigen, die zur Erde, zur Heimat der Menschheit, zurückkehren wollten.

Ein Raumschiff nach dem anderen verließ das Alpha-Centauri-System, wo diese Menschen geboren worden und aufgewachsen waren. Sie nahmen Abschied von ihrer Welt mit allen ihren Erinnerungen. Als letztes startete langsam das Schiff, das zur Erde fliegen sollte. Es trug auch Tadashi und seine Freunde.

Eine lange, lange Reise . . .

Und noch dazu eine Reise voller Ungewißheit, ob man denn wirklich erleichtert wäre, wenn man schließlich am Ziel ankäme. Man hatte nicht die geringste Vorstellung, wie das Raumschiff auf der Erde aufgenommen werden würde, die es vor langer Zeit mit Siedlern ins All geschickt hatte.

Was Tadashi zu Naomi gesagt hatte, traf also durchaus ins Schwarze.

Die gesamte Besatzung bewahrte Gemeinschaftsgeist, und jeder erfüllte seine Pflichten. Und doch war jeder zwischen Hoffnung und Sorge hin- und hergerissen. Keiner von ihnen hatte schon jemals die Erde mit seinen eigenen Augen gesehen.

Jetzt näherte sich diese Reise allmählich ihrem Ende.

3

»Maschine halt!«

Als Tadashi mit seinen Kameraden den Trainingsraum betrat, fühlte er auf einmal seinen Körper schwerer werden. Hier war, wie an allen wichtigen Stellen im Schiff, die Gravitation auf 1 G eingestellt.

In dem Raum, der etwa zehn Meter im Geviert messen mochte und jetzt in helles Licht getaucht war, standen zehn Übungsgeräte; einige Jungen und Mädchen hatten schon mit ihren Turnübungen begonnen. Damit ihre Körper durch die niedrige Schwerkraft im Schiff und durch den Bewegungsmangel nicht schlaff würden, mußten sie hier auf diese Weise üben für die Zeit nach ihrer Rückkehr auf die Erde.

Nach einem Seitenblick auf Naomi, die gerade auf dem langsam rollenden Laufband zu traben begann, stürzte sich Tadashi auf das Reck. Er sprang mit einem Bauchaufschwung hoch und nutzte den Schwung zu einer Riesenwelle, einmal ... zweimal ... Bei dieser Art von Turnübung war Tadashi bei weitem der Geschickteste.

Heute jedoch konnten sie ihre Übungen nicht bis zum Ende durchführen. Es waren kaum zehn Minuten vergangen, da ertönte ein Summsignal, dann rief eine Stimme aus dem

Lautsprecher: »Kommt alle in den Steuerraum! Kommt alle in den Steuerraum!«

Ganz überrascht brachen die Jungen und Mädchen ihre Übungen ab.

»Was soll denn das heißen?« Mit einem besorgten Gesichtsausdruck wandte Naomi sich Tadashi zu. Er war vom Reck herabgesprungen, schüttelte den Kopf und reckte dann sein Kinn: »Auf jeden Fall gehen wir mal hin!« Die anderen waren schon alle losgerannt.

Sie verließen den Trainingsraum und liefen den langen Korridor hinab, an seinem Ende dann eine Treppe hinauf und wieder einen Korridor entlang. Eh sie sich's versahen, liefen links und rechts von ihnen auch Erwachsene dem gemeinsamen Ziel zu.

In dem großen Steuerraum waren schon viele Männer und Frauen versammelt. Sie wurden immer mehr, wie Eisenspäne, die von einem Magneten angezogen werden, und schließlich waren fast hundert Menschen beisammen. Fast die gesamte Besatzung war da. Es fehlten nur diejenigen, die bei der Maschinenbedienung oder bei der Navigation unabkömmlich waren, aber auch sie konnten an ihren verschiedenen Einsatzstellen hören, was aus dem Steuerraum zu ihnen übertragen wurde.

Auf dem riesigen Bildschirm an der Stirnseite des Raumes leuchteten unzählige Sterne, ohne zu funkeln. Jetzt hatten die Sterne nicht mehr wie zuvor die Form von Wassertropfen; sie waren wieder zu ihrer ursprünglichen Gestalt zurückgekehrt, zu Lichtpunkten. Einige leuchteten in mattem Rot, andere in klarem Blau, wieder andere in kaltem Weiß. Inmitten dieser vielen großen und kleinen Sterne, die wie Juwelen den Himmel bedeckten, nahm ein helles gelbes Gestirn allmählich die Form einer kleinen Scheibe an — das war die Sonne.

»Kameradinnen und Kameraden!« ertönte plötzlich eine Stimme; seitlich unterhalb des Bildschirms erschien die hochgewachsene Gestalt des Kapitäns. »Wie ihr erkennen könnt, wenn ihr auf den Schirm schaut, hat unser Schiff seine Geschwindigkeit verringert: Wir fliegen nicht mehr mit Fast-

Lichtgeschwindigkeit, sondern mit der Geschwindigkeit für interplanetaren Flug.« Der Kapitän warf einen langen Blick in die Runde. »Zum gegenwärtigen Zeitpunkt ist unser Schiff bis auf 7 Milliarden Kilometer an die Sonne herangekommen. Das heißt, wir haben schon das Aphel der Pluto-Bahn überschritten. Also — wir haben endlich das Sonnensystem erreicht.«

Jubelgeschrei brach aus, Händeklatschen ertönte.

Aber mit einemmal verstummte der freudige Lärm. Der Kapitän hatte nicht gelächelt; sein Gesicht zeigte einen schmerzlichen Ausdruck.

»Was ist denn los?« rief einer, der den Ernst des Kapitäns nicht ertragen konnte. »Was hast du denn? Wo wir doch jetzt endlich das Sonnensystem erreicht haben!«

»Wir bekommen keine Verbindung«, antwortete der Kapitän langsam. »Ich hatte es euch bisher noch nicht mitgeteilt, da ich dachte, es handle sich nur um einen Fehler ...« Seine Augen verengten sich. »Auf dem Pluto sollte eigentlich ein großer Stützpunkt für den interstellaren Verkehr sein ... Wie oft wir auch dorthin funken — es kommt keine Antwort.«

»Das ist undenkbar!« — »Vielleicht doch bloß ein Irrtum!«

»Es ist ja nicht nur beim Pluto«, rief der Kapitän mit erhobener Stimme. »Als wir mit der Geschwindigkeit heruntergingen, haben wir auf verschiedenen Wellenlängen Funksprüche ins Sonnensystem geschickt, aber niemand antwortet. Seit mehr als 20 Stunden funken wir schon; das heißt, unsere Signale müssen überall im Sonnensystem angekommen sein, doch weder von den Saturn- noch von den Jupitertrabanten, weder von den Planetoiden noch vom Mars, ja ...« — der Kapitän preßte einen Augenblick lang seine Lippen fest aufeinander — »ja, nicht einmal von der Erde kommt die geringste Antwort.«

Die ganze Versammlung geriet in Aufregung.

»Also dann ...«

»Es muß irgend etwas geschehen sein«, sagte der Chefpilot leise, anstelle des Kapitäns. »Selbst wenn wir keine Antwort bekommen, so müßte doch, wie wir gehört haben, in dieser

Gegend hier ein irdisches Patrouillenschiff den Funkverkehr abhören, und wir hätten schon irgendeine Art von Kontakt haben müssen. Da nicht einmal das geschah, muß bestimmt ein unerwartetes Ereignis ...« Er brach ab. Offensichtlich konnte er nicht weitersprechen, aber alle spürten, was er hatte sagen wollen. Ein unerwartetes Ereignis, eine Katastrophe, mußte die irdische Zivilisation zerstört haben, oder war — noch schlimmer! — am Ende die gesamte Erdbevölkerung vernichtet worden?

»Das darf nicht wahr sein!« Es war Naomi, die das ausrief: »Wir haben die Welt verlassen, wo wir geboren wurden und aufgewachsen sind, und haben auf die Erde unsere letzte Hoffnung gerichtet!«

»Das ist ja schrecklich! Kann das überhaupt wahr sein?« schrie jemand. Im gleichen Augenblick erfüllten erregtes Geschrei und Gebrüll den Steuerraum. Alle spürten ihre Enttäuschung, ihre Wut und ihre Angst.

»Ruhe!« Der Kapitän hob die Hand: »Ruhe!« Die Stimmen der anderen erstarben. »Wir fliegen weiter auf die Erde zu, wie wir es geplant haben«, sagte der Kapitän mit Nachdruck. »Wir haben keine andere Möglichkeit. Aber was uns auf diesem Weg noch erwartet, davon haben wir nicht die geringste Ahnung. Ich wollte nur, daß ihr auf alles gefaßt seid!«

Kaum hatte er geendet, da ließ ein heftiger Ruf alle ihre Blicke wenden: »Kapitän!« schrie der Funkingenieur aufgeregt, der direkt unter dem Bildschirm saß, »die Verbindung, Kapitän, die Verbindung!«

»Was?«

»Ich verstärke jetzt!« Als der Funkingenieur an seinem Regler drehte, erklang im Steuerraum eine sanfte, noch mädchenhafte Stimme:

»Maschinen halt! Maschinen halt!«

»Was?«

»Maschinen halt! Von jetzt an werden wir euch bugsieren.« Die Stimme klang ganz ruhig und gelassen. »Innerhalb von 30 Minuten sind wir bei euch. Folgt ohne Widerrede unseren Anweisungen!«

»Was sollen wir machen?« fragte aus einem anderen Lautsprecher der Maschineningenieur, der offensichtlich die Übertragung der Befehle gehört hatte.

Der Kapitän zögerte einen Augenblick lang; dann rief er entschlossen in das Mikrofon der Funkanlage: »Erklären Sie uns den Grund für Ihre Anweisungen!«

»Es besteht keine Notwendigkeit, den Grund zu erklären!« sagte die Stimme in außerordentlich kühlem Ton. »Ich glaube auch nicht, daß ihr Menschen ihn sofort verstehen würdet, wenn ich ihn euch erklärte. Folgt gehorsam meinen Anweisungen — das genügt!«

›Ihr Menschen‹? Das bedeutete . . .

Eine Atmosphäre des Schauders fiel über alle, die im Steuerraum versammelt waren.

Die da gesprochen hatte, sollte kein Mensch sein? Aber nein, das war doch unbestreitbar die Stimme eines Menschen gewesen, die Stimme eines Mädchens.

Plötzlich tauchte auf dem Bildschirm ein blauer Lichtpunkt auf, der im Nu größer wurde und sich dem Schiff näherte.

»Schnell, haltet die Maschinen an!« Die Stimme hatte einen tadelnden Ton angenommen: »Ihr seid wirklich bloß Schwachköpfe!«

4

»Wir leisten Widerstand!«

Diese unerwarteten Worte verblüfften alle Insassen des Raumschiffs: »Schwachköpfe?«

»Wie redet denn die mit uns?«

»Kapitän!« rief einer der Piloten und schüttelte die Faust. »Die wollen uns Befehle erteilen! Wir ignorieren sie einfach! Kümmern wir uns nicht weiter darum!«

Doch als unerwartetes Echo auf seine Worte kam ein schrilles Lachen. Das war die Stimme, die bisher so mädchenhaft geklungen hatte.

»Ihr Narren!« fuhr sie amüsiert fort. »Glaubt ihr etwa, ihr könntet mit eurer Kraft uns widersetzen?« Mit einemmal nahm sie einen gebieterischen Klang an: »Tut, wie ich euch geheißen habe! Sonst müßt ihr unnötige Opfer bringen.«

Währenddessen hatte der blaue Leuchtpunkt auf dem Schirm immer weiter zugenommen. Jetzt hörte er auf, sich auszudehnen. Das bedeutete wohl, daß ihr Gegner jetzt dicht neben ihrem Raumschiff flog.

Keiner sagte mehr ein Wort. Auf allen Gesichtern lag Unsicherheit; niemand konnte sich schlüssig werden, was jetzt zu tun sei. Zwar wollte man sich nicht dem seltsamen Gegner fügen, aber wenn man den Forderungen des Gegners nicht Folge leistete, dann geschah vielleicht irgend etwas ganz Schreckliches.

Aller Augen waren jetzt auf den Kapitän gerichtet. Alle wollten zuerst einmal seine Entscheidung hören. Aber der Kapitän sagte zunächst gar nichts. Er stand da mit gekreuzten Armen und hielt die Lippen geschlossen.

»Was sollen wir machen?« erklang aufs neue die Stimme des Maschineningenieurs aus dem Lautsprecher.

»Wie ist's — soll ich die Verbindung unterbrechen?« fragte der Funkingenieur und streckte seine Hand nach dem Regler aus.

Der Kapitän hob langsam sein Gesicht. Alle hielten den Atem an.

»Bevor wir euch eine Antwort geben, möchte ich euch einige Fragen stellen!« begann er zu sprechen, und es klang, als presse er Wort um Wort mühsam heraus. »Wer seid ihr überhaupt? Mit welcher Absicht wollt ihr uns ins Schlepptau nehmen? Wohin wollt ihr uns führen? Und — was habt ihr denn mit uns vor?« Dann hob er die Stimme: »Solange wir darüber nicht Bescheid wissen, werden wir eurer Forderung nicht nachkommen!«

Die Gegnerin schwieg.

»Gebt uns bitte eine Erklärung!«

»Abgelehnt!« antwortete die andere Stimme kalt. »Ihr sollt uns folgen, ohne zu widersprechen!« Es schien, als nehme sie die Menschen im Raumschiff überhaupt nicht ernst. Im Schiff begannen alle laut durcheinanderzureden.

»Ich habe verstanden!« erwiderte der Kapitän heftig. »Unter diesen Umständen werden wir die Maschinen nicht anhalten. Wir werden euch mit allen Kräften Widerstand leisten!«

»Redet nicht so frech mit mir!«

Doch der Kapitän nahm keine Notiz mehr von den Worten der unbekannten Gegnerin, sondern blickte sich in der Runde um und rief: »Alle Mann in Gefechtsstellung!«

»Ja!« riefen alle. Der bisherige Wortwechsel hatte in ihnen Feindseligkeit gegenüber dieser mädchenhaften Stimme geweckt. Zu welcher Rasse sie auch immer gehören mochte, nach allem, was sie gesagt hatte, wollte sich niemand ihr fügen. Alle rannten auf einmal los zu ihren Einsatzposten, wie sie es von ihren Übungen gewohnt waren. Auch Tadashi machte sich auf den Weg.

Doch kaum fünf Sekunden darauf schwankte der Boden des Raumschiffs heftig auf und nieder.

»Verdammt!« schrie der Pilot, der gerade auf den Bildschirm gestarrt hatte. »Die greifen uns an!«

Tadashi wandte sich zu dem Schirm um. Aus dem blauen Punkt schossen einige Lichter wie Pfeile hervor. Im Nu war der Bildschirm voll von ihnen.

Erneut gab es einen heftigen Stoß. Mehr als die Hälfte der dahineilenden Menschen stürzte zu Boden.

»Kapitän!« tönte die verwirrte Stimme des Maschineningenieurs mitten in das Durcheinander. »Wir haben Schwierigkeiten: Die Maschinen stehen still!«

»Stehen still?« fragte der Kapitän zurück, während er auf dem Boden dahinkroch. »Warum denn? Was ist geschehen?«

»Ich weiß es nicht!« brüllte der Maschineningenieur. »Aus irgendeinem Grund gehorchten sie auf einmal nicht mehr der Steuerung!«

»Los, kämpft!« schrie irgend jemand. »Zum Teufel! Uns zu Narren zu machen! Das dulden wir nicht!«

»Ach, hört doch auf!« erklang wieder diese durch und durch

kühle und ruhige Stimme. »Ihr kommt doch gegen uns nicht an. Schaut euch doch nur in eurer Umgebung um!«

In der Umgebung? Die Menschen schauten auf die vielen kleinen Bildschirme, die um den großen zentralen Schirm angeordnet waren. Auch da gab es Lichtpunkte. Zu beiden Seiten des Raumschiffs, darüber, dahinter ... Überall leuchteten blaue Lichter, die dem auf dem großen Schirm glichen.

»Ihr seid von unbemannten Patrouillenschiffen umzingelt, die ich hierher geholt habe!« verkündete die Stimme über den Köpfen der wie zu Eis erstarrt dastehenden Menschen. »Und jetzt werden wir euch ins Schlepptau nehmen.«

Im gleichen Augenblick erklang die erschrockene Stimme eines der Piloten: »Wir werden beschleunigt! Aber die Maschinen unseres Schiffes stehen doch still ... Trotzdem wird es beschleunigt ... Aber das kann doch nicht sein!« Seine Worte gingen in Schreie über: »Mit einer solchen Geschwindigkeit im Sonnensystem — das gibt eine Katastrophe!«

Keiner antwortete ihm. Allen war klar, daß sie nichts dagegen ausrichten konnten.

5

Ein silbernes Lebewesen

Tadashi war noch benommen; er kniete mit einem Bein auf dem Boden.

Konnte das überhaupt wahr sein? Unter großen Mühen hatten sie das Sonnensystem erreicht, doch niemand antwortete ihnen. Und dann tauchte plötzlich ein unbekanntes Raumschiff auf und brachte sie gewaltsam auf seinen Kurs ...

Tadashi schaute unauffällig zur Seite: Da stand Naomi mit krampfhaft verzogenem Gesicht. Nicht nur Tadashi und Naomi — alle Insassen des Raumschiffs befanden sich in diesem gleichen Zustand.

»Bestimmt ist es so«, rief ein junger Mann in Tadashis Nähe,

»daß die Erde von den Lebewesen eines fremden Sterns erobert ist! Ach, nicht nur die Erde — das ganze Sonnensystem ist jetzt in ihrer Hand!«

»Das ist das Ende!« erwiderte ein anderer darauf. »Ja, das ist das Ende von allem!«

»Wir werden ihre Sklaven!« rief der junge Mann allen zu. »Aber das lassen wir uns nicht gefallen! Lieber kämpfen wir, bis wir alle zugrunde gehen, als daß wir ihre Sklaven werden!« Er blickte alle eindringlich an und rief dann: »Zu den Waffen! Wir nehmen die Waffen und leisten ihnen Widerstand bis zum äußersten! Als erstes werden wir ein paar Salven in das Raumschiff jagen, von dem diese widerliche Stimme kam!«

Mit lauten Schreien stimmten ihm einige Dutzend Leute zu: »Zum Angriff!« — »Wir lassen uns das nicht gefallen!« Wie eine Horde wütender Tiere setzten sie sich gleichzeitig in Bewegung.

»Das geht schlimm aus!« sagte Naomi mit totenbleichem Gesicht zu Tadashi. »Auf diese Weise . . .«

Mehr brauchte er gar nicht zu hören. Mit einer reflexartigen Bewegung sprang er vor die Leute hin. »Wartet doch!« schrie er, und als niemand darauf reagierte, schrie er noch einmal, aus Leibeskräften: »Wartet doch!«

Die Bewegungen der Menschen verlangsamten sich.

»Ihr dürft so etwas nicht machen!« Tadashi fuchtelte mit der Hand: »Wenn ihr das tut . . .« Weil er so aufgeregt war, fand er die richtigen Worte nicht. Er war nach vorn gesprungen, weil er instinktiv spürte, daß es völlig sinnlos sei, gewaltsamen Widerstand zu leisten, aber er konnte es nicht logisch erklären. Doch schienen durch sein Verhalten der Kapitän und der Chefpilot — ihrem Gesichtsausdruck nach zu urteilen — auf einmal wieder zur Besinnung gekommen zu sein. Als Tadashi dastand und nicht weiterreden konnte, rief der Kapitän mit entschlossener Stimme:

»Wartet alle, bitte!«

Die Leute verstummten.

»Wenn wir einen so übereilten Entschluß fassen, dann begehen wir vielleicht etwas Unwiderrufliches!«

»Aber . . .«

»Wir wissen doch noch gar nicht, wer die sind, die uns da abschleppen, und was sie vorhaben«, fuhr der Kapitän mit bedrückter Miene fort. »Wir müssen eine Zeitlang beobachten, wie sich die Lage entwickelt! . . . Aus den verschiedenen Daten, über die wir inzwischen verfügen, geht hervor, daß wir ihnen gar keinen Widerstand leisten können. Wir müssen uns vorstellen, daß sie uns technisch überlegen sind!«

Niemand erwiderte etwas darauf.

»Wir müssen jetzt Geduld haben! Wir dürfen nicht bloß nach unseren Emotionen handeln!« Dann schaute der Kapitän in Richtung auf die Pilotensessel: »Wißt ihr, in welche Richtung wir fliegen?«

»Ich schaue sofort nach!« Der Chefpilot wandte sich den Meßgeräten zu, dann sagte er überrascht zum Kapitän: »Also . . . wir sind schon innerhalb der Marsbahn. Wir fliegen mit einer unvorstellbar hohen Geschwindigkeit!«

»Aber wohin denn?«

»Zur Erde . . .« Kaum hatte er dies gesagt, fügte der Chefpilot mit zweifelndem Ton hinzu: »Nein, das stimmt nicht. In die Nähe der Erde . . . Zum Mond! Wir fliegen in Richtung auf den Mond der Erde.«

»Auf den Mond?«

»Ja, gewiß!« Der Chefpilot hob den Arm und zeigte auf den Bildschirm. Niemand zweifelte an seinen Worten, denn auf dem Schirm war schon die Mondscheibe zu sehen; sie näherte sich schnell und wurde immer größer.

»Warten wir noch!« begann der Kapitän aufs neue. »Warten wir noch eine Weile; wir müssen erkennen, was die anderen vorhaben!«

Auf dem Bildschirm dehnte sich jetzt eine dunkle Ebene, eines der sogenannten Mondmeere; sie wurde allmählich immer größer. Jetzt erschienen auf dem Schirm einige riesige runde Gebäude, vermutlich Stützpunkte für Raumschiffe. In ihrer Nähe kam das Schiff langsam herunter. Obwohl seine Bremsdüsen nicht arbeiteten, landete es ganz sanft, als sei Zauberei am Werk.

Im nächsten Augenblick verdunkelte sich der Schirm. Eine Art Kuppel senkte sich über das Raumschiff.

Einige Minuten vergingen. Keiner sprach ein Wort. Niemand bewegte sich. Alle hielten den Atem an und warteten, ohne zu wissen, was jetzt mit ihnen geschehen würde.

»Okay, ihr wart ja recht geduldig«, ertönte sanft die schon gewohnte Stimme. »Ich habe euch zugehört, ohne mich einzumischen ... Ihr scheint doch klüger zu sein, als ich dachte.« Nach einer Pause von ein paar Sekunden fuhr sie fort: »Öffnet die Luftschleusen! Öffnet die Innen- und Außentüren aller Luftschleusen!«

»Das ist doch verrückt!« brüllte der Chefpilot. »Auf dem Mond gibt es doch keine Atmosphäre! Wenn wir das tun, dann kommen wir doch alle um!«

»Euer Schiff befindet sich unter einer Kuppel, die mit Luft gefüllt ist«, sagte die Stimme weiter. »Ihr könnt ruhig die Luftschleusen öffnen. Im übrigen komme ich jetzt zu euch.«

»Zu uns?«

»Ja!«

Die Menschen schwiegen verdutzt.

»Macht schnell!«

Im Schiff herrschte befremdetes Schweigen. Aber schließlich sagte der Kapitän, als habe er einen Entschluß gefaßt: »Alle Luftschleusen öffnen!«

Das Dutzend Luftschleusen, die das Schiff hatte, begann sich zu öffnen. Das Knirschen ließ den Boden des Schiffes vibrieren.

Alle hielten den Atem an. Niemand wußte, was für ein Lebewesen ihr Gegner war, der jetzt zu ihnen kommen sollte.

Plötzlich kam vom Ende des Korridors her eine leuchtende Kugel mit ziemlicher Geschwindigkeit in den Steuerraum geschwebt. In der Kugel, die von einer durchsichtigen leuchtenden Membran gebildet wurde, befand sich ein silbernes Lebewesen.

Silbern? Nein, das war nur die Farbe seines Gewandes. Die in ein silbernes Gewand gekleidete sitzende Gestalt war — die eines Mädchens!

Ohne Zweifel war das ein Mädchen, vielleicht vierzehn oder fünfzehn Jahre alt ...

Es war ein Mädchen mit einem überraschend schönen Gesicht und einer wohlproportionierten Figur.

6

»Du kommst auch mit!«

»Hach, hast du uns aber erschreckt!« rief jemand. Auf den Gesichtern der Raumschiffinsassen erschien unwillkürlich ein Lächeln. Was hatten sie sich nicht alles vorgestellt, was für ein Wesen da zu ihnen kommen würde! Und jetzt war das doch nichts anderes als ein ganz gewöhnlicher Mensch!

»Das war alles nur ein Scherz, nicht wahr!« rief der junge Mann, der zuvor noch zum Kampf aufgefordert hatte, dem Mädchen in der Kugel zu. »Du wolltest uns doch bloß auf den Arm nehmen, oder?«

Aber das Mädchen wandte sich ihm nicht einmal zu; ihr Gesicht zeigte einen kühlen, eher geringschätzigen Ausdruck. Die Kugel schwebte zur Stirnseite des Raums und sank dann sanft zu Boden. Alle liefen auf sie zu. Jedermann fühlte sich erleichtert. Während alle durcheinanderredeten, wollte jeder die Kugel anfassen.

»Laßt die Finger von der Kugel!« sagte das Mädchen mit einem blitzenden Blick. Über die Oberfläche der Kugel huschte ein Glitzern in den Farben des Regenbogens; die Menschen, die zu nahe gekommen waren, fielen zu Boden. Sie schrien vor Schmerzen und wälzten sich hin und her.

»Seid nicht so aufdringlich!« sagte das Mädchen und blickte streng um sich. »Damit ihr es wißt: Ich bin nicht euresgleichen!«

»Aber du bist doch ein Mensch!« rief der junge Mann, der sich mit dem Oberkörper vom Boden aufstützte.

Das Mädchen gab ihm keine Antwort. Sie stand in der Kugel

auf und ordnete in gebieterischem Ton an: »Schickt eure Vertreter!«

»Vertreter?«

»Ja, es sollen einige Leute herkommen, als Vertreter der Insassen dieses Raumschiffs.«

»Wozu sollen die sich melden?« fragte der Kapitän.

»Ich werde sie mitnehmen.«

»Mitnehmen?«

»Ich werde mit ihnen dieses Schiff verlassen und zu unserer Zentrale gehen, und dort werden sie den Stand der Dinge erfahren.« Mit einem Lächeln, das die Menschen schaudern machte, fuhr sie fort: »Danach wird dann entschieden, welche Maßnahmen wir euch gegenüber ergreifen.«

»Mit welchem Recht forderst du das?« fragte einer, doch das Mädchen ignorierte ihn. Sie hob den Arm und deutete auf den Kapitän: »Du bist doch hier der Verantwortliche, nicht wahr!«

»Ja.«

»Also, du . . .«

»Warte!« unterbrach sie der Chefpilot. »Wenn du jetzt unseren Kapitän mitnimmst, dann werden wir, die Zurückgebliebenen, ratlos sein. Wenn es nur darum geht, uns die Lage zu erklären, dann gehe ich mit.«

»Du kommst auch mit!« sagte das Mädchen kühl und schaute die Leute langsam einen nach dem anderen an. »Und wo ist der Junge, der vorhin euch davon abhielt, euch uns zu widersetzen?«

Meint sie etwa mich? dachte Tadashi, und da zeigte sie schon auf ihn, als beantworte sie seine stumme Frage.

»Das bist doch du, nicht wahr? Du kommst auch mit!«

Tadashi war überrascht: Wieso wußte sie das?

Da zeigte sich auf ihren Wangen ein kaum merkliches Lächeln, aber Tadashi blieb keine Zeit zu überlegen, was dieses Lächeln wohl bedeuten mochte. Das Mädchen ließ die Kugel in die entgegengesetzte Richtung drehen und begann zurückzuschweben, und da begannen seine Füße wie von selbst zu gehen. Dem Kapitän und dem Chefpiloten schien das gleiche zu geschehen.

»Tadashi!« Naomi kam ihm nachgeeilt, und auch seine Eltern stürzten herbei, aber es half nichts. Wie eine Marionette machte er einen Schritt nach dem anderen.

»Das darf doch nicht sein!« stöhnte er.

»Was machst du denn da?« Der junge Mann, der zuvor nach der Berührung der Kugel zu Boden geschleudert worden war, rannte zur Wand und nahm ein Plasma-Gewehr herab, das dort hing. Dann zielte er auf die Kugel, die gerade zum Ausgang schwebte.

»Waaah!« schrie er plötzlich auf, das Gewehr wurde ihm von einer unsichtbaren Kraft aus der Hand gerissen; sein Körper flog hoch, als schleudere ihn irgend etwas in die Luft, dann schlug er auf dem Boden auf.

»Seid vorsichtig!« warnte das Mädchen, sich umwendend. »Wir können nämlich die Schwerkraft ganz nach Belieben steuern.«

Niemand wagte mehr, sich einzumischen. Der Kapitän und der Chefpilot gingen mit Tadashi zusammen weiter. Schließlich konnten sie schon die geöffneten Luftschleusen sehen. Während drinnen alle aufschrien, wurde Tadashi zusammen mit dem Kapitän und dem Chefpiloten nach draußen gerissen. Er fiel hinab, dicht neben dem Rumpf des Raumschiffs.

7

»Hierher!«

Ich falle! Unwillkürlich schloß Tadashi die Augen. Aber solange er auch wartete — es gab keinen Aufprall. Jetzt bemerkte er, daß sein Körper ganz sanft nach unten sank. Genau in dem Augenblick, als er dachte: Jetzt schlage ich unten auf!, kam das Herabsinken zu einem Halt. Das heißt, es war ihm, als käme plötzlich die Schwerkraft wieder zurück. Er erhob sich. Die beiden anderen Männer waren auch gerade mit verwunderten Gesichtern aufgestanden.

»Folgt mir!« sagte das Mädchen in dem silbernen Gewand.

Unbemerkt hatte sich die durchsichtige Kugel, in der sie saß, ihnen genähert. »So — hierher!«

Die Kraft, die zuvor die Beine der drei Menschen sich hatte wie von selbst bewegen lassen, wirkte anscheinend nicht mehr. Die Kugel des Mädchens schwebte langsam vor ihnen her. Während sie hinter ihr hergingen, schauten die drei sich um. Unter ihnen war ein milchigweißer elastischer Boden, der sich in alle Richtungen endlos zu erstrecken schien. Dann kam es ihnen vor, als steige er allmählich an, je weiter sie schritten. Es war ein Gefühl, als gingen sie auf dem Grund einer riesigen Schüssel.

In diesem Augenblick erinnerte sich Tadashi an ihr Raumschiff. Ohne Zweifel waren sie doch von der Luftschleuse ihrer Rakete nach unten gefallen. Aber wo war das Raumschiff jetzt?

Plötzlich blieb Tadashi überrascht stehen. Ja, was er bis jetzt für die Decke dieses Raumes gehalten hatte, das war doch die Außenhülle ihres Raumschiffs! Das hieß also — ihr Raumschiff schwebte da über ihnen! Während die riesige Kuppel es wie eine Art Halle umgab, hing das Raumschiff schwebend da! Und wo sie jetzt dahintrotteten — das war das Innere eines gigantischen Hangars ...

Tadashi überlief ein Schaudern: Was für Leute waren das eigentlich, die über eine so großartige, so hochentwickelte Technik verfügten?

»Hallo, lauf weiter!« drängte ihn das Mädchen. Sie hatte sich ihm mit ihrer Kugel genähert. »Schau nicht immer so verwundert drein — lauf weiter!«

Tadashi widersprach ihr nicht.

Nachdem sie noch eine Weile gegangen waren, hielt die durchsichtige Kugel an, und das Mädchen gab ihnen ein Zeichen, sie sollten auch alle stehenbleiben.

Auf einmal nahm ein kreisförmiger Teil des Bodens — mit der Stelle, wo sie standen, als Mittelpunkt — eine leuchtend weiße Farbe an. Im nächsten Moment spürten sie, wie ihre Körper heftig nach unten gezogen wurden. Es war ein Gefühl schrecklich schnellen Hinabsinkens. Sie waren jetzt von einer zylinderartigen, milchigweißen Wand umgeben.

War das eine Art Fahrstuhl? Schließlich verringerte sich die Geschwindigkeit, dann kam die Abwärtsbewegung vollends zum Stillstand, und die sie umgebende Wand verschwand. Sie standen an einem seltsamen Ort — in der Mitte eines Zimmers. Allerdings war dieses Zimmer völlig anders als alle Zimmer, die sie bisher gekannt hatten. Da standen verschiedenfarbige, halbdurchsichtige Trennwände, die ihnen wie Wolken vorkamen, in alle Richtungen durcheinander, und unablässig gingen Leute hinein und heraus. Weil die Wände durchscheinend waren, konnten sie sehen, daß für jeden dieser Räume oben und unten woanders war. Für das kleine dreieckige Zimmer rechts war ›unten‹ offensichtlich die Seitenwand des Zimmers, in dem sie sich befanden, und unter ihren Füßen schienen Leute seitlich hin- und herzugehen.

Kurzum, hier schien der Unterschied zwischen ›oben‹ und ›unten‹ keine Rolle zu spielen, und die hier herumgingen, schienen schon daran gewöhnt zu sein.

Die Bekleidung dieser Leute hier war sehr mannigfaltig. Da gab es welche, die in leuchtenden Farben gekleidet waren und deren Gewänder den Schnitt von Jungmädchenkleidern hatten, und andere trugen Kleider mit langen Schleppen wie Talare oder Roben.

Aber sonderbarerweise zeigten die ›Menschen‹ (durfte man sie so nennen oder nicht? — Tadashi wußte es nicht) keine fremdartigen Züge. Alle waren von vollkommenem Körperbau und hatten schöngeformte Gesichter . . . Sie glichen in jeder Hinsicht unbestreitbar den Menschen. Also . . .

Tadashi richtete seinen Blick nach vorn. Da stand ein Tisch von unregelmäßiger Form; an ihm saßen zwei Männer, die sich bis jetzt miteinander unterhalten hatten, nun aber ihre Gesichter den Neuankömmlingen zuwandten und ihnen zuriefen:

»Hierher!«

8

»Laßt uns zur Erde zurückkehren!«

Tadashi und die beiden anderen zögerten. Aber schließlich blieb ihnen nichts übrig als zu gehorchen. Sie machten ein, zwei Schritte nach vorn.

»Das genügt!« Einer der sitzenden Männer hob die Hand und gebot ihnen, stehenzubleiben. Die beiden Sitzenden starrten die stehenden Menschen nur stumm an.

Was haben die bloß vor? dachte Tadashi. Das ist ja fast so, als seien wir primitive Tiere, die von Menschen beäugt werden ...

Auf diese Weise vergingen zwanzig bis dreißig Sekunden. Dann hörten die Männer auf, sie zu betrachten, und wandten ihren Blick dem Mädchen in der durchsichtigen Kugel zu. Das Mädchen griff nach seiner Taille und drehte schnell eine Art Knopf, der dort angebracht war. Plötzlich verschwand die Kugel — ohne den geringsten Laut. Es war, als tue das Mädchen einen Sprung; dann stand auch sie auf dem Boden.

»Dein Bericht stimmt, Senea«, sagte einer der beiden Männer. »Und was machen wir jetzt mit ihnen?«

»Ich glaube, das allereinfachste ist doch, wenn wir sie davonjagen«, sagte der andere.

»Wartet!« sagte das Mädchen, das mit ›Senea‹ angeredet worden war, und warf den drei Menschen einen flüchtigen Blick zu. »Ich glaube, daß diese Menschen gar nicht so gefährlich sind. Wie wäre es, wenn wir sie noch eine Weile beobachten?«

»Aber dann muß doch der Zentrale Rat die letzte Maßnahme beschließen«, sagte der Mann. »Und wenn in dem Fall das Urteil gefällt wird, die ganze Besatzung dieses Raumschiffs auszulöschen, dann ist dagegen kein Einspruch möglich.«

»Ich weiß!« Senea nickte. »Überlaßt die Angelegenheit bitte mir!«

»Was hast du mit ihnen vor?«

»In der Regenbogenbucht steht noch ein alter Wohnkom-

plex. Den können wir renovieren lassen und sie dort versuchs-
weise leben lassen.«

»Das geht in Ordnung — bis der Zentrale Rat einen Beschluß
faßt ...« Dann fügte der Mann noch hinzu: »Aber du bist
ziemlich neugierig, nicht wahr!«

Darauf antwortete Senea nur mit einem leichten Lächeln,
dann rief sie den drei Menschen zu: »Los, wir gehen zurück!«

»Warte doch bitte!« stieß der Chefpilot hervor. »Was sollte
denn das hier sein? Hast du uns nicht hierhergebracht, damit
wir hier verhört und untersucht würden?«

Niemand antwortete ihm.

»Laßt mich jetzt mal sprechen!« sagte der Chefpilot mit
erhobener Stimme, zu den zwei Männern am Tisch gewandt.
»Wir sind das, was von irdischen Siedlern übrig blieb, auf
einem fernen Planeten im System Alpha Centauri ...«

»Das wissen wir«, sagte einer der Männer nickend und
machte eine unwillige Handbewegung, »das wissen wir alles!
Geht jetzt zurück, geht zurück! Ihr müßt sofort mit den Vorbereitungen für eure Verlegung beginnen.«

»Verlegung?«

»Ich werde euch das erklären«, sagte das Mädchen.

»Aber ...«

In diesem Augenblick hatte sich wieder die milchigweiße
Wand um die drei Menschen erhoben. Der Schock eines
heftigen Aufstiegs packte sie am ganzen Leib, so als würden sie
nach oben gerissen. Als sie wieder zu sich kamen, standen sie
wie zuvor auf dem Boden des gigantischen Hangars, der ihr
Raumschiff umgab.

Tadashi hatte ein Gefühl, als befinde er sich in einem Alptraum. Er konnte nicht glauben, daß das, was er seit vorhin
erlebt hatte, Wirklichkeit gewesen war.

»Mensch, ein ganz schöner Schreck!« murmelte der Chefpilot. »Also, wenn ich an diese komischen Räume da unten
denke, dann ist es doch wahr, daß ihr die Schwerkraft ganz
nach Belieben beherrschen könnt! ... Und das war gerade ein
toller Fahrstuhl!«

»Das war kein Fahrstuhl«, sagte das Mädchen Senea, das

jetzt mit ihnen zusammen zu Fuß ging, »das war ein Molekulartransmitter. Damit wird ein Körper im Nu in seine Moleküle zerlegt und an einem entfernten Ort wieder zusammengesetzt. Ihr wart jetzt gerade an einem Platz, der 50 Kilometer von hier entfernt ist.«

»Aber so etwas ist doch unmöglich!« sagte der Kapitän.

»Unmöglich?« Senea zog ihre hübschen Brauen zusammen. »Dieses Prinzip kann doch jeder erklären. Das allgemeine Prinzip von der Molekularstruktur der Körper beruht ...«, begann sie zu erläutern, hielt aber dann plötzlich inne: »Hören wir auf damit! Ich glaube, ihr könnt mich sowieso nicht verstehen.«

»Du willst uns wohl zum Narren halten!«

»Zum Narren? Aus der armseligen Konstruktion eures Raumschiffes schließe ich, daß ihr ganz offensichtlich keine Ahnung habt von der Theorie der Gravitationsanalyse, von der Metapsychologie oder von der Lenkung potentieller Energien. Mit eurem beschränkten Wissen kommt ihr da sicher nicht mit.«

Tadashi lauschte diesem Gespräch stumm vor Staunen. Sie sieht wie ein hübsches Mädchen aus, sagte er sich, und doch verfügt sie über Wissen, von dem der Kapitän und der Chefpilot keine Ahnung haben ... In jeder Hinsicht sieht sie aus wie ein Mensch, und doch kann ich sie nicht für einen Menschen halten ...

Als Tadashi diesen Überlegungen nachhing, wandte Senea ihren Blick kurz ihm zu, doch dann sagte sie, als besinne sie sich eines besseren: »Aber was jetzt wichtiger ist: Ihr drei müßt euch nach der Verlegung alle Mühe geben, sonst gibt es Probleme.«

»Nach der Verlegung?« fragte der Kapitän zurück. »Davon haben wir vorhin schon gehört, aber was soll das heißen?«

»Ihr befindet euch jetzt im Mare Imbrium, dem Regenmeer, und davon ein wenig entfernt liegt der Sinus Iridum, die Regenbogenbucht. Dort sollt ihr leben.«

»Sollen wir unser Raumschiff aufgeben?« rief der Chefpilot aus.

»Aber selbstverständlich!«

»Mach bitte keine Scherze! Ich erinnere mich nicht, daß wir so etwas beschlossen haben.«

»*Ich* habe das beschlossen«, sagte Senea kühl. »Dort werdet ihr euch jetzt aufhalten, und danach, wie ihr euch dort aufführt, wird dann entschieden, wie weiter mit euch zu verfahren ist.«

»Ihr behandelt uns ja ganz nach eurer Willkür!«

»Und wenn man zu dem Urteil gelangt, daß ihr uns nicht gehorsam wart«, fuhr Senea ungerührt fort, »dann werdet ihr alle samt und sonders ausgelöscht.«

»Ausgelöscht?«

»Ja, ausgelöscht mit der Atomisierungswaffe — völlig spurlos.«

Die drei Menschen schwiegen erschrocken.

»Wenn ihr jedoch uns gegenüber gehorsam seid, dann wird vielleicht der Zentrale Rat entscheiden, euch am Leben zu lassen.«

»Mit was für einem Recht sagt ihr das überhaupt?«

»Wie alles weitergehen wird, hängt von euch dreien hier ab, ob ihr die anderen gut unter eure Kontrolle bringt. Vergeßt das nicht!«

»Laßt uns zurück!« Der Chefpilot knirschte mit den Zähnen. »Laßt uns zur Erde zurückkehren!«

Doch Senea antwortete darauf nicht; sie drehte wieder den Knopf an ihrer Taille und war sofort wieder in ihrer durchsichtigen Kugel eingeschlossen.

»In dem Raumschiff gibt es offensichtlich ziemlich viele primitive Barbaren, deshalb ist dies hier notwendig«, murmelte sie und schaute die drei Menschen an. »Jetzt werde ich ihnen diese Entscheidung verkünden. Gehen wir hinein!«

Die Kugel begann nach oben zu schweben, und sogleich wurden auch die Körper der drei Menschen emporgehoben, immer höher, als sauge irgend etwas sie nach oben.

9

Nacht auf dem Mond

Wie zu erwarten gewesen war, erregte diese einseitige Erklärung einen Aufruhr unter den Leuten im Raumschiff. Zuerst dachte man, Senea mache einen Scherz. Das war verständlich; sie waren ja nach vielen Mühen und Anstrengungen aus eigener Kraft bis hierher gekommen. Und nachdem sie der Erde schon so nahe waren, sollten sie nun hier auf dem Mond festgehalten werden. Das durfte doch nicht wahr sein!

Als sie aber erkennen mußten, daß es wirklich so war und daß sie jetzt Befehle entgegennehmen mußten, da packte sie Empörung, ja Wut! Einige von ihnen stürzten sich auf Seneas Kugel, trotz der zuvor gemachten Erfahrungen. Natürlich wurden sie wie zuvor in die Luft geschleudert und stürzten dann zu Boden.

Einer schoß mit einem Gewehr, aus sicherer Deckung zielend, auf die Kugel, aber das Geschoß prallte an der durchsichtigen Membran ab.

Einige besonnenere Leute fragten nach dem Grund, warum ihnen ein solches Schicksal auferlegt werde. Senea erklärte es mit den gleichen Worten, die sie zuvor gegenüber Tadashi und seinen Begleitern gebraucht hatte. Doch auf die Frage, welcher Rasse sie und ihre Kameraden angehörten, ging sie mit keinem Wort ein. Es gab auch welche, die aus wissenschaftlicher Neugier Fragen stellten wie: »Woraus ist diese durchsichtige Membran?« oder »Auf welche Art und Weise ist unser Raumschiff hier so untergebracht?« Unter ihnen waren auch erstklassige Wissenschaftler, doch selbst sie konnten Seneas Erläuterungen nicht völlig verstehen.

Die Stimmung der Raumschiffbesatzung wandelte sich von Zorn und Zweifel zu purem Staunen, schließlich zu hilfloser Resignation. Aufgrund dessen, was der Kapitän, der Chefpilot und Tadashi über ihre Eindrücke berichteten, und nach dem, was sie jetzt selbst erlebt hatten, erkannten alle, daß sie gegen Senea und ihre Leute nichts ausrichten konnten, wie sehr sie sich auch anstrengen würden, und daß ihnen vorläufig nichts anderes übrig blieb, als sich zu fügen. Niemand konnte entscheiden, ob Seneas Drohung den Tatsachen entsprach, daß sie alle vernichtet würden, wenn sie törichten Widerstand leisteten, doch diese Drohung übte ihren Einfluß auf die Gedanken aller aus.

Jedenfalls gibt es keine andere Möglichkeit, als denen zu gehorchen, so sagte sich jeder der Raumschiffinsassen im stillen. Eines Tages würde sich das Rätsel schon lösen, und die Gegner würden begreifen, um was es den Menschen von Alpha Centauri ging. Und dann würden sie eines Tages vielleicht doch zur Erde zurückkehren können. Wenn sie aber jetzt etwas Unüberlegtes begingen und mit diesen Leuten kämpften, dann könnten sie womöglich nie mehr zur Erde heimkehren. — Der weitaus größte Teil der Menschen in dem Raumschiff sah keine andere Möglichkeit, als sich mit solchen Argumenten dazuzubringen, die gegenwärtige Lage zu akzeptieren.

Um das Schiff einzumotten und die vorläufig notwendigen Sachen einzupacken, brauchte man gut fünf Tage. Wenn man bedenkt, daß es sich ja um einen Platz handelte, an dem sie sehr lange Zeit gelebt hatten, dann war das doch noch ziemlich schnell.

Der Umzug wurde mit einem großen Auto durchgeführt, das man aus Bauteilen zusammenmontierte, die man im Raumschiff mitgebracht hatte. Die ursprüngliche Absicht war gewesen, diesen Wagen zusammenzubauen, wenn man auf der Erde angekommen wäre (es gab ein halbes Dutzend Leute, die sich mit Murren an diesen Plan erinnerten), deshalb wußte man vor der praktischen Erprobung nicht, ob es wirklich vollkommen luftdicht war. Man führte zwar einen gründlichen und strengen Test durch, aber trotzdem zogen alle ihre Raumanzüge an, bevor sie das Gefährt bestiegen. Da es sich um den Umzug von fast hundert Menschen handelte, konnte er nicht mit einemmal bewältigt werden; der Wagen mußte zigmal hin- und herfahren.

Die Regenbogenbucht war natürlich nur dem Namen nach

eine Bucht, da es ja auf dem Mond weder Wasser noch Luft gab; sie war in Wirklichkeit eine Ebene, an die die Mondgebirge sehr nahe herankamen. Ihre neuen Behausungen waren zu mehr als der Hälfte in den Fels hineingebaut; nur die Kuppel des Observatoriums und die anderen Beobachtungsstationen ragten aus der Mondoberfläche hervor. Diese Siedlung machte den Eindruck, als sei seit ihrer Errichtung schon sehr viel Zeit vergangen, und in der Tat war es schon lange her, daß man mit ihr zum erstenmal auf dem Mond eine Versuchsstadt angelegt hatte. Nach Seneas Worten hatte man sie als eine Art historischen Denkmals übriggelassen. Durch den Einsatz von Robotern war sie jetzt in kurzer Zeit wieder so instandgesetzt worden, daß Menschen dort leben konnten.

Senea leistete bei der Verlegung der Menschen keine besonderen Hilfsdienste, sondern sie überwachte die ganze Zeit über die Siedler, die mit verbissenem Eifer Vorkehrungen für den Umzug trafen und dann die Räume in den neuen Behausungen unter sich aufteilten. Als sie sich dort endlich eingewöhnt hatten, kam sie zwei-, dreimal am Tag ohne vorherige Ankündigung zu ihnen und schaute sich überall um. Dabei redete sie jedesmal mit dem Kapitän und mit dem Chefpiloten, und gelegentlich sprach sie auch Tadashi an. Dieses Verhalten bedeutete natürlich, daß sie das Leben und Treiben der Menschen überwachte, aber wenn man es von einem anderen Standpunkt aus betrachtete (Tadashi fühlte sich dabei erinnert an den Gedanken, der ihm zuvor in jenem seltsamen Raum gekommen war), dann konnte man es auch so empfinden, als führe da ein Mensch Beobachtungen an tiefer stehenden Tieren durch, für die er sich sehr interessierte.

Obwohl keine Lampe brannte, war die Kuppel des Observatoriums von hellem Licht erfüllt. Das lag an der Erde. Vom Mond aus gesehen verändert die Erde ihre Position überhaupt nicht. Deshalb war von Anfang an die Kuppel so gebaut worden, daß man von hier aus die Erde gut sehen konnte.

Tadashi blickte eine Weile auf die Erde, dann schaute er wieder auf seine Armbanduhr. Außer ihm befand sich niemand

in der Kuppel. Dem biologischen Rhythmus nach war jetzt
Nacht. Da auf dem Mond 15 Tage lang hintereinander Dunkel
herrschte und dann wieder 15 Tage Helligkeit, hatte man
künstliche Zeiteinheiten von 24 Stunden geschaffen und sie
dann in ›Tag‹ und ›Nacht‹ eingeteilt.

»Sie ist aber spät dran!« murmelte Tadashi. Noch immer war
Naomi nicht gekommen. Er war hier zu dieser Stunde, wo alle
schliefen, weil ihn Naomi heute angerufen hatte: Sie müsse
ihm etwas erzählen . . .! Was das wohl sein sollte?

Tadashi hatte seinen Blick wieder zur Erde emporgerichtet
und wollte sich wieder seinen Gedanken hingeben, da spürte
er, wie ihn jemand leicht an der Schulter berührte.

»Hast du lange auf mich gewartet?« fragte Naomi und zog
ihre Hand von Tadashis Schulter zurück. Sie stellte sich neben
ihn und blickte ebenfalls zur Erde hinauf: »Ist sie nicht schön?
Wenn alles gut gegangen wäre, dann wären wir schon längst
dort . . .«

Tadashi schwieg.

»Daß wir jetzt in dieser Lage sind, das haben wir dieser
Senea zu verdanken, diesem seltsamen Wesen, nicht wahr!«

»Ja . . .«

»Um bei dieser Senea zu bleiben: Mir scheint, daß die dir
gegenüber ziemlich freundlich ist . . . Meinst du nicht auch?«

Tadashi verzog das Gesicht. Was wollte Naomi damit sagen?

»Also, was gibt's?« fragte er ungeduldig.

10

Naomis Eifersucht

Naomi blickte Tadashi eine Zeitlang forschend an, dann sagte
sie schließlich: »Tadashi, magst du . . .?«

»Was denn?«

»Magst du — magst du diese Senea?«

»Was?« Tadashi machte ein befremdetes Gesicht. Bis jetzt
hatte er solche Gedanken noch gar nicht angestellt.

»Wie ist das?« drängte sie ihn. »Sag es mir!«

Tadashi erwiderte nichts. Er drehte sich zu Naomi um und schaute sie an. Überraschenderweise war ihr Gesicht ganz ernst. »Das kann dir doch egal sein«, sagte er schließlich.

»N-nein!« Naomi schüttelte heftig den Kopf. »Ich möchte es ganz genau wissen!«

»Mensch, du bist ganz schön hartnäckig!«

»Du darfst mich nicht anschwindeln!«

»Aber . . .«, stammelte er. Ob er Senea mochte oder nicht — darum ging es doch gar nicht. Natürlich, da er nun einmal ein Junge war, hatte er keine Abneigung einem so schönen Mädchen gegenüber . . . Aber weil er gesehen hatte, über welche furchterregenden Fähigkeiten sie verfügte und daß sie die Macht hatte, ihnen Befehle zu erteilen, war das, was er ihr — einer solchen Persönlichkeit — gegenüber empfand, eher so etwas wie Respekt oder Scheu.

Auf jeden Fall gehörte Senea nicht zu der Kategorie von Menschen, zu der er, Tadashi, sich selber zählte. Da sie für ihn kein Mensch im üblichen Sinne war, konnte er ihr gegenüber doch wohl nicht die gleichen Gefühle hegen wie Menschen gegenüber.

»Ich weiß es nicht«, sagte Tadashi ganz ehrlich.

»So . . .« Naomi schlug die Augen nieder. »Das heißt auf jeden Fall, du hast keine Abneigung gegen sie.«

»Mag sein.«

»Ja, das glaube ich«, sagte Naomi leise, »sie ist doch sehr schön . . . Ja, so ist's — du hast sie doch gern!«

Tadashi blieb stumm.

»Ich habe verstanden . . .«, sagte Naomi traurig, drehte Tadashi den Rücken zu und schickte sich an, wieder zurückzugehen.

»Naomi!« rief Tadashi unwillkürlich. Naomi war eifersüchtig — deshalb also hatte sie ihn hierher bestellt. Ohne Zweifel, er spürte es. Aber das schien es nicht allein zu sein. Dahinter war noch etwas, etwas sehr Bedeutsames. Aber was das sein konnte, wußte er nicht. Auf jeden Fall wollte er nicht, daß ihr Gespräch auf diese Weise endete. Und selbst wenn seine

Intuition ihn trog und es Naomi aus Eifersucht auf Senea nur darum ging, sich seiner Gefühle zu vergewissern — dann mußte dieses Mißverständnis aufgeklärt werden. Naomi war offenbar viel zu argwöhnisch. Er mußte ihr ganz deutlich klarmachen, daß es sich nicht so verhielt, wie sie dachte.

»Laß mich die Sache erklären!« rief er ihr zu. Sie stand immer noch abgewandt da und sagte kein Wort.

»Du verstehst mich falsch!«

Naomi blieb stumm.

»Bestimmt ist Senea sehr schön, wie du gesagt hast, und außerdem ist sie fürchterlich intelligent, aber ...«

»Aber was?«

»Senea ist nicht unseresgleichen. Nicht unseresgleichen — vielleicht ist sie überhaupt kein Mensch. Sie ist eine von diesen geheimnisvollen Leuten, die hier auf dem Mond wohnen.«

Naomi erwiderte nichts darauf.

»Ich betrachte dich, meine Eltern und die Menschen, die zwangsweise hier auf dem Mond leben, als meinesgleichen. Senea ist etwas anderes. Sie ist ein ganz anderes Wesen.«

Naomi nickte leicht.

»Und was meinst du überhaupt? Willst du sagen, Senea sei meine Freundin? Oder so etwas wie eine ältere Schwester? Du solltest deine Scherze mit mir nicht zu weit treiben!«

Naomi stieß einen Seufzer der Erleichterung aus: »Okay, ich habe verstanden!« sie kam langsam zu ihm zurück. »Ich habe mich offensichtlich geirrt — Gott sei Dank!«

»Wenn du mich jetzt verstehst, dann ist ja alles in Ordnung.«

»Gott sei Dank!« wiederholte sie. »Ich hatte mir solche Sorgen gemacht. Denn wenn es so gewesen wäre, wie ich dachte, dann wärest du aus dem Kreis der Freunde ausgeschlossen geblieben.«

»Ausgeschlossen — sagtest du?«

»Ja!« flüsterte Naomi. »Man schmiedet im geheimen einen Plan.«

Ein Fluchtplan

»Einen Plan?« Tadashi schaute Naomi an.

»Ja, einen Plan für einen Aufstand!«

Tadashi schwieg überrascht.

»Die Menschen, die nicht mehr länger an der Rückkehr zur Erde gehindert werden wollen, planen, Senea und ihre Leute zu überwältigen, sich wieder in den Besitz des Raumschiffes zu bringen und dann zur Erde zu starten.«

»Sowas!«

»Natürlich gibt es viele Schwierigkeiten, aber mit vereinten Kräften werden wir es schon schaffen. Bis jetzt haben sich schon fast alle diesem Plan angeschlossen. Und die Vorbereitungen sind fast abgeschlossen . . . In der kommenden Nacht soll der Plan ausgeführt werden.«

»Davon habe ich nichts gewußt.«

»Das ist klar. Man hatte dich ausgeschlossen.«

»Ausgeschlossen?«

»Ja, die Leute, die mit Senea freundliche Beziehungen hatten, also der Kapitän, der Chefpilot und du, wurden ausgeschlossen, denn es hätte ja sein können, daß sie Senea die Sache melden.«

Tadashi erwiderte nichts.

»Jetzt gehörst du zu unserem Kreis, nicht wahr!«

Er konnte nicht sofort darauf antworten. Da er die Macht dieser Mondbevölkerung bis zum Überdruß hatte beobachten können, mußte ihm dieser Plan verrückt erscheinen.

»Was sagst du jetzt?« fragte Naomi.

»Das geht nicht!« Tadashi schüttelte den Kopf. »Wenn ihr das macht, dann werden alle umgebracht!«

»Hast du etwa Angst?«

»Nein!« rief er. »Ihr habt doch keine Ahnung! Ihr kennt die fürchterlichen Fähigkeiten dieser Leute nicht!«

Naomi stieß einen Seufzer aus: »Dann ist es also nichts!«

Tadashi schaute sie schweigend an.

»Ich habe darauf bestanden, daß man dir eine Chance gibt, aber jetzt geht es nicht mehr.« Zu seiner Verblüffung holte sie eine kleine Pfeife heraus und ließ zwei schrille Pfiffe ertönen.

»Was hast du denn vor?«

Naomi gab ihm keine Antwort.

»Wozu tust du das denn?«

Nach Naomis Pfiffen vergingen keine zwei Minuten, da kam ein Dutzend Männer in die Kuppel des Observatoriums geeilt.

»Genau wie wir gesagt haben, nicht wahr!« sagte einer der Männer. »Er schließt sich unserem Kreis nicht an.«

Naomi nickte matt. Im nächsten Augenblick stürzten sich die Männer auf Tadashi.

»Was macht ihr denn?« rief er und sprang zur Seite.

»Wir nehmen dich fest!« war die Antwort. »Es hätte schlimme Folgen, wenn du unseren Plan behinderst! Du mußt jetzt ruhig bleiben.«

»Dummes Zeug!« Tadashi versuchte den Männern auszuweichen. Auf der anderen Seite standen auch schon einige. Er ließ sich zu Boden fallen und versuchte, zwischen den Beinen der Männer hindurchzuschlüpfen. Eine Hand packte ihn am Nacken. Er griff nach dieser Hand, bückte sich und drehte sich blitzschnell herum — sein Gegner fiel, mit den Füßen nach oben, auf den Boden. Nun faßten etliche Hände nach ihm.

»Laßt los!« Tadashi zappelte hin und her. Dieser Aufstand darf nicht stattfinden! Sonst ist das Leben aller in Gefahr. Ich muß das irgendwie verhindern! dachte er, doch nach und nach überwältigten ihn die anderen. Als er keine Kraft mehr hatte und alles über sich ergehen ließ, wurde er mit einem Nylonseil gefesselt, mit dem man seinen Körper vom Hals bis zu den Füßen umwickelte. Als man ihn fortschleppte, blickt er schnell in Naomis Richtung. Sie schaute zur Seite, mit einem Gesicht, als müsse sie gleich in Tränen ausbrechen.

Seneas Worte

Draußen hörte man das Geräusch vieler eiliger Schritte.

»Habt ihr alle die Schutzanzüge an?« klang die Stimme des Zweiten Piloten.

»Alles ist bereit!« antwortete eine andere Stimme. »Alle warten auf ihren Plätzen wie besprochen.«

»Gut!« Die Schritte entfernten sich.

In dem engen Lagerraum war es totenstill. In dem schwachen Licht lagen knapp zwanzig Menschen gefesselt am Boden. Der Kapitän war darunter, der Chefpilot, Tadashis Eltern . . .

Tadashi lag in der Nähe der Tür, an die Wand gelehnt. Fast ein ganzer Tag war schon vergangen, seit man sie hierher geworfen hatte. Es waren alles Leute, die den Aufstand abgelehnt hatten.

»Das ist das Ende!« sagte der Kapitän niedergeschlagen. »Da kann man nichts mehr tun.«

»Ich verstehe ja ihre Gefühle«, sagte der Chefpilot, »aber das führt nur dazu, daß alle umkommen. Das ist wirklich unbedacht . . .«

»Diese Senea ist heute nicht gekommen, sich umzuschauen, nicht wahr«, murmelte einer. »Wenn sie gekommen wäre, dann wäre bestimmt ihr Blut geflossen . . .«

»Das ist doch unmöglich!« erwiderte der Chefpilot in einem Ton der Selbstverachtung. »Es ist völlig unmöglich, Senea und ihre Genossen zu erledigen.«

Aus der Ferne hörte man lautes Geschrei. Es hatte also begonnen!

Mit den Raumschutzanzügen bekleidet, Waffen in den Händen, fuhren die Aufständischen zu dem Hangar, wo das Raumschiff untergebracht war. Sie wollten den Hangar angreifen und die Mondbewohner durch Drohungen dazu bringen, ihn zu öffnen; dann sollte das Raumschiff repariert und in Richtung Erde gestartet werden. Alle diejenigen, die behauptet hatten, das sei unmöglich, waren gefangen gesetzt worden, und die anderen hatten sich um so ernsthafter der Ausführung ihres Vorhabens gewidmet.

Das Geräusch der sich öffnenden Torflügel hörte man bis hierher. Düster vor sich hinstarrend, biß sich Tadashi auf die Lippen.

In diesem Augenblick tauchte jemand mitten in dem Lagerraum auf, in der rechten Hand etwas haltend, das wie eine Glasscheibe aussah, die linke in die Hüfte gestützt. Es war Senea. Sie war ohne ihre durchsichtige Kugel. Alle wandten ihr überrascht ihre Gesichter zu. Jetzt hatte Senea feste Gestalt angenommen; mit einer langsamen Bewegung lehnte sie den glasscheibenähnlichen Gegenstand an die Wand. Dann sagte sie: »Die führen sich auf wie Barbaren!«

»Bist du's?« fragte der Chefpilot mit heiserer Stimme. »Könnt ihr euren Molekulartransmitter überall benutzen?«

»Selbstverständlich!« antwortete Senea, dann holte sie aus ihrer Brusttasche einen kleinen Stab hervor und berührte die Seile, mit denen die Menschen gefesselt waren. Sofort lösten sich die Seile in nichts auf.

Nachdem sie alle befreit hatte, kam Senea zu Tadashi und sagte: »Es war schlimm für dich, nicht wahr!«

Tadashi schaute sie erstaunt an. Bis jetzt hatte Senea noch nie etwas so Menschliches gesagt.

13

»Alle werden ausgelöscht!«

»Kommt hierher!« Mit einer Geste ihrer Hand bedeutete Senea den Aufstehenden, sie sollten zu dem Objekt herankommen, das wie eine Glasscheibe aussah. Auf der Scheibe erschien ein Muster, das sich sogar bewegte. Nein, das war kein Muster: Es handelte sich bei dem Ding um eine Art Fernsehschirm. Obwohl es so dünn war und offensichtlich keine Antenne hatte, gab es doch ein klares Bild.

Gezeigt wurde die Mondlandschaft außerhalb der Siedlung.

Der Wagen und die ihre Schutzanzüge tragenden Menschen rückten voran. Die Aufständischen hatten sich in einige Trupps aufgeteilt.

»Wir wußten, daß heute dieser Aufstand sein würde«, sagte Senea.

»Ihr habt das gewußt?«

»Ja!«

»Das kann doch nicht sein!« stieß der Chefpilot hervor. »Auf welche Weise denn . . .«

Doch Senea lächelte nur leicht. ›Es gibt eben Methoden, die ihr nicht versteht!‹ schien ihre Miene zu sagen.

»Es wäre ein leichtes gewesen, diesen Aufstand im Keim zu ersticken«, fuhr sie fort zu sprechen, »aber besser, wenn sie unsere Macht kennenlernen, dann werden sie sich so etwas nicht ein zweitesmal ausdenken. Schaut hin!«

Alle blickten auf den Schirm und schrien zugleich auf.

Den vorrückenden Menschen kamen Maschinen von ungefähr menschlicher Größe entgegen, eine, zwei, drei . . . Sie glichen komplizierten und präzis funktionierenden Panzern und funkelten silbern.

Die Bewegung der voranrückenden Menschen kam zu einem Halt. Doch der an der Spitze Marschierende hob seinen schutzanzugbewehrten Arm und winkte, und der Vormarsch ging weiter. Es schien ihre Absicht zu sein, an den Maschinen vorbeizulaufen.

Doch in diesem Augenblick blitzten weiße Lichter aus den Maschinen hervor. Lichtbögen spannten sich bis hinter die marschierenden Menschen. Dutzende, ja Hunderte solcher Lichtstrahlen bildeten eine Glocke über den Köpfen der Menschen.

Die werden umgebracht! dachte Tadashi. Auf diese Weise werden alle getötet!

»Töte sie nicht!« schrie Tadashi außer sich. »Bitte, laß nicht zu, daß alle umgebracht werden!« Da hielt ihm etwas Weiches den Mund zu — Seneas Hand.

»Du Dummkopf!« sagte sie. »So etwas tun wir nicht.«

Während sie weiter das Geschehen beobachteten, bildeten

die Lichtstrahlen eine leuchtende Struktur, die einer glitzernden Kuppel glichen. Schließlich ließ das Glitzern nach, und da war eine Halbkugel entstanden, die Seneas durchsichtiger Kugel glich, aber viel größer war. Die Menschen, die jetzt darin eingeschlossen waren, suchten verwirrt herumrennend nach einem Ausgang.

»Die Molekulartransmission im Vakuum durchzuführen, kostet etliche Mühe«, sagte Senea.

»Was habt ihr jetzt vor mit ihnen?« fragte der Kapitän besorgt.

»Wir lassen sie jetzt etwa zwei Stunden da drin«, erwiderte Senea und berührte die Oberfläche der Bildscheibe. Ohne irgendein Geräusch erlosch das Bild. »Jetzt werden diese Leute sicher bereuen, was sie da getan haben!«

Als Senea sich erhob, erschien in dem Lagerraum aufs neue die verschwommene Gestalt eines Menschen; nach kaum einer Sekunde wurde sie zur Figur eines Mannes. Tadashi stellte überrascht fest, daß es sich um einen der Männer handelte, denen er in jenem seltsamen Raum begegnet war.

Der Mann hatte sich Senea zugewandt. Er schien zornig zu sein, doch er tat seinen Mund nicht auf. Auch Senea blieb stumm. Es sah aus, als sprächen sie miteinander durch Gedankenübertragung.

»...Gut!« sagte der Mann dann laut. »Deinem Wunsch zufolge reden wir nicht telepathisch, sondern mit Hilfe der Schallwellen, damit diese Leute hier auch mithören können.«

»Danke!« antwortete Senea.

»Aber was beabsichtigst du denn?« fragte er in scharfem Ton. »Du willst, daß diese Sache verheimlicht wird, aber der Zentrale Rat weiß doch schon davon. Wie die Dinge laufen, ist die Entscheidung doch ganz klar: Alle müssen ausgelöscht werden.«

»Warte!« rief Senea. »Wenigstens ... diese Leute hier ...«

»Wie weit möchtest du denn das Spiel noch treiben?« Die Miene des Mannes war streng und hart geworden. »Du solltest jetzt endlich damit aufhören!«

»Aber diese Menschen hier ...!« Seneas Gesicht war ganz ernst.

»Ja, die tun uns wirklich leid. Sind sie doch eigens diesen weiten Weg zurückgekommen. Aber unser Prinzip besagt, daß sie ausgerottet werden müssen. Das weißt du doch ganz genau!«

»Das weiß ich schon, aber ...«, unterbrach ihn Senea verzweifelt.

»Auf jeden Fall«, fuhr der Mann fort, jedes Wort deutlich betonend, »ist auf der Erde kein einziger Mensch mehr übrig. Alle Menschen sind samt und sonders untergegangen. Daß die paar hier noch zur Erde zurückkehren, ist völlig sinnlos.«

14

Was für Wesen sind Senea und ihre Leute?

Tadashi konnte einen Augenblick lang seinen Ohren nicht trauen. Nicht nur er, sondern auch der Kapitän, der Chefpilot, seine Eltern, ja alle Menschen in dem engen Lagerraum blickten wie vom Donner gerührt auf die beiden.

»Das ist eine Lüge!« brach es aus dem Chefpiloten hervor. »Kein einziger Mensch soll mehr übrig sein? Alle sollen samt und sonders untergegangen sein? So ein hirnverbrannter Unsinn!«

Der Mann und Senea tauschten kurze Blicke miteinander, machten aber keine Anstalten, etwas zu sagen.

»Das kann ich nicht glauben!« stöhnte Tadashis Vater. »Die Menschen haben doch von der Erde, ihrem Mittelpunkt, aus nach und nach andere Planeten kolonisiert. Aber so etwas ... Nein, so etwas kann nicht sein. Nicht wahr? Sagt doch, daß das nicht wahr ist!«

»Doch, es ist wahr«, murmelte Senea mit düsterem Gesicht. »Das heißt, sicher leben Nachkommen der Erdbevölkerung als Siedler auf Planeten außerhalb des Sonnensystems weiter, so wie ihr es auf eurem Stern getan habt, aber auf der Erde, also hier im Sonnensystem, gibt es keine Menschen mehr. Sie sind ganz und gar ausgestorben.«

»Unmöglich!« Es war der Kapitän, der jetzt sprach: »Aber dann ... Aber was seid ihr dann überhaupt? Seid ihr denn keine Menschen?«

Wieder herrschte Schweigen in dem kleinen Raum. Tadashi starrte auf Seneas Mund: Also doch ... Dieses schöne Mädchen ist kein Mensch ... Sie hat zwar Menschengestalt angenommen, aber, wie ich gefürchtet hatte, sie ist ein nichtmenschliches Wesen ... Irgendein Monster ... Aber warum hat sie dann ein menschliches Aussehen?

In diesem Augenblick wandte Senea ihren Blick Tadashi zu: »Nein, nein!« Sie schien seine Gedanken unmittelbar auf telepathischem Weg wahrgenommen zu haben und schüttelte heftig den Kopf: »Ich — ich bin kein Monster!«

»Senea!« Der Mann fiel ihr abrupt ins Wort, als sie weiterreden wollte. »Was redest du denn! Du brauchst doch denen hier nichts Unnötiges zu erzählen. Hör auf damit!«

»Nein, laß mich reden!« Senea überging seinen Einwand. »Ich mag nicht, daß man mich für ein Monster hält. Ich möchte die Wahrheit sagen!«

»Senea!« Die Stimme des Mannes nahm einen drohenden Ton an. »Merkst du denn nicht, daß du dabei bist, die Regel zu brechen? Wieso tust du so etwas? Du ...« — er wandte sein Gesicht Tadashi zu — »ich weiß, du hegst besonderes Wohlwollen gegenüber diesem Jungen hier, und ich verstehe auch gut, daß du nicht seine Zuneigung dir gegenüber verlieren willst.«

»Sag so etwas nicht!« Seneas Wangen färbten sich im Nu rot.

»Aber sei doch vernünftig!« Der Mann war unnachsichtig. »Für so etwas brichst du unsere Regel, und das Ergebnis ist, daß du möglicherweise das Bürgerrecht verlierst. Sind diese Leute das wert? Das sind doch Lebwesen, die eine Stufe unter uns stehen, und sie gehören der gleichen Spezies an wie die Schurken, die uns einst vernichten wollten.«

»Aber«, Senea biß sich auf die Lippen, »wenigstens ... wenigstens den wahren Sachverhalt ...«

»Nein, das darf nicht erlaubt werden!« sagte er kalt.

»Also ...« Sie schaute ihn an.

»Ja!« Er nickte. Jetzt schwiegen sie beide. Sie sprachen miteinander auf telepathischem Wege. Auf Seneas Gesicht erschienen zusehends Zeichen von Schmerz. Sie ließ den Kopf sinken. Es war, als ringe sie in ihrem Innern mit sich selbst.

Dann klopfte der Mann ihr leicht auf die Schulter. Sie nickte matt. Beide griffen mit ihren Fingern an ihre Taillen, und mit einemmal waren sie verschwunden, als hätte es sich bei ihnen nur um Geistererscheinungen gehandelt.

15

Ein Apparat des Schreckens

Die Zurückgelassenen schwiegen minutenlang.

»Ich begreif das nicht!« seufzte schließlich der Kapitän. »Soll das wahr sein, was die beiden da geredet haben? Ich versteh's nicht ... Die Menschheit soll untergegangen sein?«

»Nein! Das darf nicht sein! Die Menschheit ist nicht untergegangen! Die Menschheit darf nicht untergegangen sein!« schrie der Chefpilot. Keiner erwiderte etwas darauf. Denn seine Worte hatten ausgedrückt, was alle empfanden.

Tadashi war verwirrt. Seneas Verhalten, ihr Wohlwollen, wie der Mann es genannt hatte ... Das war sonderbar, wider alles Erwarten. Doch noch viel mehr hatte ihn das Gerede vom Untergang der Menschheit getroffen. Und das hatten Wesen gesagt, die genau wie Menschen aussahen, Wesen, die noch dazu über den Menschen zu stehen schienen. Aber das war noch nicht alles! Der Mann hatte doch ganz bestimmt von den Menschen gesagt: »Die Schurken, die uns einst vernichten wollten.« Was sollte das in aller Welt heißen? Was war die Wahrheit? Was war ›der wahre Sachverhalt‹? Und vor allem: Was war mit den Menschen geschehen?

Immer wieder kamen seine Gedanken zu der gleichen Frage zurück: Ist die Menschheit wirklich untergegangen?

Tadashi war so in seine quälenden Gedanken versunken, daß ihm entgangen war, wie einige Männer die Tür des Lagerraums geöffnet hatten und hinausgegangen waren.

Plötzlich kamen von draußen die Geräusche hastiger Schritte. Die Männer, die den Lagerraum verlassen hatten, kamen angerannt.

»Schrecklich!« schrie einer. »Da kommt etwas auf die Siedlung zu!«

»Was denn?«

»Unsere Leute, die vorher festgehalten wurden, kommen hierhergeflohen!« schrie ein anderer und fuchtelte mit den Armen. »Da kommt eine große, seltsame Maschine! Die kommt hierher! Los, geht mit hinauf ins Observatorium, zur Kuppel!«

Alle sprangen auf und rannten, einander schiebend und stoßend, in die Kuppel des Observatoriums. Kaum hatte er von dort einen Blick nach draußen getan, da hielt er den Atem an. Da kamen sie angelaufen! Die Menschen, die zuvor unter der glitzernden Halbkugel festgehalten waren, kamen in panischer Angst zum Observatorium geflüchtet. Sie kamen angerannt in ihren Raumanzügen, die sie beim Laufen behinderten, und sie schienen nicht einmal mehr daran zu denken, einander zu helfen — nur eines gab es noch: die Siedlung zu erreichen!

Und hinter ihnen — rückte ein Berg heran! Nein, kein Berg — eine matt schimmernde gigantische Maschine. Wie ein Ungeheuer aufragend, ein glitzernder Keramiktorso auf metallenem Unterbau, näherte sie sich mit ziemlicher Geschwindigkeit. Was war das nur?

Mit dem nächsten Blick sah Tadashi seitlich am Rumpf des unheimlichen Dings eine Reihe weißer Punkte erscheinen, blendend grelle Lichtpunkte. Im Nu trennten sich die Lichtpunkte von dem Rumpf und dehnten sich wie lange Stäbe bis hin zu der flüchtenden Menschenmenge.

Heftige Erregung packte die Leute, die mit Tadashi zusammen das Geschehen beobachteten. Dort, wo einer dieser Stäbe den Boden berührte, verschwand das Gestein — zurück blieb nur ein Loch. Und in gleicher Weise geschah es auch mit den

Menschen: Sie verschwanden zusammen mit ihren Raumanzügen — wie hinweggewischt verschwanden ihre Figuren.

Und dies geschah nicht nur einmal: Sofort erschienen wieder Lichtpunkte am Rumpf des Ungetüms und dehnten sich zu Lichtstäben. Und jedesmal lösten sich Mondboden wie Menschen auf.

»Zum Teufel!« hörte Tadashi den Chefpiloten brüllen. »Diese Waffe reißt sie in Fetzen und atomisiert sie! Das ist ja gräßlich!«

Atomisiert sie? Plötzlich erinnerte sich Tadashi daran, was die beiden Männer gesagt hatten, bei denen sie damals zu dritt gewesen waren. Hatten die damals nicht davon gesprochen, wenn die Menschen sich nicht entsprechend ihren Erwartungen verhielten, dann würden sie ausgelöscht? Und hatte nicht auch der Mann vorhin zu Senea gesagt, die Menschen würden alle ausgelöscht?

»Dieses Ding da soll die ganze Siedlung auslöschen!« schrie Tadashi ganz außer sich. »Zusammen mit der Siedlung soll es uns alle auslöschen!« Wie ein Blitz schlugen diese Worte bei den Umstehenden ein.

»Ja!« Der Chefpilot hob die Arme: »Bestimmt! Verdammt! Lassen wir uns das nicht gefallen!«

»Du hast recht!« schrie der Kapitän. »Jetzt ist es egal, was die Wahrheit ist, was der wahre Sachverhalt! Um uns zu schützen, werden wir ihnen jetzt Widerstand leisten, solange wir können!« Und als er sah, wie alle wortlos nickten, befahl der Kapitän: »Öffnet die Luftschleusen! Nehmt die Flüchtenden auf!«

16

Die Menschen siegen

»Hooooh!« brüllten einige Männer gleichzeitig und liefen zu den Luftschleusen.

»In dem Raum neben dem Lager, wo wir gefangen waren, muß doch noch ein Laser-Generator sein! Holt den her!«

»Wird gemacht!« Wieder rannte eine Handvoll Männer aus dem Kuppelraum hinaus.

»Gibt es nicht neben der Luftschleuse an der Rückseite eine kleine Nachrichtenrakete?« fragte der Kapitän im nächsten Atemzug einen Ingenieur. Er, der sonst so bedächtig gewesen war, daß die jungen Leute kaum Geduld mit ihm hatten, schien jetzt ein ganz anderer Mensch geworden zu sein. Jetzt war er wahrhaft ein Führer! Und er befahl: »Feuert sie auf das Monstrum ab, auf den Teil, der wie Keramik aussieht! Vielleicht hat das eine Wirkung!« Der Ingenieur rannte sofort los.

»Jetzt geht es um die Leute, die zurückkommen!« Der Kapitän wandte sich dem Chefpiloten zu und gab seine Anordnungen: »Teil sie in Gruppen zu je etwa zehn Personen auf, und bring sie dazu, den Angriff zu erwidern. Sorge dafür, daß in allen Räumen jederzeit die Sicherheitsschotte heruntergelassen werden können, damit nicht alle ersticken, wenn irgendwo ein Gebäudeteil beschädigt wird!«

»Überlaß das alles mir!« erwiderte der Chefpilot; dann rückte er in Begleitung einiger Leute los.

Währenddessen verfolgte draußen der Riesenapparat die Menschen wie ein wandelnder Berg und schickte dabei seine Lichtstäbe aus. Jetzt konnte niemand mehr daran zweifeln, daß diese ganze Wohnsiedlung das Ziel dieses Monstrums war.

»Ihr bleibt bitte hier!« bedeutete der Kapitän Tadashi und seinen Eltern mit einem Kopfnicken. »Wenn der feindliche Angriff hier die Siedlung erreicht, dann wird vermutlich das Kommunikationssystem ausfallen. In dem Fall müßt ihr dann Botendienste übernehmen.«

»Ist in Ordnung!«

Sie hörten, wie die Luftschleusen sich öffneten. Lärmend drängten sich die Fliehenden ins Gebäude; ihr Echo klang wie das Geräusch einer Flutwelle.

Bald schon türmte sich die gespenstische Maschine vor der Kuppel des Observatoriums auf. Die weißen Punkte leuchteten wie eine Kette kleiner Sonnen. Man konnte genau sehen, wie sie sich in Stäbe verwandelten und ausdehnten. Ein Teil des menschlichen Geschreis und Gebrülls, das die Siedlung erfüllt hatte, erstarb abrupt. Es gab ein Gefühl, als entweiche Luft; im nächsten Augenblick hörte man einen heftigen Stoß — anscheinend hatten sich die Sicherheitsschotte automatisch geschlossen.

Und jetzt begannen auch von hier aus viele dünne gelbe Lichtstrahlen das Monstrum zu attackieren — das waren die Laser. Etliche der Vorrichtungen, aus denen die weißen Lichtstäbe hervortraten, fielen vom Rumpf des unheimlichen Gegners herab; es sah aus, als kullerten Augäpfel zu Boden. Die Geschwindigkeit der Maschine verringerte sich.

Dann prallte ein kleines kugelförmiges Objekt (es war mit Beinen versehen) direkt auf den Monsterapparat. Stichflammen in Weiß und Orange schossen auf. Als die Explosion der Kleinrakete verpufft war, klaffte in dem Maschinenungetüm ein Loch. Seine Bewegung stockte. Die Laser-Strahlen hatten jetzt dieses Loch zum Ziel.

Die Lichtstäbe, die aus den übriggebliebenen Lichtpunkten des riesigen Monstrums hervorgegangen waren, trafen auf der Stelle auf, von wo aus der Laser-Generator feuerte. Die Laser-Strahlen blieben aus. Aber auch die Angriffe des Feindes hatten ihren Höhepunkt überschritten: Von dem Loch ausgehend, bildeten sich in Blitzesschnelle Risse auf dem ganzen Rumpf. Aus ihnen leuchtete es zuerst rot, dann gelb, schließlich weiß, und sie vergrößerten sich, als würden sie von unsichtbaren Händen aufgerissen.

Die Bruchstücke des auseinanderfliegenden Ungetüms fielen langsam auf den Mondboden, prallten wieder in die Höhe, fielen wieder hinab. Der übriggebliebene mächtige Mittelteil war zusammengequetscht, als seien die Überreste in seinem Inneren eingestürzt.

»Geschafft!« — »Wir haben's geschafft!« Alle stießen Freudenrufe aus: diejenigen, die vom Observatorium aus alles unmittelbar verfolgt hatten, und diejenigen, die es über die Bildschirme gesehen hatten. Auch Tadashi schrie natürlich voller Begeisterung. Dies war der erste Sieg, den sie errungen hatten über diese Leute, die hier auf dem Mond wohnten, über einen Gegner auf einer wahnsinnig hohen Stufe von Wissenschaft und Technik. Und obwohl alles vielleicht nur ein Zufall gewesen war, so war dies doch der erste Sieg.

»Das hat prima geklappt!« wollte Tadashi gerade zum Kapitän sagen, doch dann biß er sich auf die Lippen. Der Kapitän schaute aus der Kuppel nach draußen, fest und unverwandt.

Da kam über die Ebene in der öden nächtlichen Mondlandschaft wieder ein solcher wandelnder Berg, riesig, unheimlich, jäh aufleuchtend; er nahm den gleichen Weg wie die erste Maschine und rückte unbeirrbar auf die Siedlung vor.

17

»Flieht schnell!«

Der Kapitän sagte nichts. Nicht nur er — alle, die nach außen schauten, auf welchem Platz auch immer innerhalb der Siedlung, sie alle blieben stumm. Tadashi wußte genau — zu genau! —, warum: Sie konnten keine Kleinrakete mehr abfeuern; der Laser-Generator war hin. Wie hätte man diese zweite Maschine besiegen können? Es war hoffnungslos. Sie konnten nichts mehr dagegen machen.

»Nein!« Der Kapitän hatte sich wieder gefaßt. »Nein! Das darf noch nicht zu Ende sein!«

Alle schauten ihn an.

»Flieht!« Er riß die Augen weit auf. »Zieht alle eure Raumanzüge an und flieht aus der Siedlung! Ich weiß nicht, wie weit wir fliehen können, aber wir dürfen nicht hierbleiben und ausgelöscht werden!«

Ja, er hat recht! dachte Tadashi. Fliehen! So weit fliehen, wie wir nur fliehen können! Aber es blieb nicht mehr viel Zeit. Die fürchterliche Maschine würde bald hier angekommen sein. Jetzt noch die Schutzanzüge anziehen und dann auf der Rückseite hinauseilen, das war doch beim besten Willen nicht mehr möglich.

Sie wollten schon ansetzen zum Laufen, und doch blieben sie

— Tadashi, seine Eltern sowie der Kapitän — wie zu Eis erstarrt stehen. Und während sie starr dastanden, glotzten sie empor zu der Maschine, die aussah wie ein wachsender Berg. An ihrem Rumpf erschienen weiße Lichtpunkte ...

Das war das Ende! Tadashi bemühte sich um Fassung. Jetzt würden sie im nächsten Augenblick ausgelöscht werden!

Aber was war los? Solange er auch wartete, die Empfindung, auf die er gefaßt war, kam nicht. Doch nicht nur das! Die Maschine, die schon fast die Kuppel überragt hatte, begann langsam auseinanderzufallen. Der Unterbau löst sich auf, die Metallscheiben fielen auseinander; übrig blieb ein Haufen Schrott.

Darüberher kam etwas geflogen. Das war, in ihrer durchsichtigen Kugel, Senea — unverkennbar! Sie hatte mit ihrer eigenen Waffe die Monstermaschine von hinten zerstört.

Während die Menschen dastanden wie vom Blitz gerührt, verschwand Senea samt ihrer Kugel; kurz darauf erschien sie mitten im Observatorium.

»Tadashi!« Deutlich nannte sie seinen Namen, doch dann ignorierte sie alle Fragen und rief nur: »Zieht sofort eure Raumanzüge an und verlaßt dieses Gebäude!«

»Verlassen?«

»Ich kann diese Maschinen nicht für immer von hier abhalten!« Zum erstenmal, seit sie Senea kannten, war nichts Kühles in ihrem Gesichtsausdruck. Sie war den Tränen nahe. »Um euch zu helfen, habe ich meine Leute, die Mutanten, verraten!«

Tadashi konnte fast seinen Ohren nicht glauben: ›Die Mutanten!‹

»Jetzt ist keine Zeit für Erklärungen! Flieht! Ich will, daß ihr schnell flieht!«

18

Ein riesiges Flugobjekt

Seneas Worte bewirkten, daß Tadashi wieder zu sich kam. Ja, sie mußten fliehen! Denn bestimmt käme bald wieder ein solches Ungetüm. Immer wieder würde eines kommen und sie so lange angreifen, bis alle Menschen, die hier noch waren, ausgelöscht wären. Er blickte um sich; seine Augen begegneten den Blicken einiger anderer Menschen. Sie nickten. Sie waren wieder fähig, klar zu denken.

»Nach draußen!« rief einer. »Zieht die Schutzanzüge an, und dann nach draußen!«

»Wir müssen fliehen!« schrie ein anderer.

Als der Kapitän diesen Befehl allen über Lautsprecher durchgab, entstand da und dort ein Durcheinander: »Was sollen wir tun?«

»Wieso nach draußen?«

Der Kapitän erklärte in einfachen Worten, daß mit Seneas Hilfe zwar die Gefahr für den Augenblick überstanden sei, daß aber bestimmt bald das nächste Monstrum anrücken und sie angreifen werde. Dann wiederholte er noch einmal die Befehle, die er eben schon gegeben hatte. Im Handumdrehen erstarb die Unruhe. Sie hatten ja alle gerade noch über die Schirme beobachtet, wie das Monstrum von Senea zerstört worden war. Und nachdem ihnen jetzt die Bedeutung diese Szene klar war, gab es niemanden mehr, der gezaudert hätte.

Alle setzten sich in Bewegung. Die Stimme des Kapitäns hatte mit ihrer ruhigen Gefaßtheit bewirkt, daß alle diszipliniert und wohlgeordnet, aber doch geschwind die Siedlung verließen. Nach wenigen Minuten standen sie in ihren Raumschutzanzügen auf der Mondebene. Als Tadashi und seine Eltern als letzte die Siedlung hinter sich ließen, erschien über ihren Köpfen Senea in ihrer durchsichtigen Kugel.

»Dort hinüber!« ertönte ihre Stimme in Tadashis Kopfhörer in seinem Schutzhelm. Senea deutete in ihrer Kugel in die Richtung, die der entgegengesetzt lag, woher das Monstrum gekommen war: »Flieht dorthin! Beeilt euch!« Wie Tadashi hatten alle zu der Kugel hinaufgeschaut; jetzt rannten sie los. Keiner sträubte sich gegen ihre Aufforderung. Aus den jetzigen Ereignissen und aus den Erläuterungen des Kapitäns hatten sie begriffen, daß Senea offensichtlich ihre Genossen verlassen hatte und auf die Seite der Menschen übergetreten war.

Alle rannten dahin. Sie halfen einander, den Erschöpften und den Verletzten; sie rannten in dem Tempo, das ihre Verfassung erlaubte. Zwar hatten sie die schweren Raumanzüge an, aber dies war ja die Oberfläche des Mondes. Und da sie trainiert hatten, sich an die Gravitation der Erde zu gewöhnen, war das Laufen auf dem Mond keine übermäßige Belastung.

Trotzdem — nach 30, 40 Minuten begann ihr Tempo abzunehmen.

»Ich kann nicht mehr!« war eine Stimme in Tadashis Kopfhörer zu vernehmen.

»Bis wohin müssen wir überhaupt laufen?« fragte ein junger Mann. »Kommen wir denn auf diese Weise zur Erde zurück?«

»Was wird aus uns werden?«

Allmählich hörten die Leute zu rennen auf. Sich langsamer bewegend, blickten sie zu Seneas durchsichtiger Kugel auf. Tadashi hatte das Gefühl, als sei alle Kraft aus seinen Beinen gewichen. Dann gibt es also auf der Erde — nein, im ganzen Sonnensystem keine Menschen mehr? fragte er sich. Bis jetzt wissen das nur wenige von den Kameraden. Und wenn das so ist — warum machen wir dann überhaupt noch so eine Flucht auf Leben und Tod?

»Nein, Tadashi!« hörte er Seneas Stimme. »Es hat keinen Zweck, jetzt darüber nachzudenken!«

Tadashi stutzte.

»Es stimmt, eure Art, die Menschheit, ist zugrunde gegangen«, fuhr Senea fort, »aber gerade deshalb will ich dir und deinen Freunden helfen . . .«

»Zugrunde gegangen?« mischte sich eine andere Stimme ein. Dann hörte Tadashi in seinem Kopfhörer Dutzende von Stimmen durcheinander schreien.

»Was soll das heißen?« riefen viele zu Senea hinauf.

»Das bedeutet . . .«, begann Senea, doch dann verstummte sie. Sie konnte nicht mehr weitersprechen. Aus ihrer durchsichtigen Kugel starrte sie zum Himmel empor. Alle hoben den Blick zum Himmel.

Dort war, ehe sie sich's versehen hatten, ein sechseckiger Flugkörper herangeschwebt, ein gigantisches Flugobjekt — es schien ihren ganzen Gesichtskreis auszufüllen.

19

»Löscht sie nicht aus!«

Alle hielten den Atem an. Das Flugobjekt stand unbeweglich über ihnen. Dann hörten sie, ein jeder über den Empfänger in seinem Raumschutzhelm, von einer tiefen Stimme gesprochene Worte, die offenbar von dort oben übertragen wurden:

»Ihr müßt ausgelöscht werden.« Die Stimme klang, als belehre und ermahne sie. »Eure Artgenossen, die Menschen der Erde, sind durch ihre eigenen Taten umgekommen. Sie planten, uns zu vernichten, doch es trat genau das Gegenteil ein: Sie selbst gingen unter. Eine so kriegslüsterne und selbstsüchtige Rasse, wie ihr Menschen es seid, muß ausgerottet werden!«

»Und wer seid ihr dann?« rief der Kapitän zurück. »Mit welchem Recht tut ihr so etwas?«

»Wir sind Mutanten«, antwortete die Stimme langsam, »aus den Menschen hervorgegangene Übermenschen.«

Der Kapitän schwieg.

»Aufgrund der Wirkung der genetischen Prozesse bringt ein Lebewesen immer Nachkommen seiner gleichen Art hervor. Aber wenn die Gene durch Radioaktivität oder andere Ursachen verändert werden, kann es vorkommen, daß Kinder geboren werden, die von anderer Art sind als die Eltern. Von diesen Kindern überleben als nächste Generation nur diejenigen, die bessere Anlagen haben als ihre Eltern. Das ist es, was man Evolution nennt.«

Weder der Kapitän noch ein anderer erwiderte etwas.

»In grauer Vorzeit haben sich die affenähnlichen Vorfahren der Menschen allmählich der heutigen Menschheit genähert ... Die Neandertaler wurden von euren direkten Vorvätern, den Cro-Magnon-Menschen, ausgerottet ... Das alles erfolgte nach dem Gesetz der Evolution. Und wir sind Übermenschen, die mit ihrer Intelligenz und ihren telepathischen Fähigkeiten eine neue Stufe erreicht haben, eine Stufe über euren Artgenossen, die sich mit dem Namen ›Homo sapiens‹ brüsteten.«

»Und deshalb wollt ihr uns umbringen?« brüllte der Chefpilot.

»Ja.« Die Stimme nahm einen düsteren Ton an. »Die Menschen hatten entdeckt, daß wir unter gewöhnlichen Menschen geboren wurden und heranzuwachsen begannen. Da bekamen sie Angst vor uns. Sie veranstalteten eine Menschenjagd, um uns auszurotten.«

»Das ist doch alles gelogen!«

»Das ist nicht gelogen. Um diese Auseinandersetzung zu vermeiden, und um zusammenleben zu können, flohen wir hierher auf den Mond. Wir wollten auf dem Mond unsere eigene Welt aufbauen und einfach in Frieden leben. Doch die selbstsüchtigen und kriegslüsternen Menschen griffen uns aufs neue an und versuchten, uns alle zu ermorden.«

Die Menschen, die diesem Bericht über ihre Kopfhörer lauschten, schwiegen betroffen.

»Wir hatten keine andere Wahl, als uns zu verteidigen. Wir schossen mit einer Rakete ein Virus auf die Erde, das in die menschlichen Gene eindrang und ihre Funktion beeinträchtigte. Wir hatten Erfolg: Die Menschen verloren die Fähigkeit, Kinder zu zeugen, und damit auch die Fähigkeit, als Menschen weiterzuleben. Das Virus befiel auch die Menschen, die sich in Raumschiffen aufhielten; es verbreitete sich über alle Kolonien im Sonnensystem. Und so ging die Menschheit zugrunde. Nur solche Leute wie ihr, die auf fernen Planeten leben, sind übriggeblieben.« In ihrer Erregung war die Stimme jetzt höher, schriller geworden: »Aber jetzt seid ihr wieder gekommen, um uns anzugreifen. Dieses Raumschiff, das zurückgekehrt ist, um Rache zu üben, werden wir vernichten.«

»Warte!« fiel ihm Senea ins Wort. Sie stand in ihrer durchsichtigen Kugel und hatte beide Hände ausgebreitet. »Diese Menschen sind anders! Diese Menschen lieben den Frieden, genau wie wir . . .«

»Halt den Mund!« Im selben Moment schien die Kugel aufzublitzen, und im nächsten Augenblick schlug sie zusammen mit Senea auf dem Mondboden auf.

»Senea, du hast uns verraten!« stieß die Stimme heftig hervor. »Du wirst als erste ausgelöscht!«

Senea lag ohnmächtig in der Kugel, die ein Stück auf dem Mondboden dahingerollt war. Ihre Arme und Beine waren schlaff ausgestreckt, ihre Augen geschlossen.

Ein paar Sekunden später hatte es den Anschein, als wolle der Flugkörper irgend etwas herabsprühen. Da sprang Tadashi wie in einem Reflex zu der Kugel.

Geben wir auf! Alle anderen Menschen waren schon ausgelöscht. Es hatte keinen Sinn, sich einer so hochentwickelten unwiderstehlichen Technologie zu widersetzen. Es gab keine andere Möglichkeit, als sich diesen sogenannten Mutanten zu fügen. Das war traurig, aber da half nichts.

Aber Senea? Sie war eine Mutantin. Sie gehörte zu denen, die Tadashis Volk vernichten wollten. Aber sie hatte doch bis hin zum Verrat an ihren eigenen Leuten versucht, die nach ihrer Heimat zurückkehrenden Menschen zu retten. Wollten sie sie zusammen mit den Menschen auslöschen?

Natürlich hatte Senea vielleicht nur aus persönlicher Zuneigung zu Tadashi so gehandelt. Dennoch . . . nein — gerade deshalb konnte er nicht zulassen, was jetzt geschehen sollte.

Während er fühlte, wie diese Empfindungen sich mit der Gefaßtheit auf seinen eigenen Tod verflochten, wurde Tadashi zu dieser Tat hingerissen. Zu einer Tat, die auch ihn selbst ganz und gar überraschte. Ohne irgendwelche Überlegungen breitete er sich schützend über die Kugel und blickte nach oben. In einer Haltung, als wolle er die in der Kugel liegende Senea verbergen, starrte er zu dem Flugkörper hinauf.

»Hört bitte auf!« schrie er aus Leibeskräften. »Ihr braucht dieses Mädchen nicht mit uns zusammen auszulöschen! Laßt ab von ihr! Bringt sie nicht um!«

Aus dem riesigen Flugobjekt antwortete ihm nur Schweigen.

»Ja!« riefen der Kapitän und der Chefpilot gleichzeitig. »Dieses Mädchen gehört doch zu euch! Wegen eurem Haß gegen uns braucht ihr doch nicht euresgleichen zu töten!«

Immer noch Schweigen.

»Wenn ihr uns auslöschen wollt, dann macht es bitte schnell!« sagte Naomi mit nahezu gelassener Stimme. »Jetzt sind wir noch darauf gefaßt ... also — schnell!«

Als wären diese Worte ein vereinbartes Zeichen gewesen, umarmten die Menschen schützend ihre Lieben. Sie umschlangen einander bei den Schultern, sie verdeckten einander die Gesichter, um den andern wenigstens ein bißchen zu schützen vor dem tödlichen Etwas des Gegners.

»Nun, was ist?« fragte Naomi ganz ruhig.

Das große fliegende Sechseck stand immer noch unbeweglich über ihnen. Und während es dort oben verharrte, drang aus ihm nicht ein einziges Wort.

Nach einer quälend langen Weile erdrückenden Schweigens antwortete ein schwaches Flüstern: »Wir haben verstanden.« Es klang betroffen. »Es ist offensichtlich geworden, daß ihr die Herzen hochentwickelter Lebewesen habt. Ihr werdet ganz gewiß nicht so handeln wie die zugrundegegangenen Menschen. Nein — ihr könnt das gar nicht tun.«

Einige Sekunden verstrichen. Dann verkündete die Stimme in einem — war das nur Einbildung? — lebhafteren Ton: »Die Entscheidung ist gefallen: Ihr dürft jetzt zur Erde zurückkehren.«

20

Abschied von Senea

Zuerst wurde das Raumschiff von der Anti-Gravitation hoch über die Mondebene gehoben; jetzt begann es sich ruhig aus eigener Kraft zu bewegen, Flammen sprühten aus seinen Antriebsaggregaten. Weil mit dem Photonenantrieb eine weiche Landung auf der Erde zu schwierig war, war mit Unterstützung der Mondleute statt dessen ein starkes Nuklearaggregat eingebaut worden.

Unter den Leuten im Steuerraum, wo sich der Kapitän, die Piloten, Tadashi und noch einige Männer und Frauen aufhielten, waren auch einige Mutanten, die aufmerksam auf den Bildschirm schauten.

»Jetzt könnt ihr ohne weiteres auf der Erde landen«, sagte einer von ihnen. »Wenn ihr den Landepunkt ausgewählt habt, dann gebt der Maschine die entsprechenden Anweisungen. Hier habt ihr eine Karte der Erde, die auf dem neuesten Stand ist. Ihr könnt euch den Landeplatz nach Belieben aussuchen.«

»Eine Landkarte von der Erde?«

»Ja. Wir untersuchen regelmäßig die menschenleere Erde und halten die Ergebnisse fest. Da alle frühere Zivilisation untergegangen ist, ist der größte Teil der Erde jetzt von einem Dschungel überzogen, in dem die verschiedensten Arten wilder Tiere leben. Diese Landkarte zeigt die jetzigen Verhältnisse. Vielleicht müßt ihr so wie die Menschheit in ferner, ferner Vergangenheit die Bedrohung durch die anderen Tiere abwehren und euch so durchsetzen.«

»Was ist mit dem Virus, das die Menschheit ausgerottet hat?« fragte der Chefpilot. »Gibt es das nicht noch auf der Erde?«

»Ihr könnt unbesorgt sein!« antwortete ein anderer Mutant. »Dieser Virus war so gezüchtet worden, daß es, wenn die menschlichen Gene vernichtet waren, in keinerlei Form mehr weiterleben konnte. Zur gleichen Zeit, als die Menschheit unterging, verschwand auch dieses Virus. Daß das tatsächlich der Fall ist, wurde durch Nachforschungen bestätigt.«

»Auf alle Fälle wünschen wir, daß ihr eine gesunde Zivilisation aufbaut!« sagte ein dritter Mutant. »Wir sind zwar Wesen, die den Menschen überlegen sind, aber vermutlich haben wir auch Fähigkeiten verloren, über die die frühere Menschheit verfügte. Eure Aufgabe ist herauszufinden, worin diese Fähigkeiten bestehen. Wenn ihr eine neue Zivilisation aufgebaut haben werdet, die auf diesen Fähigkeiten beruht, dann werden wir wieder mit euch eine von Hochachtung gekennzeichnete Beziehung haben.«

»Dann also — lebt wohl!« Die Mutanten nickten den Menschen zu.

Während Tadashi diesen Gruß erwiderte, empfand er in der Tiefe seines Herzens eine leichte Enttäuschung: Warum war Senea nicht hierher gekommen? Hatte man sie doch bestraft? War sie als Verräterin gemaßregelt worden?

»Senea!« rief plötzlich einer der Mutanten. Tadashi hob überrascht das Gesicht. Senea war im Steuerraum erschienen.

»Tadashi«, sagte Senea, während sie ihn unverwandt anschaute, »ich bin gekommen, Abschied zu nehmen.«

»Du bist . . .«

»Nein!« Senea lächelte; sie hatte blitzschnell seine Gedanken gelesen. »Man hat meinen Standpunkt anerkannt, und ich wurde nicht bestraft.«

Tadashi schwieg verwundert.

»Aber man hat mir eine Bedingung auferlegt.« Ihr Lächeln wurde geheimnisvoll. »Nämlich die Bedingung, ich solle dir die Wahrheit sagen.«

»Die Wahrheit?«

»Ich habe eine Zuneigung zu dir — nein, ich hatte . . . Aber . . .« — ihr Gesicht nahm einen schmerzlichen Ausdruck an — »das war nichts, was man hätte Liebe nennen können. Ich bin eine Mutantin, und du bist ein Mensch der früheren Rasse — eine Zuneigung, die auf Ebenbürtigkeit beruht, kann deshalb nicht zwischen uns entstehen. Es war also eine Zuneigung, wie sie etwa ein Mensch gegenüber einem Hund empfinden mag, den er sich hält ...«

Tadashi erwiderte nichts darauf.

»Das war die Wahrheit. Um das zu sagen ...«, sie schien den Tränen nahe zu sein, »bin ich gekommen.«

Sie lügt! dachte Tadashi. Ihr Gesicht verrät doch, daß sie lügt! Bestimmt wollten die Mutanten einfach nicht, daß eine von ihnen gegenüber einem Menschen eine auf Ebenbürtigkeit beruhende Zuneigung empfindet. Und deshalb haben sie ihr befohlen, so zu reden.

»Hör auf!« murmelte sie. »Also«, sie schaute Tadashi an, »dann leb wohl!« Sie verschwand.

Die anderen Mutanten verschwanden ebenfalls, alle zusammen. In Sekundenbruchteilen teleportierten sie sich aus dem Schiff auf den Mondboden.

21

Erde unter den Füßen

»Der Hochmut, aus dem die Mutanten Senea zwangen, das zu sagen ... Vielleicht liegt darin, wider ihr Erwarten, einer ihrer schwachen Punkte?« murmelte der Kapitän. »Die ganze Woche, seit wir vom Mond abgeflogen sind, habe ich über diese Sache nachgedacht. Ganz gewiß sind sie Übermenschen, aber wenn sie sich so sehr auf diesen Unterschied berufen, dann haben wir doch auch irgendwelche Fähigkeiten, mit denen wir auf gleicher Stufe stehen wie, nein — vielleicht noch Höheres hervorbringen als sie ...«

»Tadashi!«

Der Kapitän und Tadashi wandten sich nach dem Sprecher um. Es war Naomi. Sie stand in ihrem Trainingsanzug an der Tür und blickte zu ihnen herüber: »Ach, hier bist du also! Kommst du nicht mit zum Training?«

»Jaa.«

»Wir landen doch bald auf der Erde!« Naomis Sprechweise

klang etwas schulmeisterlich. »Wenn man seinen Körper, der an die bisherige geringe Gravitation gewöhnt ist, nicht übt, dann wird man nachher Beschwerden haben.«

»Ja, du hast recht!« Tadashi nickte dem Kapitän zu, dann ging er hinaus auf den Korridor, zu Naomi.

»Worüber habt ihr euch unterhalten?« fragte Naomi. »Gelt, das war wieder diese Senea, nicht wahr!«

Tadashi stand bloß da.

»Nicht wahr, du kannst sie noch nicht vergessen!«

»Nein, das stimmt nicht!

»Ich weiß schon, warum. Sie ist so schön.«

»Hör jetzt auf damit!«

»Du warst damals wirklich heldenhaft: ›Hört bitte auf!‹«

»Quatsch!« Er stieß sie in die Seite. »Hör jetzt endlich damit auf! Sie ist . . .«

»Ja, sie ist eine Mutantin.« Naomi war jetzt ernst. »Die von jetzt an mit dir zusammen die Aufgabe des Wiederaufbaus auf der Erde erfüllen werden, das sind ich und unsere Freunde. Sie hat damit nichts zu tun. Heh, schau mal da!« Sie blickte auf den Bildschirm vor dem Trainingsraum. Auch Tadashi wandte seinen Blick dorthin.

Die Erdscheibe füllte schon den ganzen Schirm. Der Blaue Planet — ein unvergleichlich schönerer Anblick als die Mondlandschaft.

»Sie geht zu Ende, unsere lange, lange Reise!« murmelte Naomi.

»Ja«, sagte Tadashi leise.

»Und alles wird neu beginnen, nicht wahr!«

»Ja, machen wir uns an die Arbeit!«

»Machen wir uns an die Arbeit!«

Sie betraten den Übungsraum.

QUELLEN

Die Erzählungen stammen aus folgenden Bänden:

Sangyô-shikan-kôhosei, Verlag Kadokawa (Kadokawa-Bunko* 4102), Tôkyô, 1978: 1

Kimyô na tsuma, Verlag Kadokawa (Kadokawa-Bunko 4073), Tôkyô 1978: 2, 3, 5, 6, 11

C-seki no kyaku, Verlag Kadokawa (Kadokawa-Bunko 3152), Tôkyô 1980 (12. Auflage): 4, 7

Ikyô-henge, Verlag Kadokawa (Kadokawa-Bunko 3818), Tôkyô 1977 (2. Auflage): 8, 9

Warunori-ryokô, Verlag Kadokawa (Kadokawa-Bunko 3482), Tôkyô 1979 (9. Auflage): 10

Jûryoku-jigoku, Verlag Kadokawa (Kadokawa-Bunko 4075), Tôkyô 1978: 12, 13, 14

Chikyû e no tôl michi, Verlag Kadokawa (Kadokawa-Bunko 3757), Tôkyô 1980 (7. Auflage): 15

---

* Kadokawa-Bunko ist eine japanische Taschenbuchreihe